내신 프리미엄 고등 영어 시리즈

Supreme

수능 어법 실전

김기현 김미화 김태승 김하나 민승규 박찬경 송병민 이지혜 임기애 장성훈 한춘수

Supreme 수프림은

내신과 수능을 한 번에 잡아주는

프리미엄 고등 영어 브랜드입니다.

학습자의 마음을 읽는 동아영어콘텐츠연구팀

동아영어콘텐츠연구팀은 동아출판의 영어 개발 연구원, 현장 선생님, 그리고 전문 원고 집필자들이
공동연구를 통해 최적의 콘텐츠를 개발하는 연구조직입니다.

원고 개발에 참여하신 분들

김기천 김효신 최진영

교재 기획에 도움을 주신 분들

김기현 김미화 김태승 김하나 민승규 박찬경 송병민 이지혜 임기애 장성훈 한춘수

수능 어법 실전

Structures & Features 구성과 특징

PART 01

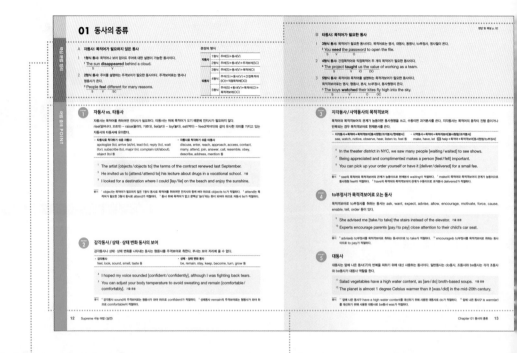

핵심 문법 정리

어법 출제 포인트 학습에 앞서 핵심 문법 정리를 통해 각 단원의 문법 개념을 간단하고 빠르게 정리할 수 있습니다.

어법 출제 POINT

시험에 자주 나오는 어법 항목과 문제 풀이 전략을 제시하고, 기출 문장을 포함한 다양한 예문형 문제를 통해 어법 출제 포인트를 잘 이해할 수 있도록 합니다.

어법 적용 연습

- 수능, 모의평가, 학력평가 기출 문장과 실제 수능 난이도 수준의 문장들로 구성된 문제를 풀어 보며 앞에서 배운 어법 포인트를 적용하는 훈련을 합니다.

- 단문, 중문으로 예문의 길이와 난이도를 순차적으로 제시하여 단계적 심화 학습이 가능합니다.

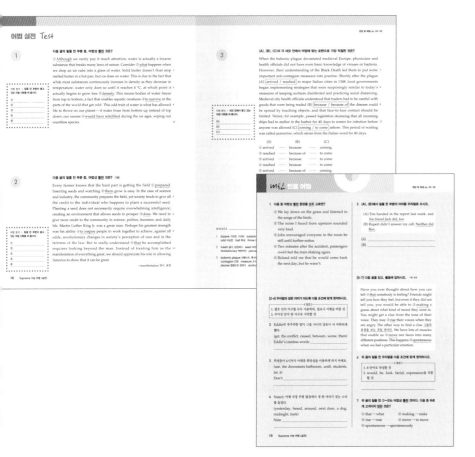

어법 실전 TEST

- 해당 단원의 어법 포인트를 적용시킨 실제 수능 유형의 어법성 판단 문제를 풀어 보며 실전 대비를 가능하게 합니다.

- 어법 분석 코너를 통해 각각의 문항에서 묻고 있는 어법에 대해 스스로 정리해봄으로써 어법 출제 항목에 대한 감각을 익힐 수 있습니다.

MfL 빈출 어법

실제 고등학교의 최신 시험 경향을 반영하여 기출과 유사한 유형의 문제들로 구성하였습니다. 영작, 조건 제시형 쓰기, 모의·학력 평가 기출 지문을 활용한 문제를 통해 내신·서술형을 충분히 대비할 수 있게 합니다.

PART 02

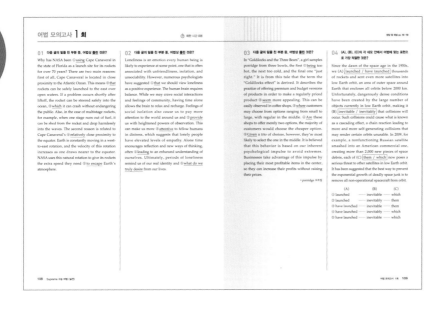

어법 모의고사 12회

수능의 어법성 판단 유형 문제를 정해진 시간 안에 집중적으로 풀어봄으로써 실전 감각을 익히고 지금까지 학습한 내용을 총정리할 수 있습니다.

Contents 목차

Basics 기본 설명

I 문장의 구성

A 주부와 술부

> The famous artist likes drawing pictures of dancers.
> 주부   술부

주부	문장에서 행위의 주체가 되는 부분으로 '~은/는, ~이/가'의 의미를 나타낸다.
술부	주어의 동작이나 상태를 설명하는 부분으로 '~하다, ~이다'의 의미를 나타낸다.

B 문장 성분

> Beautiful songs always make me relax.
> 주어   수식어   동사 목적어 보어

성분	역할	품사
주어	주부의 중심이 되는 말로 동작이나 상태의 주체	명사, 대명사, 동명사, to부정사, 명사절 등
동사	술부의 중심이 되는 말로 주어의 동작이나 상태 설명	동사
목적어	동사의 동작이 미치는 대상	명사, 대명사, 동명사, to부정사, 명사절 등
보어	주어나 목적어를 보충 설명해주는 말	명사, 대명사, 형용사, to부정사, 동명사, 분사 등
수식어	동사, 형용사, 부사, 문장 전체를 수식	형용사(구/절), 부사(구)

II 구와 절

A 구 두 개 이상의 단어가 하나의 품사 역할을 하는 것

종류	역할	예문
명사구	주어, 목적어, 보어 역할	**Attending college** is **my goal** for this year. (주어/보어) She ate **a piece of bread and butter** for breakfast. (목적어)
형용사구	명사 수식, 보어 역할	The woman **watering the flowers** is my mom. (명사 수식) The boss thought the secretary **very diligent**. (보어)
부사구	동사, 형용사, 부사, 문장 전체 수식	A deer suddenly appeared **from behind the tree**. (동사 수식) **To be honest**, I don't remember her name. (문장 전체 수식)

B **절** 주어와 동사를 포함하며 하나의 품사 역할을 하는 것

종류	역할	예문
명사절	주어, 목적어, 보어 역할	**What he wants** is not money but honor. (주어) I think **that Mark is my best colleague**. (목적어) The problem is **that not all pets are wanted**. (보어)
형용사절	명사 수식	Do you know the man **who sent her the gift**?
부사절	주절 수식	**Since I have no money**, I can't take a taxi. (이유) **If you have questions**, email us. (조건)

Ⅲ 문장의 기본 형식

어떤 동사가 쓰였는지에 따라 보어나 목적어가 필요하며 문장의 형식이 나뉜다.

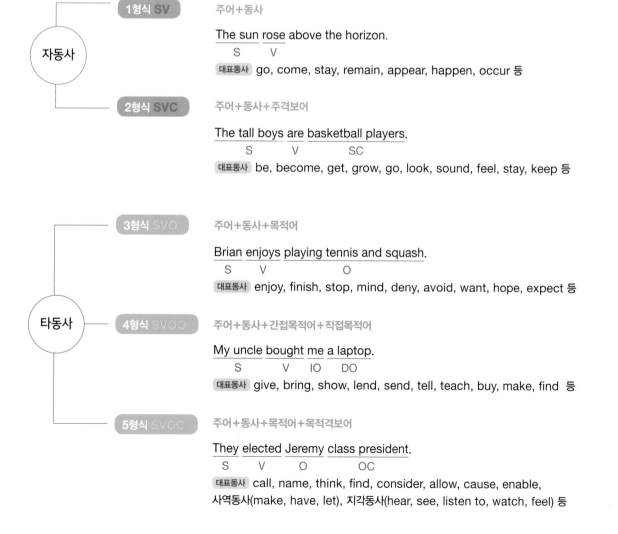

자동사

1형식 SV

주어＋동사

The sun rose above the horizon.
　　S　　V

대표동사 go, come, stay, remain, appear, happen, occur 등

2형식 SVC

주어＋동사＋주격보어

The tall boys are basketball players.
　　　S　　　V　　　SC

대표동사 be, become, get, grow, go, look, sound, feel, stay, keep 등

타동사

3형식 SVO

주어＋동사＋목적어

Brian enjoys playing tennis and squash.
　S　　V　　　　O

대표동사 enjoy, finish, stop, mind, deny, avoid, want, hope, expect 등

4형식 SVOO

주어＋동사＋간접목적어＋직접목적어

My uncle bought me a laptop.
　　S　　　V　　IO　　DO

대표동사 give, bring, show, lend, send, tell, teach, buy, make, find 등

5형식 SVOC

주어＋동사＋목적어＋목적격보어

They elected Jeremy class president.
　S　　V　　　O　　　OC

대표동사 call, name, think, find, consider, allow, cause, enable,
사역동사(make, have, let), 지각동사(hear, see, listen to, watch, feel) 등

수능 최빈출 어법 정리

1 수 일치   CH.2 | POINT 1, 2, 3

출제 포인트 수식어구로 길어진 주어 또는 부분이나 전체를 나타내는 명사구 주어와 동사의 수 일치가 적절한지 묻는 문제가 주로 출제된다.

Psychologists who study giving behavior ①have noticed that some

복수동사
people give substantial amounts to one or two charities, while others give small amounts to many charities.

기부하는 행위를 연구하는 심리학자들은 어떤 사람들은 한두 개의 자선 단체에 상당한 액수를 기부하는 반면에, 어떤 사람들은 많은 자선 단체에 적은 액수를 기부한다는 것을 알게 되었다.

2018학년 수능

---

2 관계사   CH.3 | POINT 1, 2

출제 포인트 뒤에 완전한 절을 이끄는 접속사 that(if/whether)을 쓸지 불완전한 절을 이끄는 관계사 what을 쓸지 판단하는 문제와 선행사 유무를 보고 관계대명사 that을 쓸지 what을 쓸지 판단하는 문제가 주로 출제된다.

Those who donate to one or two charities seek evidence about what the charity is doing and ②what(→ whether) it is really having

접속사 whether
a positive impact.

한두 개의 자선 단체에 기부하는 사람들은 그 자선 단체가 무슨 일을 하고 있는지와 그것이 실제로 긍정적인 영향을 끼치고 있는지에 관한 증거를 찾는다.

2018학년 수능

---

3 병렬 구조   CH.9 | POINT 1

출제 포인트 등위접속사나 상관접속사로 연결된 문법 요소가 대등하게 연결되고 있는지 여부를 묻거나, 비교 구문에서 비교 대상을 대신하는 대명사의 수가 알맞게 병렬 구조를 이루고 있는지 묻는 문제가 주로 출제된다.

For example, we might hear a song on the radio for the first time that catches our interest and ②decide we like it.

동사원형

예를 들어 우리는 라디오에서 우리의 관심을 끄는 노래를 처음 듣고, 그 노래가 마음에 든다고 결정을 내릴 수 있다.

2019년 6월 모평

---

4 형용사 vs. 부사   CH.6 | POINT 1, 3

출제 포인트 보어의 역할을 하는 형용사와 동사나 다른 부사를 꾸미는 부사의 쓰임을 구분하여 형용사나 부사가 적절하게 쓰였는지를 묻는 문제가 주로 출제된다.

In both cases the focus is ③exclusively on the object, with no attention

부사
paid to the possibility that some force outside the object might be relevant.

그 물체 밖에 있는 어떤 힘이 관련 있을지도 모른다는 가능성에 주의를 기울이지 않고, 두 경우 모두 초점은 오로지 그 물체에 있다.

2016학년 수능

---

5 동사 자리   CH.8 | POINT 1

출제 포인트 문장의 동사로 쓰였는지 분사로 쓰였는지 구분하는 문제가 주로 출제된다. 분사 대신 to부정사와 구분하는 문제가 출제되기도 한다.

But the Chinese saw the world as consisting of continuously interacting substances, so their attempts to understand it ④causing

동사
(→ caused) them to be oriented toward the complexities of the entire "field."

그러나 중국인은 세계를 계속적으로 상호 작용하는 물질로 구성된 것으로 보았고, 그래서 그것을 이해하고자 하는 그들의 시도는 그들로 하여금 전체적인 '장(場)'의 복잡성을 지향하게 했다.

2016학년 수능

6 동명사 vs. to부정사
CH.7 | POINT 2, 3

출제 포인트 전치사 to인지 to부정사의 to인지를 구분하여 뒤에 동명사가 올지 동사원형이 올지를 판단하는 문제와 동사 뒤에 동명사가 올 때와 to부정사가 올 때 의미가 달라지는 경우 문맥에 맞게 선택하는 문제가 주로 출제된다.

"Monumental" is a word that comes very close to ① expressing
                                                  동명사

the basic characteristic of Egyptian art.

'기념비적'이라는 말은 이집트 예술의 기본적인 특징을 표현하는 데 매우 근접하는 단어이다.

2019학년 수능

---

7 분사
CH.8 | POINT 2, 3

출제 포인트 명사를 꾸미거나 감정을 나타내는 분사를 의미 관계에 따라 현재분사로 쓸지 과거분사로 쓸지 묻는 문제가 주로 출제된다.

When considered in this light, the visual preoccupation of early humans with the nonhuman creatures ④ inhabited(→ inhabiting)
                                                         현재분사

their world becomes profoundly meaningful.

이런 측면에서 고려될 때, 초기 인류가 자신들의 세계에 살고 있는 인간 이외의 생명체들에 대하여 시각적으로 집착한 것은 깊은 의미를 띠게 된다.

2020학년 수능

---

8 태
CH.11 | POINT 1

출제 포인트 주어가 행위를 하는 주체인지 행위의 대상인지를 파악하여 능동으로 쓸지 수동으로 쓸지 묻는 문제가 주로 출제된다.

In addition, pets are ③ used to great advantage with the institutionalized
                              수동태

aged.

게다가, 애완동물은 시설에 수용된 노인들에게 매우 유익하게 이용된다.

2017학년 수능

---

9 대명사
CH.5 | POINT 1, 2

출제 포인트 대신하는 명사의 수와 성에 일치하는 대명사를 바르게 썼는지 묻는 문제와 문맥상 대명사를 쓸지 재귀대명사를 쓸지 구분하는 문제가 주로 출제된다.

Many modern structures exceed ③ those of Egypt in terms of purely
                                    복수 대명사

physical size.

많은 현대 구조물은 순전히 물리적인 크기의 면에서는 이집트의 구조물들을 능가한다.

2019학년 수능

---

10 접속사
CH.4 | POINT 1, 3

출제 포인트 뒤에 절이 오는지 여부에 따라 접속사와 전치사를 구분할 수 있는지 묻는 문제와 다양한 쓰임을 갖는 접속사 that이 적절하게 쓰였는지 묻는 문제가 주로 출제된다.

Such primitive societies, ② as Steven Mithen emphasizes in *The*
                                        접속사
Prehistory of the Modern Mind, tend to view man and beast, animal and plant, organic and inorganic spheres, as participants in an integrated, animated totality.

Steven Mithen이 'The Prehistory of the Modern Mind'에서 강조하듯이, 그런 원시 사회는 인간과 짐승, 동물과 식물, 생물체의 영역과 무생물체의 영역을 통합적이고 살아 있는 총체에 대한 참여자로 여기는 경향이 있다.

2020학년 수능

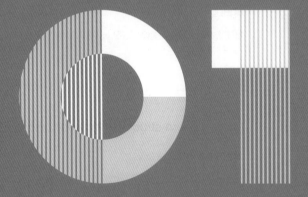

PART
01

CHAPTER 01

동사의 종류

01 동사의 종류

A 자동사: 목적어가 필요하지 않은 동사

1 1형식 동사: 목적어나 보어 없이도 주어에 대한 설명이 가능한 동사이다.

¹ The sun **disappeared** behind a cloud.
　　S　　　　V

2 2형식 동사: 주어를 설명하는 주격보어가 필요한 동사이다. 주격보어로는 명사나 형용사가 온다.

² People **feel** different for many reasons.
　　S　　V　　　SC

문장의 형식

자동사	1형식	주어(S)+동사(V)
	2형식	주어(S)+동사(V)+주격보어(SC)
타동사	3형식	주어(S)+동사(V)+목적어(O)
	4형식	주어(S)+동사(V)+간접목적어(IO)+직접목적어(DO)
	5형식	주어(S)+동사(V)+목적어(O)+목적격보어(OC)

POINT 1 자동사 vs. 타동사

자동사는 목적어를 취하려면 전치사가 필요하다. 타동사는 뒤에 목적어가 오기 때문에 전치사가 필요하지 않다.
rise(일어나다, 오르다) – raise(올리다, 기르다), lie(눕다) – lay(놓다), eat(먹다) – feed(먹이다)와 같이 유사한 의미를 가지고 있는 자동사와 타동사에 유의한다.

- **타동사로 착각하기 쉬운 자동사**
  apologize (to), arrive (at/in), lead (to), reply (to), wait (for), subscribe (to), major (in), complain (of/about), object (to) 등

- **자동사로 착각하기 쉬운 타동사**
  discuss, enter, reach, approach, access, contact, marry, attend, join, answer, call, resemble, obey, describe, address, mention 등

¹ The artist [objects / objects to] the terms of the contract renewed last September.

² He invited us to [attend / attend to] his lecture about drugs in a vocational school. 기출

³ I looked for a destination where I could [lay / lie] on the beach and enjoy the sunshine.

풀이 ¹ object는 목적어가 필요하지 않은 1형식 동사로 목적어를 취하려면 전치사와 함께 써야 하므로 objects to가 적절하다. ² attend는 목적어가 필요한 3형식 동사로 attend가 적절하다. ³ 동사 뒤에 목적어가 없고 문맥상 '눕다'라는 뜻이 되어야 하므로 자동사 lie가 적절하다.

POINT 2 감각동사 / 상태 · 상태 변화 동사의 보어

감각동사나 상태 · 상태 변화를 나타내는 동사는 형용사를 주격보어로 취한다. 부사는 보어 자리에 올 수 없다.

- **감각동사**
  feel, look, sound, smell, taste 등

- **상태 · 상태 변화 동사**
  be, remain, stay, keep, become, turn, grow 등

⁴ I hoped my voice sounded [confident / confidently], although I was fighting back tears.

⁵ You can adjust your body temperature to avoid sweating and remain [comfortable / comfortably]. 기출 응용

풀이 ⁴ 감각동사 sound의 주격보어로는 형용사가 와야 하므로 confident가 적절하다. ⁵ 상태동사 remain의 주격보어로는 형용사가 와야 하므로 comfortable이 적절하다.

B 타동사: 목적어가 필요한 동사

1 **3형식 동사:** 목적어가 필요한 동사이다. 목적어로는 명사, 대명사, 동명사, to부정사, 명사절이 온다.

³ <u>You</u> **need** <u>the password</u> to open the file.
　S　　V　　　　O

2 **4형식 동사:** 간접목적어와 직접목적어 두 개의 목적어가 필요한 동사이다.

⁴ <u>The project</u> **taught** <u>us</u> <u>the value</u> of working as a team.
　　S　　　　　　V　　IO　　DO

3 **5형식 동사:** 목적어와 목적어를 설명하는 목적격보어가 필요한 동사이다.
목적격보어로는 명사, 형용사, 분사, to부정사, 동사원형이 온다.

⁵ <u>The boys</u> **watched** <u>their kites</u> <u>fly</u> high into the sky.
　　S　　　　V　　　　O　　　OC

지각동사 / 사역동사의 목적격보어

목적어와 목적격보어의 관계가 능동이면 동사원형을 쓰고, 수동이면 과거분사를 쓴다. 지각동사는 목적어의 동작이 진행 중이거나 반복되는 경우 목적격보어로 현재분사를 쓴다.

• **지각동사 + 목적어 + 목적격보어[동사원형/과거분사/현재분사]** 　see, watch, notice, observe, hear, listen to, feel 등	• **사역동사 + 목적어 + 목적격보어[동사원형/과거분사]** 　make, have, let **cf.** help + 목적어 + 목적격보어[동사원형/to부정사]

⁶ In the theater district in NYC, we saw many people [waiting / waited] to see shows.

⁷ Being appreciated and complimented makes a person [feel / felt] important.

⁸ You can pick up your order yourself or have it [deliver / delivered] for a small fee.

풀이　⁶ see의 목적어와 목적격보어의 관계가 능동이므로 현재분사 waiting이 적절하다.　⁷ make의 목적어와 목적격보어의 관계가 능동이므로 동사원형 feel이 적절하다.　⁸ have의 목적어와 목적격보어의 관계가 수동이므로 과거분사 delivered가 적절하다.

to부정사가 목적격보어로 오는 동사

목적격보어로 to부정사를 취하는 동사는 ask, want, expect, advise, allow, encourage, motivate, force, cause, enable, tell, order 등이 있다.

⁹ She advised me [take / to take] the stairs instead of the elevator. 기출 응용

¹⁰ Experts encourage parents [pay / to pay] close attention to their child's car seat.

풀이　⁹ advise는 to부정사를 목적격보어로 취하는 동사이므로 to take가 적절하다.　¹⁰ encourage는 to부정사를 목적격보어로 취하는 동사이므로 to pay가 적절하다.

대동사

대동사는 앞에 나온 동사(구)의 반복을 피하기 위해 대신 사용하는 동사이다. 일반동사는 do동사, 조동사와 be동사는 각각 조동사와 be동사가 대동사 역할을 한다.

¹¹ Salad vegetables have a high water content, as [are / do] broth-based soups. 기출 응용

¹² The planet is almost 1 degree Celsius warmer than it [was / did] in the mid-20th century.

풀이　¹¹ 앞에 나온 동사구 have a high water content를 대신하기 위해 사용된 대동사로 do가 적절하다.　¹² 앞에 나온 동사구 is warm(er)를 대신하기 위해 사용된 대동사로 be동사 was가 적절하다.

어법 적용 연습

A 다음 네모 안에서 어법에 알맞은 것을 고르시오.

1 "Trying harder" is not a substitute for talent, equipment, or technique, but this should not [lead / lead to] despair. 기출

substitute 대체제

2 People want to take pictures of food that looks [delicious / deliciously] with their smartphones.

3 As weight goes up, so [do / does] the risk of serious problems such as high blood pressure, diabetes, and heart disease.

diabetes 당뇨병

4 Earth's temperature [rose / raised] and decreased at a consistent rate throughout the glacial and interglacial periods.

consistent 일관된
glacial 빙하기의
interglacial 간빙기의

5 The teacher presented the students with a list of words and asked them [create / to create] a sentence from it. 기출 응용

B 다음 밑줄 친 부분이 어법상 맞으면 ○표를 하고, 틀리면 바르게 고치시오.

1 Membership will automatically be renewed, and this agreement will remain <u>effective</u> for the next calendar year.

renew 갱신하다
agreement 계약, 합의

2 By the time we <u>reach at</u> employment age, there is a finite range of jobs we can perform effectively. 기출

finite 한정된

3 Recording an interview can be less unnerving to an interviewee than seeing someone <u>to scribble</u> in a notebook. 기출 응용

unnerving 불안하게 하는
scribble 휘갈겨 쓰다

4 People are advised to protect themselves from the heat, as meteorologists expect temperatures <u>to keep</u> rising.

meteorologist 기상학자

5 The food company changed its strategy because low prices are not as important as they <u>did</u> in the past.

strategy 계획, 전략

6 In order to purchase new items or have a broken item <u>repair</u>, you may <u>contact to</u> us at 217-123-4567 or send an email to admin@electronicadd.com.

7 An expert said, "When you praise kids for their ability, they become more <u>cautiously</u>. They avoid challenges." It's as if they become afraid to do anything that might make them <u>fail</u> and lose your approval.

approval 인정

8 When drivers see blind people <u>to try</u> to cross the road, they should take extra care and let them <u>crossing</u> in their own time.

9 If you have an argument and hurt someone's feelings, wait for him to calm down and then <u>approach to</u> him again. You should <u>apologize</u> him first and then try to rebuild trust.

C 다음 글의 밑줄 친 부분 중, 어법상 <u>틀린</u> 부분을 <u>모두</u> 찾아 고치시오.

1 It is a good idea to let kids ①<u>develop</u> confidence and encourage them ②<u>being</u> brave. Young people should be ③<u>confidently</u> enough to take risks, try new things, and openly share opinions that may not be the same as those of others.

openly 터놓고, 솔직하게

2 The human brain is able to collect vast amounts of information, work through complex problems, and ①<u>arrive at</u> solutions. These abilities allow us ②<u>recording</u> our ideas through writing, music, and art. As we evolved, so ③<u>do</u> our capacity for self-expression.

vast 방대한
capacity 능력
self-expression 자기 표현

3 Not only do graphics ①<u>give</u> you an opportunity to attract new customers, but they also help you ②<u>fostering</u> their loyalty. Studies show that consumers consider visually appealing websites more ③<u>reliably</u> and are therefore more likely to buy things from them.

foster 조성하다, 촉진하다
loyalty 충성심
appealing 매력적인

어법 실전 Test

1

다음 글의 밑줄 친 부분 중, 어법상 틀린 것은?

①Although we rarely pay it much attention, water is actually a bizarre substance that breaks many laws of nature. Consider ②what happens when we drop an ice cube into a glass of water. Solid butter doesn't float atop melted butter in a hot pan, but ice does on water. This is due to the fact that while most substances continuously increase in density as they decrease in temperature, water only does so until it reaches 4 °C, at which point it actually begins to grow less ③densely. This means bodies of water freeze from top to bottom, a fact that enables aquatic creatures ④to survive in the parts of the world that get cold. This odd trait of water is what has allowed life to thrive on our planet—if water froze from bottom up instead of top down, our oceans ⑤would have solidified during the ice ages, wiping out countless species.

어법 분석 | 밑줄 친 부분이 묻고 있는 어법 사항을 써 봅시다.

① _____
② _____
③ _____
④ _____
⑤ _____

2

다음 글의 밑줄 친 부분 중, 어법상 틀린 것은? 기출

Every farmer knows that the hard part is getting the field ①prepared. Inserting seeds and watching ②them grow is easy. In the case of science and industry, the community prepares the field, yet society tends to give all the credit to the individual who happens to plant a successful seed. Planting a seed does not necessarily require overwhelming intelligence; creating an environment that allows seeds to prosper ③does. We need to give more credit to the community in science, politics, business, and daily life. Martin Luther King Jr. was a great man. Perhaps his greatest strength was his ability ④to inspire people to work together to achieve, against all odds, revolutionary changes in society's perception of race and in the fairness of the law. But to really understand ⑤that he accomplished requires looking beyond the man. Instead of treating him as the manifestation of everything great, we should appreciate his role in allowing America to show that it can be great.

* manifestation 명시, 표명

어법 분석 | 밑줄 친 부분이 묻고 있는 어법 사항을 써 봅시다.

① _____
② _____
③ _____
④ _____
⑤ _____

3

(A), (B), (C)의 각 네모 안에서 어법에 맞는 표현으로 가장 적절한 것은?

When the bubonic plague devastated medieval Europe, physicians and health officials did not have even basic knowledge of viruses or bacteria. However, their understanding of the Black Death led them to put some important anti-contagion measures into practice. Shortly after the plague (A) arrived / reached in major Italian cities in 1348, local governments began implementing strategies that were surprisingly similar to today's measures of keeping surfaces disinfected and practicing social distancing. Medieval city health officials understood that traders had to be careful with goods that were being traded (B) because / because of the disease could be spread by touching objects, and that face-to-face contact should be limited. Venice, for example, passed legislation decreeing that all incoming ships had to anchor in the harbor for 40 days to screen for infection before anyone was allowed (C) coming / to come ashore. This period of waiting was called *quarantino*, which stems from the Italian word for 40 days.

	(A)		(B)		(C)
①	arrived	……	because	……	coming
②	reached	……	because of	……	to come
③	arrived	……	because	……	to come
④	reached	……	because	……	to come
⑤	arrived	……	because of	……	coming

어법 분석 | 네모 안에서 묻고 있는 어법 사항을 써 봅시다.

A) _____

B) _____

C) _____

WORDS

1 **bizarre** 기이한, 기괴한 **substance** 물질 **float** 떠다니다, 부유하다 **atop** ~의 꼭대기에 **density** 밀도 **temperature** 기온 **aquatic** 물의, 수중의 **odd** 이상한 **trait** 특성 **thrive** 번성하다 **solidify** 응고하다, 굳어지다 **wipe out** ~을 죽이다, 없애다 **countless** 셀 수 없는, 많은

2 **insert** 넣다, 삽입하다 **seed** 씨앗, 씨 **credit** 공, 명예 **overwhelming** 압도적인 **prosper** 번영하다 **inspire** 격려하다, 고무하다 **odds** 역경, 곤란 **revolutionary** 혁명적인 **perception** 인식, 지각 **fairness** 공정성 **appreciate** 진가를 알아보다[인정하다]

3 **bubonic plague** 선페스트, 흑사병 **devastate** 황폐화시키다, 파괴하다 **medieval** 중세의 **physician** 내과 의사 **put ~ into practice** 실행하다 **contagion** 전염 **measure** 조치 **implement** 실행하다 **disinfect** 소독하다 **social distancing** 사회적 거리두기 **legislation** 법령, 입법 **decree** 법령으로 정하다 **anchor** 정박하다 **harbor** 항구 **infection** 감염 **come ashore** 상륙하다 **stem from** ~에서 유래하다

1 다음 중 어법상 <u>틀린</u> 문장을 <u>모두</u> 고르면?

① We lay down on the grass and listened to the songs of the birds.

② The noise I heard from upstairs sounded very loud.

③ John encouraged everyone in the room be still until further notice.

④ Two minutes after the accident, passengers could feel the train shaking again.

⑤ Roland told me that he would come back the next day, but he wasn't.

[2-4] 우리말과 같은 의미가 되도록 다음 조건에 맞게 영작하시오.

┌─── 〈 조건 〉───┐
1. 괄호 안의 어구를 모두 사용하되, 필요시 어형을 바꿀 것
2. 주어진 단어 및 어구로 시작할 것
└────────────┘

2 Eddie의 부주의한 말이 그들 사이의 갈등이 더 악화되게 했다.

(get, the conflict, caused, between, worse, them)

Eddie's careless words _____

_____ .

3 학생들이 6시까지 아래층 화장실을 이용하게 하지 마세요.

(use, the downstairs bathroom, until, students, let, 6)

Don't _____

_____ .

4 Nate는 어제 자정 무렵 옆집에서 개 한 마리가 짖는 소리를 들었다.

(yesterday, heard, around, next door, a dog, midnight, bark)

Nate _____

_____ .

5 (A), (B)에서 밑줄 친 부분의 의미를 우리말로 쓰시오.

(A) Tim handed in the report last week, and his friend Jack <u>did, too.</u>

(B) Rupert didn't answer my call. <u>Neither did Ben.</u>

(A) _____

(B) _____

[6-7] 다음 글을 읽고, 물음에 답하시오. 기출 응용

Have you ever thought about how you can tell ①<u>that</u> somebody is feeling? Friends might tell you how they feel, but even if they did not tell you, you would be able to ②<u>making</u> a guess about what kind of mood they were in. You might get a clue from the tone of their voice. They may ③<u>rise</u> their voices when they are angry. The other way to find a clue <u>그들의 표정을 보는 것일 것이다.</u> We have lots of muscles that enable us ④<u>move</u> our faces into many different positions. This happens ⑤<u>spontaneous</u> when we feel a particular emotion.

6 위 글의 밑줄 친 우리말을 다음 조건에 맞게 영작하시오.

┌─── 〈 조건 〉───┐
1. 8 단어로 작성할 것
2. would, be, look, facial, expression을 포함할 것
└────────────┘

_____

_____

7 위 글의 밑줄 친 ①~⑤는 어법상 틀린 것이다. 다음 중 바르게 고쳐지지 <u>않은</u> 것은?

① that → what   ② making → make

③ rise → rose   ④ move → to move

⑤ spontaneous → spontaneously

CHAPTER 02

수 일치

02 수 일치

주어의 인칭과 수에 동사를 일치시키는 것을 주어와 동사의 수 일치라고 하며 주어가 단수일 때는 단수동사로, 복수일 때는 복수동사로 받는다.
주어의 형태에 따라 동사의 단복수가 달라지므로 형태에 따른 주어의 수에 유의한다.
또한 주어가 수식을 받아 길어질 경우 주어를 파악하여 동사의 수를 일치시킨다.

주어의 다양한 형태

(대)명사, 명사구
to부정사(구), 동명사(구)
관계대명사 what절, 의문사절
접속사 that/whether절

¹ **People around my neighborhood love** to help each other. 〈명사구 주어〉
　　S　　　　　　　　　　　　V

² **To lose five kilograms is** my goal. 〈to부정사구 주어〉
　　S　　　　　　　　V

³ **What I want to do is** to go to a concert. 〈관계대명사 what절 주어〉
　　S　　　　　　V

⁴ **That he recycled all of the boxes is** impressive. 〈접속사 that절 주어〉
　　S　　　　　　　　　　　　　V

동명사구/to부정사구/명사절 주어 + 단수동사

동명사구, to부정사구 주어는 단수 취급하며 뒤에 단수동사가 온다.
명사절 주어(관계대명사 what절, 의문사절, 접속사 that/whether절)는 단수 취급하며 뒤에 단수동사가 온다.

¹ Focusing on the differences among societies [conceal/**conceals**] a deeper reality. 기출

² What made our shoes different [**was**/were] that every pair was handcrafted.

³ How he was infected with the deadly virus [**remains**/remain] a mystery to the doctors.

⁴ Whether the treatment is beneficial for children [**has**/have] not yet been decided.

풀이 　¹ 동명사구가 주어이므로 단수동사 conceals가 적절하다. 　² 관계대명사 what으로 시작하는 명사절이 주어이므로 단수동사 was가 적절하다. 　³ 의문사 how로 시작하는 명사절이 주어이므로 단수동사 remains가 적절하다. 　⁴ 접속사 whether로 시작하는 명사절이 주어이므로 단수동사 has가 적절하다.

수식어구로 길어진 주어의 수 일치

주어를 수식하는 어구로는 전치사구, to부정사구, 과거/현재분사구, 관계사절 등이 있다. 동사의 수는 수식어구를 제외한 주어에 일치시킨다.

⁵ A tiny change in your daily habits [guide/**guides**] your life to a different destination. 기출 응용

⁶ The ability to attract consumer attention and loyalty [**is**/are] critical to business growth.

⁷ Only local people living on the island [is/**are**] allowed to open businesses here.

⁸ A chemical used to clean the inside of the plane [**was**/were] spilled in the cabin.

풀이 　⁵ 전치사구의 수식을 받는 주어 A tiny change가 단수이므로 단수동사 guides가 적절하다. 　⁶ to부정사구의 수식을 받는 주어 The ability가 단수이므로 단수동사 is가 적절하다. 　⁷ 현재분사구의 수식을 받는 주어 Only local people이 복수이므로 복수동사 are가 적절하다. 　⁸ 과거분사구의 수식을 받는 주어 A chemical이 단수이므로 단수동사 was가 적절하다.

선행사와 주격 관계대명사절 내 동사의 수 일치

주격 관계대명사절 내의 동사는 선행사의 수에 일치시킨다.

⁹ To ensure the safety of students who [use/uses] electric scooters, we need stricter regulations. 기출 응용

¹⁰ Oily fish is rich in vitamins A and D, which [is/are] important in the growth of children.

> 풀이 ⁹ 주격 관계대명사의 선행사 students가 복수이므로 복수동사 use가 적절하다.   ¹⁰ 계속적 용법의 주격 관계대명사의 선행사 vitamins A and D가 복수이므로 복수동사 are가 적절하다.

「부분 표현＋of＋명사」 주어의 수 일치

주어가 「부분 표현＋of＋명사」인 경우 동사의 수는 of 뒤에 오는 명사의 수에 일치시킨다.
단, 「one of＋복수명사」는 '~중 하나'라는 의미로 항상 뒤에 단수동사가 온다.

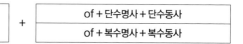

all / most / some / any / half / percent / part / portion / the rest / the majority / 분수	＋	of ＋ 단수명사 ＋ 단수동사
		of ＋ 복수명사 ＋ 복수동사

¹¹ Nearly 90 percent of all fruit intake [come/comes] from fruit, fruit salads or fruit juices.

¹² Most of the spread of fake news [occur/occurs] through irresponsible sharing. 기출 응용

¹³ One of the most common side effects of this medicine [is/are] drowsiness.

> 풀이 ¹¹ percent of 뒤에 단수명사 intake가 왔으므로 단수동사 comes가 적절하다.   ¹² most of 뒤에 단수명사 the spread가 왔으므로 단수동사 occurs가 적절하다.   ¹³ 「one of＋복수명사」 뒤에는 항상 단수동사를 쓰므로 is가 적절하다.

도치 구문에서의 수 일치

강조를 위해 부사구나 부정어, 보어가 문두에 올 때 주어와 동사의 도치가 일어난다. 이때, 동사의 수는 뒤의 주어에 일치시킨다.

¹⁴ In front of the summer house [was/were] fruit trees of all types.

¹⁵ Never [has/have] the businessman donated to a charity or volunteered before.

> 풀이 ¹⁴ 부사구가 문두에 와서 주어와 동사가 도치된 경우로 주어 fruit trees가 복수이므로 복수동사 were가 적절하다.   ¹⁵ 부정어가 문두에 와서 주어와 동사가 도치된 경우로 주어 the businessman이 단수이므로 단수동사 has가 적절하다.

기타 주의해야 할 수 일치

• the number of＋복수명사 • every / each / either / neither＋단수명사 • each / either / neither＋of＋복수명사	＋ 단수동사	• a number of＋복수명사 • both＋복수명사 • the＋형용사(＝ 복수 보통명사)	＋ 복수동사

¹⁶ The number of participants [has/have] increased compared with previous years.

¹⁷ Each of the Hawaiian islands [offer/offers] its own unique climate and geography.

¹⁸ The wounded [was/were] transferred to a medical facility at a nearby military base.

> 풀이 ¹⁶ 「the number of＋복수명사」는 단수 취급하므로 단수동사 has가 적절하다.   ¹⁷ 「each of＋복수명사」는 단수 취급하므로 단수동사 offers가 적절하다.   ¹⁸ 「the＋형용사」는 복수 보통명사를 나타내므로 복수동사 were가 적절하다.

어법 적용 연습

A 다음 네모 안에서 어법에 알맞은 것을 고르시오.

1 We are students from a local college who is / are currently taking a media studies class. 기출

2 Not until the 11th century was / were diamonds worn in jewelry, but they were still used in their uncut form.

uncut 가공되지 않은, 원석의

3 Globally, the number of people suffering from hunger has / have increased for the third consecutive year.

consecutive 연속적인

4 Tipping is customary in Italy, and 10 to 15 percent of the bill is / are acceptable in restaurants.

customary 관습의, 관례의
acceptable (사회적으로) 용인되는

5 Having a high follower count on your social media accounts enhance / enhances the work you do in real life. 기출

enhance 높이다, 향상시키다

B 다음 밑줄 친 부분이 어법상 맞으면 ○표를 하고, 틀리면 바르게 고치시오.

1 The growing use of mobile devices <u>create</u> new opportunities for hackers to steal sensitive information.

2 The earliest contests involving mathematics <u>date</u> back to the sixteenth and seventeenth centuries. 기출 응용

date back to (시기가) ~까지 거슬러 올라가다

3 Learning a second language at an early age <u>help</u> boost children's cognitive development.

cognitive 인식[인지]의

4 Some of his preserved food <u>have</u> been tested by the French navy, which was impressed by its quality. 기출

preserved 보존된

5 A number of IT companies <u>are</u> now offering their own voice assistant services.

6 One of the best methods of apologizing <u>are</u> to admit that you are responsible for your actions. When people you've offended <u>see</u> that you accept that you were wrong, they will begin to forgive you.

offend 기분을 상하게 하다

7 Climbing stairs <u>provide</u> a good workout. People who walk or ride a bicycle for transportation also <u>meet</u> their needs for physical activity. Many people, however, face barriers in their environment that <u>prevents</u> such choices. 기출 응용

barrier 장벽, 장애물

8 Millions of immigrants currently reside in California. People from across the globe <u>have</u> emigrated to the US, but the majority of these immigrants <u>has</u> come from South America, Asia, and Mexico.

immigrant 이민자
reside in ~에 거주하다
emigrate 이민을 가다

9 Although both the content and purpose of maps <u>vary</u>, what most have in common <u>are</u> that they represent reality and contain symbols that <u>is</u> used as representations of actual geographical features.

representation 묘사, 표현
geographical 지리(학)적인

C 다음 글의 밑줄 친 부분 중, 어법상 틀린 부분을 모두 찾아 고치시오.

1 Chickens that are raised on farms for food today ① <u>is</u> more than twice as big as they were in the past. For example, in 1955, the average weight of chickens sold in supermarkets ② <u>were</u> just 3.07 pounds, while in 2016 it ③ <u>was</u> 6.18 pounds.

2 The energy in fossil fuels ① <u>come</u> from energy that ancient plants produced from sunlight long ago. The energy stored in these fuels ② <u>is</u> released when they are burned, which also ③ <u>release</u> carbon dioxide into the atmosphere.

release 방출하다

3 The Nobel-Prize winning biologist Peter Medawar said that about four-fifths of his time in science ① <u>were</u> wasted, adding sadly that "nearly all scientific research ② <u>leads</u> nowhere." What kept all of these people going when things were going badly ③ <u>were</u> their passion for their subject. 기출

lead nowhere 성공적인 결과로
이끌지 못하다
passion 열정

어법 실전 Test

1

어법 분석 | 네모 안에서 묻고 있는 어법 사항을 써 봅시다.

(A) _____

(B) _____

(C) _____

(A), (B), (C)의 각 네모 안에서 어법에 맞는 표현으로 가장 적절한 것은?

Modern individuals often take it for granted that the values that are currently associated with the sporting concept of "fair play" have always (A) been existed / existed and been expected to be upheld by athletes. This, however, is a false belief. It has been pointed out that central to the ancient Greeks' understanding of sports (B) were / was the values of honor and glory, not fair play. The Greek games, which are often said to represent the true spirit of sports, did not involve an emphasis on "fairness" in the sense (C) in which / which we understand that word today. For example, in modern wrestling, combatants are matched with one another based on a similarity in weight, to ensure that each match is "fair." This was not the case in ancient Greece. The fact is that "fair play" is a modern idea that developed in fairly recent times, quickly becoming an integral part of how we view proper social behavior.

	(A)	(B)	(C)
①	been existed	was	which
②	been existed	were	which
③	existed	were	which
④	existed	was	in which
⑤	existed	were	in which

2

어법 분석 | 밑줄 친 부분이 묻고 있는 어법 사항을 써 봅시다.

① _____

② _____

③ _____

④ _____

⑤ _____

다음 글의 밑줄 친 부분 중, 어법상 틀린 것은? [3점] 기출

Not only are humans ①unique in the sense that they began to use an ever-widening tool set, we are also the only species on this planet that has constructed forms of complexity that use external energy sources. This was a fundamental new development, ②which there were no precedents in big history. This capacity may first have emerged between 1.5 and 0.5 million years ago, when humans began to control fire. From at least 50,000 years ago, some of the energy stored in air and water flows ③was used for navigation and, much later, also for powering the first machines. Around 10,000 years ago, humans learned to cultivate plants and ④tame animals and thus control these important matter and energy flows. Very soon, they also learned to use animal muscle power. About 250 years ago, fossil fuels began to be used on a large scale for powering machines of many different kinds, thereby ⑤creating the virtually unlimited amounts of artificial complexity that we are familiar with today.

3

(A), (B), (C)의 각 네모 안에서 어법에 맞는 표현으로 가장 적절한 것은?

Research into the viability of using earthworms to process hazardous material with an elevated heavy metal content at abandoned industrial sites (A) has / have been conducted in South America. The researchers ₃ believe that the species *Eisenia fetida*, known as the common earthworm, has the potential to be wielded as an effective tool when dealing with hazardous solid and liquid with high metal content at these sites. In one ₆ segment of their study, compost that had been produced by these worms worked as an effective absorbent substrate for cleaning contaminated wastewater containing (B) high / highly levels of nickel, chromium, and ₉ lead. In the other segment, the worms were applied directly to a variety of landfill soils for the remediation of arsenic and mercury — after two weeks, 42 to 72% of the arsenic and 7.5 to 30.2% of the mercury (C) had removed / ₁₂ had been removed . Earthworms could represent an inexpensive and effective bio-remediation alternative to complex and costly traditional industrial cleanup methods. ₁₅

* substrate 기질(효소의 작용을 받는 물질) ** arsenic 비소

어법 분석 | 네모 안에서 묻고 있는 어법 사항을 써 봅시다.

(A) _____
(B) _____
(C) _____

	(A)	(B)	(C)
①	has	highly	had removed
②	has	high	had removed
③	has	high	had been removed
④	have	highly	had been removed
⑤	have	high	had removed

WORDS

1 be associated with ~와 관련되다 uphold 지키다, 유지하다 point out 지적하다 emphasis 강조 fairness 공정성 combatant 격투자, 전투원 based on ~에 근거하여 similarity 비슷함, 유사성 ensure 확실히 하다 integral 필수적인, 완전한

2 ever-widening 점점 벌어지는, 계속 커지는 complexity 복잡성 external 외부의 fundamental 근본[본질]적인 precedent 전례, 선례 emerge 드러나다, 알려지다 navigation 항해, 운항 power 동력을 공급하다 cultivate 경작하다 tame 길들이다 virtually 사실상, 거의 artificial 인공의

3 viability 실행 가능성 earthworm 지렁이 hazardous 위험한 elevate 증가시키다 abandoned 버려진 wield 사용하다, 행사하다 segment 부분, 조각 compost 퇴비 absorbent 흡수력이 있는, 잘 빨아들이는 contaminate 오염시키다 wastewater 폐수 nickel 니켈 chromium 크롬 lead 납 landfill 쓰레기 매립(지) remediation 교정, 개선 alternative 대안

빈출 어법

1 다음 중 어법상 **틀린** 문장을 **모두** 고르면?

① The stars that we see in the night sky are all much farther away than we think.

② More than 20 percent of the world's power now comes from renewable sources.

③ What these countries need are a strong and stable leadership.

④ The number of calories that a person needs each day depends on various factors.

⑤ Each of the animated films come with a new soundtrack.

[2-4] 우리말과 같은 의미가 되도록 다음 조건에 맞게 영작하시오.

─〈 조건 〉─
1. 괄호 안의 어구를 모두 사용하되, 필요시 어형을 바꿀 것
2. 주어진 단어 및 어구로 시작할 것

2 도시의 거리 아래에는 벙커가 있다.
(of, the city, lie, a bunker, the streets)
Beneath _____

_____ .

3 셰익스피어의 많은 희곡은 영화로 각색되어 왔다.
(Shakespeare's, be adapted, plays, have, of, movies, into)
Many _____

_____ .

4 한 사람이 어린 시절에 개발하는 공부 습관은 일생 동안 학습에 영향을 미친다.
(throughout, that, a person, learning, develop, influence, at an early age, life)
The study habits _____

_____ .

5 다음 글에서 어법상 **틀린** 부분을 **두 군데** 찾아 고치시오.

The Greeks held to the view that there was four basic elements, namely, earth, air, fire and water. This idea about the four elements have been the foundation of philosophy, science, and medicine in Europe for more than 2,000 years.

(1) _____ → _____
(2) _____ → _____

[6-7] 다음 글을 읽고, 물음에 답하시오. 기출 응용

내가 미디어 업계에서 알고 있는 지도자 중 다수가 지적이다. But they are leaders of companies that ①appears to have only one purpose: the single-minded pursuit of short-term profit. I believe, however, ②that the media industry must act differently than other industries. They have the ③free use of our public airwaves and our digital spectrum. They also have almost ④unlimited access to our children's minds. These are priceless assets. The right to use ⑤them should carry serious and long-lasting responsibilities to promote the public good.

6 위 글의 밑줄 친 우리말을 다음 조건에 맞게 영작하시오.

─〈 조건 〉─
1. 12 단어로 작성할 것
2. 관계대명사를 사용할 것
3. many of, the media industry를 포함할 것

_____

_____ intelligent.

7 위 글의 밑줄 친 ①~⑤ 중 어법상 **틀린** 것은?

 ①   ②   ③   ④   ⑤

CHAPTER 03

관계사

03 관계사

A 관계대명사의 기본 용법

관계사절 내의 역할에 따라 주격, 목적격, 소유격이 있으며 관계대명사절은 선행사를 수식하는 형용사 역할을 한다. 목적격 관계대명사는 생략 가능하다.

¹ People [**who** are engaged in service to others] tend to be happier. 기출 〈주격〉

² She is an amazing person (**whom**(**that**)) I love and respect a great deal. 〈목적격〉

³ Have you ever met a person **whose** personality was very similar to yours? 〈소유격〉

관계대명사의 종류

선행사	주격	목적격	소유격
사람	who	who(m)	whose
사물/동물	which	which	whose (of which)
사람/사물/동물	that	that	–
선행사 포함	what	what	–

POINT 1 관계대명사 what

관계대명사 what은 '~하는 것(the thing(s) which)'이라는 의미이며 what절은 명사절로 주어, 목적어, 보어 역할을 한다. 다른 관계대명사절과 달리 what절 앞에는 선행사가 오지 않는다.

¹ In games, players have the unique ability to control [what / that] unfolds. 기출

² The thing [what / that] irritates me most is when people pretend to know everything.

풀이 ¹ 관계사 앞에 선행사가 없으므로 선행사를 포함한 관계대명사 what이 적절하다. ² 관계사 앞에 선행사 The thing이 있으므로 선행사를 포함한 관계대명사 what은 올 수 없고, 관계대명사 that이 적절하다.

POINT 2 관계대명사 what/that vs. 접속사 that

관계대명사 what/that 뒤에는 불완전한 절이 오고, 접속사 that 뒤에는 완전한 절이 온다.

³ Many people predict [what / that] might happen in the future based on past failures. 기출

⁴ We know [what / that] obesity is a major contributor to many chronic diseases.

풀이 ³ 관계사 앞에 선행사가 없고, 뒤에 주어가 없는 불완전한 절이 이어지므로 관계대명사 what이 적절하다. ⁴ know의 목적어가 없고, 뒤에 완전한 절이 이어지므로 목적어 역할을 하는 명사절을 이끄는 접속사 that이 적절하다.

POINT 3 관계대명사 vs. 대명사

계속적 용법에서 「콤마(,) 부정대명사(all/many/some/most/each/both/either/neither/none)+of+관계대명사」 형태로 자주 쓰인다. 관계대명사는 「접속사+대명사」 역할을 하므로 두 개의 문장을 접속사 없이 연결하지만, 두 개의 문장이 접속사로 연결된 경우 관계대명사 자리에 대명사가 온다.

⁵ They worked on four films together, and all of [them / which] were critically acclaimed.

⁶ We have two speakers, both of [them / whom] are renowned experts on children's right.

풀이 ⁵ 두 개의 문장이 접속사 and로 연결되고 있으므로 앞의 four films를 받는 대명사 them이 적절하다. ⁶ 두 개의 문장이 접속사 없이 콤마(,)로 연결되고 있으므로 접속사와 대명사 역할을 하는 관계대명사 whom이 적절하다.

B 관계부사의 기본 용법

선행사에 따라 when(때), where(장소), why(이유), how(방법)를 쓰며, 관계부사절은 선행사를 수식하는 형용사 역할을 한다.
선행사가 the time, the place, the reason과 같이 일반적인 경우, 선행사를 생략하거나 관계부사를 생략할 수 있다.
관계부사 how는 선행사 the way와 동시에 쓰지 않는다.

4 The Gulf of Alaska is a place **where** two oceans meet but do not mix.
5 She told us **the way[how]** she was able to increase our output.

C 관계사의 계속적 용법

관계대명사와 관계부사(when / where) 앞에 콤마가 있으면 선행사나 앞 문장 전체를 부연 설명하는 역할을 한다.
관계대명사 that과 what은 계속적 용법으로 쓰지 않는다. 계속적 용법의 관계사는 생략할 수 없다.

6 She won several contests, **which** enabled her to study in Paris.
7 Ray began writing in his teens, **when** he joined a literary club at school.

관계대명사 vs. 관계부사[전치사+관계대명사]

관계대명사 뒤에는 불완전한 절이 오고, 관계부사 뒤에는 완전한 절이 온다.
관계부사는 「전치사+관계대명사」로 바꿔 쓸 수 있다.

7 There are amazing travel destinations [which / where] you must visit in Asia.

8 He moved to a small town in Texas [which / where] his closest neighbor is miles away.

9 Select clothing appropriate for the environmental conditions [which / in which] you will be doing exercise.

풀이 **7** 관계사 뒤에 목적어가 없는 불완전한 절이 이어지므로 관계대명사 which가 적절하다. **8** 선행사가 장소이고, 관계사 뒤에 완전한 절이 이어지므로 관계부사 where가 적절하다. 여기서 where는 in which로 바꿔 쓸 수 있다. **9** 관계사 뒤에 완전한 절이 이어지므로 「전치사+관계대명사」인 in which가 적절하다.

복합관계사 vs. 관계사 vs. 의문사

복합관계사는 「관계대명사/관계부사+-ever」의 형태로 문장 내에서 명사절 또는 부사절을 이끈다.
복합관계대명사 뒤에는 불완전한 절이 오고, 복합관계부사 뒤에는 완전한 절이 온다.
의문사절은 「의문사+주어+동사」 형태로 명사절을 이끈다.

· 복합관계대명사: 명사절/양보의 부사절	· 복합관계부사: 시간·장소·양보의 부사절
whoever(~하는 누구든지 / 누가 ~할지라도)	whenever(~할 때는 언제나 / 언제 ~하든지)
whichever(~하는 것은 어느 것이든지 / 어느 것이 ~할지라도)	wherever(~하는 곳은 어디든지 / 어디에 ~하든지)
whatever(~하는 것은 무엇이든지 / 무엇이 ~할지라도)	however(아무리 ~할지라도)

10 This hotel is offering a discount to [whoever / whom] books a room for a week or longer.

11 [Whatever / What] happens — good or bad — the proper attitude makes the difference. 기출

12 Your happiness level depends on [however / how] often you experience positive events.

풀이 **10** 관계사 뒤에 불완전한 절이 이어지므로 복합관계대명사 whoever가 적절하다. **11** 관계사 뒤에 불완전한 절이 이어지고, 문맥상 양보의 부사절(무엇이 ~할지라도)이 되어야 하므로 복합관계대명사 Whatever가 적절하다. **12** 전치사 on의 목적어 역할을 하는 명사절이 와야 하므로 명사절을 이끄는 의문사 how가 적절하다. 이때 어순은 「의문사+주어+동사」이다.

어법 적용 연습

A 다음 네모 안에서 어법에 알맞은 것을 고르시오.

1 Non-verbal communication can be useful in situations [which / where] speaking may be impossible or inappropriate. 기출

non-verbal 비언어적인
inappropriate 부적절한, 부적합한

2 There were Impressionist painters who used a photograph in place of the model or landscape [that / what] they were painting. 기출

Impressionist 인상파의, 인상주의의
in place of ~을 대신해서

3 We contacted a number of attorneys and legal aid organizations, but none of [whom / them] agreed to help us.

attorney 변호사, 대리인

4 You will be able to share the data with [whoever / what] you want, and nobody else will be able to access it.

5 Competitive sports or games provide an outlet [which / through which] aggressive tendencies are released.

outlet 배출구
aggressive 공격적인

B 다음 밑줄 친 부분이 어법상 맞으면 ○표를 하고, 틀리면 바르게 고치시오.

1 In 18th-century Europe, the Catholic Church strictly controlled <u>that</u> could be published. 기출

2 No one knows the exact moment <u>which</u> a stock price has peaked, making it the ideal time to sell.

peak 절정[최고조]에 달하다

3 These text-based questions provide students with a purpose for rereading, <u>what</u> is critical for understanding complex texts. 기출

4 Fat is made up of different types of fatty acids, some of <u>which</u> are essential for health in small amounts.

fatty acid 지방산

5 Climate scientists insist <u>which</u> rising carbon dioxide concentrations are largely responsible for the rise in global temperatures.

concentration 농도
responsible for ~의 원인이 되는

6 Thailand has reopened the cave <u>where</u> 12 young soccer players and their coach were trapped in 2018. For now, guests are not allowed beyond the entrance, <u>which</u> they can peer into the cave opening.

trap 가두다
peer into 들여다보다

7 Some parents worry that <u>how</u> hard they try, they have little influence on their teenage children. However, evidence suggests <u>that</u> teenagers' home life has a strong effect on their development.

evidence 증거

8 This was a great strategy back in the Paleolithic days, <u>that</u> we had limited tools. It helped us to figure out <u>how</u> to take a stick or a rock (the only tool we might have) and knock fruit out of a tree so we didn't starve. 기출

Paleolithic 구석기 시대의
starve 굶주리다

9 <u>Whatever</u> your reason is for starting a business, there are several potential pitfalls. Recognize that the main purpose of running a business is to make money. This is <u>whatever</u> distinguishes a business from a hobby.

pitfall (눈에 안 띄는) 위험, 곤란

C 다음 글의 밑줄 친 부분 중, 어법상 틀린 부분을 모두 찾아 고치시오.

1 Because bacteria cause many diseases, we constantly wash our hands and wipe down places ① <u>which</u> germs might thrive. However, our own bodies are home to trillions of bacteria, many of ② <u>them</u> live in our gut and enable us ③ <u>to digest</u> the food we eat.

germ 병균, 세균
thrive 번창하다, 잘 자라다
trillions of 수조 개의
gut 소화관, 내장

2 We can utilize genetic modification to accelerate changes in plants, ① <u>that</u> takes much longer when it occurs naturally. This allows us ② <u>to develop</u> plants with desirable traits ③ <u>what</u> don't exist in nature, such as resistance to specific diseases.

genetic modification 유전자 변형
accelerate 가속화하다
resistance 저항(력)

3 Minority individuals have many encounters with majority individuals, each of ① <u>which</u> may trigger certain responses. ② <u>How</u> minimal these effects may be, their frequency may increase total stress, ③ <u>what</u> would account for part of the health disadvantage of minorities. 기출

trigger 유발하다
minimal 아주 적은, 최소의
frequency 빈번함, 빈도

어법 실전 Test

1

다음 글의 밑줄 친 부분 중, 어법상 틀린 것은?

A Brocken spectre, a kind of shadow that is greatly magnified and fringed by rainbow colors, is cast by a person standing on a mountain onto a cloud at a lower altitude. It is named after the mountain ① on which it was first ₃ spotted. In actuality, it is an optical illusion. The mist of the cloud alters the viewer's depth perception, making the shadow appear larger and more ② distantly than expected. A Brocken spectre can be seen only under ₆ specific conditions. The sun must be directly behind the person, and there must be ③ many water droplets suspended in the air. Sunlight penetrates these droplets and reflects off the opposite side, emerging to come back ₉ toward the sun. This sunlight ④ coming back toward the sun interferes with itself, making circular zones of darkness and brightness, and creating a phenomenon called diffraction. This is ⑤ what causes the rainbow colors to ₁₂ appear on the shadow's edges.

* diffraction 회절(파동의 전파가 장애물로 인해 그 그림자에까지 전해지는 현상)

어법 분석 | 밑줄 친 부분이 묻고 있는 어법 사항을 써 봅시다.

① _____
② _____
③ _____
④ _____
⑤ _____

2

다음 글의 밑줄 친 부분 중, 어법상 틀린 것은? [3점] 기출

There is a reason why so many of us are attracted to recorded music these days, especially considering personal music players are common and people are listening to music through headphones a lot. Recording ₃ engineers and musicians have learned to create special effects that tickle our brains by exploiting neural circuits that evolved ① to discern important features of our auditory environment. These special effects are similar in ₆ principle to 3-D art, motion pictures, or visual illusions, none of ② which have been around long enough for our brains to have evolved special mechanisms to perceive them. Rather, 3-D art, motion pictures, and visual ₉ illusions leverage perceptual systems that ③ are in place to accomplish other things. Because they use these neural circuits in novel ways, we find them especially ④ interested. The same is true of the way ⑤ that modern ₁₂ recordings are made.

* auditory 청각의 ** leverage 이용하다

어법 분석 | 밑줄 친 부분이 묻고 있는 어법 사항을 써 봅시다.

① _____
② _____
③ _____
④ _____
⑤ _____

3

(A), (B), (C)의 각 네모 안에서 어법에 맞는 표현으로 가장 적절한 것은?

When discovering new knowledge, human beings are prone to act subjectively and can be strongly influenced by the idea of personal ownership, considering the discovery to be "mine." (A) However / Whatever hard they strive to remain unbiased in regard to their own discoveries, such researchers remain highly vulnerable to misinterpretation and self-deception. For this reason, it is prudent to adopt the view that all new discoveries are nothing more than proto-science. To shed this proto-science label and have their discoveries accepted as true science, researchers (B) turning / turn to other scientists to establish the credibility of the work. This process has the ability to transform "my discovery" into "everybody's discovery." Researchers who choose to bypass this credibility process (C) are / is contributing nothing more to the scientific community than those who make no discoveries at all.

어법 분석 | 네모 안에서 묻고 있는
어법 사항을 써 봅시다.

(A) _____
(B) _____
(C) _____

	(A)		(B)		(C)
①	However	……	turn	……	is
②	However	……	turn	……	are
③	However	……	turning	……	are
④	Whatever	……	turn	……	is
⑤	Whatever	……	turning	……	is

WORDS

spectre 유령, 요괴 magnify 확대하다 fringe ~의 둘레를 형성하다 cast 드리우다 altitude 고도 name after ~의 이름을 따서 명명하다
spot 발견하다 optical illusion 착시 alter 바꾸다 perception 인식, 지각 droplet 물방울 suspend 부유하다, 떠다니다 penetrate 관통하다
reflect (off) 반사하다 opposite 반대의 emerge 나오다, 드러나다 interfere (with) 간섭하다 phenomenon 현상

attract 마음을 끌다 tickle 자극하다, 고무하다, 간질이다 exploit 이용[착취]하다 neural circuit 신경 회로 discern 알아차리다, 분간하다
visual illusion 착시 mechanism 방법, 구조 perceive 인지하다 perceptual 지각(력)의

be prone to ~하기 쉽다 subjectively 주관적으로 strive to ~하려고 노력하다 unbiased 편견 없는 vulnerable 취약한
misinterpretation 오해 self-deception 자기기만 prudent 분별 있는, 신중한 nothing more than ~에 지나지 않는 proto-science 원형 과학
shed 버리다, 포기하다 credibility 신뢰성 bypass 건너뛰다, 우회하다

1 다음 중 어법상 <u>틀린</u> 문장을 <u>모두</u> 고르면?

① I tried to figure out what I should do to solve the problem.

② She found some bookstores near her office that sell rare books.

③ The subject what they were talking about made me listen carefully.

④ I first met him in college in 2010, and when I just returned to college.

⑤ Whoever uses this product, regardless of age or gender, will be satisfied with it.

[2-4] 우리말과 같은 의미가 되도록 다음 조건에 맞게 영작하시오.

—〈 조건 〉—
1. 괄호 안의 어구를 모두 사용하되, 필요시 어형을 바꿀 것
2. 적절한 관계사를 사용할 것

2 나는 서버 오류 때문에 몇 개의 이메일을 받지 못했는데, 그것 중 일부는 매우 중요한 것들이었다.
(important, are, of, some, very)
I didn't get a few emails because of a server error, _____.

3 당신이 온라인과 오프라인 강좌들 중에서 어떤 것을 선택하든지, 당신은 학점을 받을 것이다.
(between, choose, online and offline, courses)
_____,
you will receive credits.

4 우리는 한국을 관광객들이 다시 방문하고 싶은 곳으로 만들기 위해 끊임없이 노력해야 한다.
(wish, again, a place, to visit, tourists)
We must continuously work to make Korea
_____.

5 **(A), (B)**의 빈칸에 공통으로 들어갈 적절한 관계사를 쓰시오.

(A) The procedure, _____ people refer to as "plasticity," is more active in young people than with old people.

(B) Ocean pollution is a combination of chemicals and trash, most of _____ comes from people on the land.

[6-7] 다음 글을 읽고, 물음에 답하시오. 기출 응용

From a correlational observation, we conclude ① what one variable is related to a second variable. But neither behavior could be directly causing the other even though there ② are a relationship. Their study illustrates <u>인과관계의 진술을 하는 것이 왜 어려운지에 대한 이유를</u>. They studied motorcycle accidents, attempting to correlate the number of accidents with other variables such as age. They found the best predictor is the number of tattoos ③ where the rider had. It doesn't mean ④ which tattoos cause accidents. A third variable is perhaps preference for risk. A person willing to take risks likes to be tattooed and also ⑤ take more chances on motorcycles.

6 위 글의 밑줄 친 우리말을 다음 조건에 맞게 영작하시오.

—〈 조건 〉—
1. 10 단어로 작성할 것
2. 관계부사와 「가주어 – 진주어」 구문을 사용할 것
3. the reason, make causal statements를 포함할 것

7 위 글의 밑줄 친 ①~⑤는 어법상 틀린 것이다. 다음 중 바르게 고쳐지지 <u>않은</u> 것은?

① what → that   ② are → is
③ where → what   ④ which → that
⑤ take → takes

CHAPTER (04)

접속사

04 접속사

A 접속사의 개념과 종류

접속사는 단어와 단어, 구와 구, 절과 절을 이어 주는 말로 기능에 따라 등위접속사와 종속접속사로 나뉜다.

B 등위접속사

1 and, but, or, so 등이 있으며 문법적으로 대등한 형태의 단어, 구, 절을 연결한다.

1 People were running to catch the bus, **but** they were too late. 〈절과 절을 연결〉

2 상관접속사는 등위접속사의 일종으로 서로 떨어진 두 개의 어구가 항상 짝으로 같이 쓰인다.

both A and B(A와 B 둘 다)	either A or B(A나 B 둘 중 하나)	neither A nor B(A도 B도 아닌)
not A but B(A가 아니라 B)	not only A but (also) B(= B as well as A)(A뿐만 아니라 B도)	

2 Antibiotics **either** kill bacteria **or** stop them from growing. 기출 〈동사구와 동사구를 연결〉

접속사 vs. 전치사

접속사 뒤에는 「주어+동사」 형태의 절이 오고, 전치사 뒤에는 명사(구)가 온다. 비슷한 의미의 접속사와 전치사에 주의한다.

	접속사+주어+동사	전치사+명사(구)
~ 동안	while	during
~ 때문에	because, since, as	because of, due to, owing to
~에도 불구하고	though, although, even though(if)	despite, in spite of

1 Clothing doesn't have to be expensive to provide comfort [during / while] exercise. 기출

2 I grew anxious [because of / because] the time for surgery was drawing closer. 기출

3 Accidents occur [despite / even if] we regularly have our cars serviced and drive safely.

풀이 ¹ 뒤에 명사가 나오므로 전치사 during이 적절하다. ² 뒤에 「주어+동사」 형태의 절이 나오므로 접속사 because가 적절하다. ³ 뒤에 「주어+동사」 형태의 절이 나오므로 접속사 even if가 적절하다.

접속사 that vs. 접속사 whether(if)

that(~라는 것) 뒤에는 확인된 사실이 나오고, whether(if)(~인지 아닌지) 뒤에는 불확실한 사실이 나온다. whether와 if는 바꿔 쓸 수 있으나, 주어 자리와 전치사의 목적어 자리에는 whether만 쓸 수 있다.

4 It is difficult to determine [that / whether] one culture is better than another. 기출 응용

5 He never thought [that / whether] his family would be able to afford the tuition.

6 We were quite nervous about [if / whether] this was the right decision for us.

풀이 ⁴ 문맥상 determine의 목적어로 '~인지 아닌지'의 의미를 갖는 명사절이 와야 하므로 whether가 적절하다. ⁵ 문맥상 그가 결코 생각하지 못했던 확인된 사실에 대한 내용이 나오므로 that이 적절하다. ⁶ if는 전치사의 목적어 자리에 쓸 수 없으므로 whether가 적절하다.

C 종속접속사

주절과 종속절을 연결해 주는 말로 명사절을 이끄는 접속사와 부사절을 이끄는 접속사로 나뉜다.

1 명사절을 이끄는 종속접속사: that, whether, if가 있으며 문장에서 주어, 목적어, 보어 역할을 한다.

³ **That** he had lied to me was obvious. (= It was obvious **that** he had lied to me.) 〈주어〉

⁴ I want to check **whether(if)** the app is working correctly. 〈목적어〉

⁵ The biggest problem is **that** there is no elevator in the hotel. 〈보어〉

2 부사절을 이끄는 종속접속사

시간	when, as, while, until, since, before, after	양보	even though(if), (al)though, whether(if)
이유	because, since, as	대조	while, whereas
조건	if, unless, once	목적/결과	so that, in order that, so+형용사/부사+that

⁶ He got basic medical treatment **because** he couldn't afford it. 〈이유〉

⁷ I was **so** tired **that** I could hardly get through the day. 〈결과〉

접속사 that의 쓰임

접속사 that은 명사절을 이끄는 역할 외에도 다양한 역할을 한다.

동격	「명사(fact, idea, news, belief 등)+that」(~라는)	결과	「so(such) ~ that …」(너무 ~해서 …하다)
감정/이유	「형용사(happy, worried 등)+that」(~라서)	강조	「It ~ that …」(…한 것은 바로 ~이다)

⁷ The road was so steep [because/that] the car was going faster than I wanted. 기출 응용

⁸ Mrs. Thompson wants to conceal the fact [that/which] she is the author of the book.

⁹ It was a year ago today [that/whether] he left his job to pursue painting full time.

풀이 ⁷ 도로가 너무 경사진 것이 차가 빨리 가게 된 원인이므로 「so ~ that …」 구문의 that이 적절하다. ⁸ the fact와 뒤에 나오는 내용은 동격이므로 that이 적절하다. ⁹ 부사구 a year ago today를 강조하는 「It ~ that …」 강조 구문을 써야 하므로 that이 적절하다.

기타 주의해야 할 접속어구

접속어구 다음에는 접속사와 마찬가지로 「주어+동사」 형태의 완전한 절이 온다.

in case(~할 경우에 대비하여)	in that(~라는 점에서)	now that(~이니까)
as long as(~하는 한)	every time(~할 때마다)	except that(~을 제외하고)
provided (that)(~라면)	as if(마치 ~처럼)	the next time(다음에 ~할 때)

¹⁰ You should request a receipt [in case/in that] you're not satisfied with the product.

¹¹ When I heard the news, I felt [as if/as long as] my heart had stopped beating.

¹² The number of foreign tourists is increasing [except that/now that] travel alerts to Africa have been lifted.

풀이 ¹⁰ 접속어구 in case는 절 앞에 쓰여 '~할 경우에 대비하여'의 의미를 나타낸다. ¹¹ 접속어구 as if는 (가정법) 절 앞에 쓰여 '마치 ~처럼'의 의미를 나타낸다. ¹² 접속어구 now that은 절 앞에 쓰여 '~이니까'의 의미를 나타낸다.

어법 적용 연습

A 다음 네모 안에서 어법에 알맞은 것을 고르시오.

1 There's an ongoing debate on [if / whether] obesity is caused by genetics or an individual's eating and exercise habits.

ongoing 계속 진행 중인
obesity 비만
genetics 유전적 특징

2 [During / While] we were eating our dinner, a siren started to scream, announcing an emergency situation. 기출

3 Hate speech is still a serious problem, [despite / although] the fact that measures have been taken to prevent it.

hate speech 편파적 발언

4 Everything was great, except [for / that] we were notified there was a flight change, causing us to depart 10 hours late.

notify 알리다, 통지하다

5 We were disappointed [about / that] the festival was rained out last year, so we are hoping for great weather this time.

rain out 비 때문에 중지[연기]하다

B 다음 밑줄 친 부분이 어법상 맞으면 ○표를 하고, 틀리면 바르게 고치시오.

1 Sometimes, multiple antibiotics are used to treat infections <u>in case</u> there is resistance to one antibiotic.

antibiotic 항생제
infection 감염, 전염병
resistance 저항

2 It was then <u>what</u> Bahati finally realized the meaning of the words of the poor old man: "The good you do, comes back to you!" 기출

3 People need to realize that how they start their day not only impacts that day <u>and</u> every aspect of their lives. 기출

aspect 측면, 양상

4 Australia emits high levels of carbon pollution, largely <u>because of</u> it is still heavily reliant on coal-fired power.

emit 배출하다
reliant on ～에 의지하는

5 Audience feedback often indicates <u>whether</u> listeners understand, have interest in, and are ready to accept the speaker's ideas. 기출

indicate 나타내다, 보여 주다

38 Supreme 수능 어법 〈실전〉

6 It turns out <u>whether</u> the secret behind our recently extended life span is not <u>due to</u> genetics or natural selection but rather to the relentless improvements made to our overall standard of living. 기출

natural selection 자연 선택
relentless 끊임없는

7 <u>Now that</u> you have passed the second stage of the hiring process, you will be making a PowerPoint presentation in the final stage. <u>Despite</u> they're given time to prepare in advance, most candidates are eliminated at this stage.

8 Sometimes you must show persistence when you apologize. Some people remain mad at you <u>even if</u> they've mentally forgiven you. This is because they are not sure <u>that</u> you actually meant the apology or not.

persistence 끈기

9 <u>In order that</u> remember your username, the website must save it on a cookie stored on your computer. If you click "remember my username," it will be automatically entered <u>every time</u> you visit the site.

C 다음 글의 밑줄 친 부분 중, 어법상 틀린 부분을 모두 찾아 고치시오.

1 The pressure to clear forests ① <u>are</u> expected to increase ② <u>owing to</u> population growth and soaring levels of prosperity. However, there are signs ③ <u>which</u> food security and forest conservation can potentially be reconciled.

soaring 치솟는, 급상승하는
reconcile 조정하다, 조화시키다

2 In the past, it was believed ① <u>that</u> some parts of the ocean were ② <u>such</u> deep that nothing could possibly live there. However, in recent years, deep-sea probes have shown that a wide variety of strange creatures thrive at these depths, many of which glow ③ <u>even if</u> they were lanterns.

probe 조사, 탐사

3 You will not be charged a late payment penalty ① <u>whether</u> your late payment was ② <u>because</u> the death of the taxpayer occurring before the due date, ③ <u>provided</u> the payment is late by no more than 30 days.

late payment 체납

어법 실전 Test

1

다음 글의 밑줄 친 부분 중, 어법상 틀린 것은? [3점] 기출

Although sports nutrition is a fairly new academic discipline, there have always been recommendations ① made to athletes about foods that could enhance athletic performance. One ancient Greek athlete is reported to ② have eaten dried figs to enhance training. There are reports that marathon runners in the 1908 Olympics drank cognac to improve performance. The teenage running phenomenon, Mary Decker, surprised the sports world in the 1970s when she reported ③ that she ate a plate of spaghetti noodles the night before a race. Such practices may be suggested to athletes ④ because of their real or perceived benefits by individuals who excelled in their sports. Obviously, some of these practices, such as drinking alcohol during a marathon, are no longer recommended, but others, such as a high-carbohydrate meal the night before a competition, ⑤ has stood the test of time.

* academic discipline 학과, 교과 ** phenomenon 천재

어법 분석 | 밑줄 친 부분이 묻고 있는 어법 사항을 써 봅시다.

①
②
③
④
⑤

2

다음 글의 밑줄 친 부분 중, 어법상 틀린 것은?

Adapting to a new environment can be a challenging process that requires the expenditure of large amounts of time and energy. In situations ① where optimal learning occurs, this adaptation can be an interesting, perhaps even exciting, event. ② Once we proceed beyond that optimal point, the experience is likely to become stressful. Although it has become trendy in contemporary society to boast about our multitasking abilities, technological change often occurs so rapidly ③ that it becomes impossible to keep up with, as there is a limit to the number of changes that can be processed by an individual. Attempting to navigate too many technological innovations while jumping from one medium to the next ④ create a type of cognitive overload that can lead to burnout. ⑤ Sensing an impending overload, some people opt to avoid change altogether, in the hopes that this will result in a lessening of the anxiety they are experiencing.

어법 분석 | 밑줄 친 부분이 묻고 있는 어법 사항을 써 봅시다.

①
②
③
④
⑤

3

(A), (B), (C)의 각 네모 안에서 어법에 맞는 표현으로 가장 적절한 것은?

While it may seem rational to assume that natural pesticides are safer or more environmentally friendly alternatives to synthetic products, the indisputable truth is (A) that / whether they are still toxic substances that ³ can be, in some cases, even more dangerous. Take nicotine, for example — it is a natural substance produced by certain plants, as a defense against insects. For centuries, nicotine extracted from these plants (B) has been / ⁶ having been used by farmers to exterminate aphids, thrips and spider mites. However, nicotine isn't a threat only to these pests — even in relatively small amounts, it represents a serious health hazard to virtually ⁹ every living creature. This information should serve as a reminder (C) which / that the presence of the word "natural" on any product's label does not assure that it is safe and healthy for living creatures or the ¹² environment. In the case of natural pesticides, be sure to thoroughly research any product before using it.

*aphid 진딧물 ** thrip 총채벌레 *** spider mite 잎응애(진드기의 일종)

어법 분석 | 네모 안에서 묻고 있는 어법 사항을 써 봅시다.

(A) _____

(B) _____

(C) _____

	(A)		(B)		(C)
①	that	······	has been	······	which
②	that	······	has been	······	that
③	that	······	having been	······	which
④	whether	······	having been	······	that
⑤	whether	······	has been	······	which

WORDS

1 nutrition 영양(학) recommendation 충고, 추천 enhance 향상시키다 athletic 운동의 fig 무화과 training (훈련을 받고 있는 사람의) 컨디션 cognac 코냑(프랑스산 브랜디) perceive 인식하다 excel 탁월하다, 뛰어나다 carbohydrate 탄수화물 competition 경기, 경쟁 stand the test 검증을 견뎌내다

2 adapt to ~에 적응하다 challenging 도전적인 expenditure 소모, 소비 optimal 최적의, 최선의 proceed 진행하다, 나아가다 contemporary 현대의 boast 자랑하다, 뽐내다 multitasking 멀티태스킹, 다중 처리 keep up with ~을 따라잡다 navigate 탐색하다 cognitive 인지적인 overload 과부하 burnout 극도의 피로 impending 임박한, 곧 닥칠 anxiety 불안, 염려 opt 선택하다

3 rational 합리적인 pesticide 살충제 environmentally 환경적으로 synthetic 합성의 indisputable 명백한, 논란의 여지가 없는 toxic 독성의 substance 물질 defense 방어 extract 추출하다 exterminate 몰살시키다, 전멸시키다 hazard 위험 virtually 사실상, 거의 serve as ~의 역할을 하다 reminder 상기시키는 것 assure 장담하다, 보장하다 thoroughly 철저하게

1 다음 중 어법상 틀린 문장을 모두 고르면?

① The news that the CEO had been arrested that night influenced the market.
② That Mike would be a big star or not was not certain.
③ John may be better at playing basketball than you because he has very long arms.
④ She is so brave that she wasn't scared to travel all around the world by herself.
⑤ My son is saying he has nothing to do during at home.

[2-4] 우리말과 같은 의미가 되도록 다음 조건에 맞게 영작하시오.

─〈 조건 〉─
1. 괄호 안의 어구를 모두 사용하되, 필요시 어형을 바꿀 것
2. whether와 that 중 하나를 선택하여 적절한 위치에 넣을 것

2 Ted는 그와 Jane이 내년 여름에 결혼할 것이라고 내게 말했다.
(he and Jane, get married, would, next summer)
Ted told me _____
_____ .

3 내 학생 중 한 명이 내게 그녀가 연설 대회에 참여할 수 있을지 물어봤다.
(take, could, in, she, the speech contest, part)
One of my students asked me _____
_____ .

4 그날 밤 Peter는 전에 Kelly를 만난 적이 없음을 입증하려 노력하고 있었다.
(he, never, before, meet, Kelly, have, that night)
Peter was trying to prove _____
_____ .

5 (A), (B)에서 어법상 틀린 부분을 찾아 바르게 고치시오.

(A) Because his curiosity, Jake always finds the solutions to problems first.
(B) Lisa is such generous that she decided to donate $2,000 to the foundation.

(A) _____ → _____
(B) _____ → _____

[6-7] 다음 글을 읽고, 물음에 답하시오. 기출 응용

Mary Cassatt was the fourth of five children born to her well-to-do family. Her family did not approve of her decision to become an artist, but 그녀의 바람은 매우 강해서 그녀는 단계들을 밟았다 so that she could make art career. She admired the work of Edgar Degas and was able to meet him in Paris, (A) which / that was a great inspiration to her. (B) Though / Despite she never had any of her own, she loved children and often painted portraits of them. Cassatt lost her sight at the age of 70 and was not able to paint (C) while / during the later years of her life.

6 위 글의 밑줄 친 우리말을 다음 조건에 맞게 영작하시오.

─〈 조건 〉─
1. 9 단어로 작성하고, 「so ~ that」 구문을 사용할 것
2. desire, strong, take steps를 활용할 것

_____

7 (A), (B), (C)의 각 네모 안에서 어법에 맞는 표현으로 가장 적절한 것은?

	(A)	(B)	(C)
①	which	Though	during
②	which	Despite	during
③	which	Though	while
④	that	Despite	while
⑤	that	Despite	during

CHAPTER 05

대명사

05 대명사

A 인칭대명사

1 인칭대명사: 사람이나 동물을 지칭하는 대명사로 인칭, 격, 수에 따라 형태가 변한다.

2 소유대명사: 「소유격+명사」를 대신하는 것으로 '~의 것'이라는 뜻을 나타낸다.

3 재귀대명사: 주어의 동작이 다시 주어로 되돌아가는 관계를 나타내는 대명사이다.

  ① 재귀 용법: 주어와 목적어가 같을 때 목적어 자리에 재귀대명사를 쓰며, 재귀대명사를 생략하면 문장이 성립하지 않는다.

  ② 강조 용법: 주어, 목적어, 보어를 강조할 때 쓰며, 재귀대명사를 생략해도 문장이 성립한다.

    ¹ He never looked at **himself** in the mirror. 〈재귀〉   ² The interview **itself** was very interesting. 〈강조〉

B 지시대명사

특정한 사람, 사물, 장소, 앞뒤 어구를 가리키는 대명사이다. 명사가 단수이면 this/that, 복수이면 these/those를 쓴다.

대명사의 일치

대명사가 지칭하는 대상이 단수이면 단수 대명사를, 복수이면 복수 대명사를 쓴다.
대명사는 문장에서의 역할(주격/목적격/소유격)과 지칭 대상의 성(남성/여성)에 맞게 써야 한다.

¹ Help students activate prior knowledge so they can build on [it/them] productively. 기출 응용

² The wind was so strong that [it/its] blew the roofs of some houses in the town.

³ Compared to other portable speakers, [our/ours] are the smallest and lightest.

> 풀이 ¹ 앞에 나온 명사 prior knowledge를 지칭하는 대명사로 단수명사이므로 단수형 it이 적절하다. ² 앞에 나온 명사 The wind를 지칭하는 대명사이고 that절에서 주어 역할을 하므로 주격 대명사 it이 적절하다. ³ 문장의 주어로 our portable speakers를 대신하는 소유대명사 ours가 적절하다.

재귀대명사 vs. 인칭대명사

동사의 (의미상) 주어와 목적어가 동일한 대상을 가리키는 경우 재귀대명사를 목적어로 쓰고, 다른 대상을 가리키는 경우 인칭대명사를 목적어로 쓴다.

⁴ The treatment works by preventing the virus from replicating [it/itself].

⁵ People in the village design the bags and sell [them/themselves] to the market.

> 풀이 ⁴ 동사 replicate의 의미상 주어와 목적어가 동일한 대상(the virus)을 가리키므로 목적어로 재귀대명사 itself가 적절하다. ⁵ 동사 sell의 주어(People)와 목적어(the bags)가 다르므로 목적어로 인칭대명사 them이 적절하다.

대명사 that/those

that/those는 앞에 쓰인 명사의 반복을 피하기 위해 사용되며 앞의 명사가 단수이면 that을, 복수이면 those를 쓴다.

⁶ The structure of the upper house is similar to [that/those] of the lower house.

⁷ Portions of the brain of Albert Einstein are different from [that/those] of most people.

> 풀이 ⁶ 앞에 나온 명사 The structure의 반복을 피하기 위해 사용한 대명사이므로 단수형 that이 적절하다. ⁷ 앞에 나온 명사 Portions of the brain의 반복을 피하기 위해 사용한 대명사이므로 복수형 those가 적절하다.

C 부정대명사

불특정한 사람이나 사물, 일정하지 않은 수량을 나타내는 대명사이다.

1 one / other / another
① one: 같은 종류의 불특정한 하나(한 명)를 가리키며, 복수형은 ones이다.
② other: 그 밖의 다른 것(사람)을 가리킬 때 쓰고, 복수형은 others이다.
③ another: 하나를 제외한 나머지 중 다른 하나(한 명)를 가리킬 때 쓴다.

one	the other	one	another	the other
one	the others	one	another	the others

2 all / each / most / some / any / none: 전체나 전체 중 일부를 나타
내며 「부정대명사+of+명사」 형태로 자주 쓰인다.
³ Almost **all** of my emails disappeared recently for an unknown reason.

3 both / either / neither: 비교 대상이 둘일 때 쓰며 both는 복수 취급하고, either와 neither는 원칙적으로 단수 취급한다.
⁴ Innovation and creativity are different, but **both** are necessary for business success.

POINT 4 it vs. one

it은 앞에 나온 특정한 명사를 가리키는 반면, one은 같은 종류의 대상을 가리킨다. one의 복수형은 ones이다.

⁸ He asked the man his name, wrote out a check, and pushed [it / one] into his hand. 기출

⁹ If you don't have an ID, you can create a new [it / one] when you set up your device.

¹⁰ Over the past century, a few new technologies have arisen and driven out old [one / ones].

풀이 ⁸ 앞에 나온 특정한 대상인 a check를 가리키는 대명사를 써야 하므로 it이 적절하다. ⁹ 앞에 나온 명사 an ID와 같은 종류의 대상을 가리키는 대명사를 써야 하고 단수이므로 one이 적절하다. ¹⁰ 앞에 나온 명사 technologies와 같은 종류의 대상을 가리키는 대명사를 써야하고 복수이므로 ones가 적절하다.

POINT 5 가주어 it / 가목적어 it

it이 주어인 문장의 동사 뒤에 to부정사구/that절이 오면 it은 가주어이고, to부정사구/that절이 진주어이다.
think, make, find, consider와 같은 5형식 동사의 목적어가 it이고 목적격보어(명사/형용사) 뒤에 to부정사구/that절이 오면 it은 가목적어이고, to부정사구/that절이 진목적어이다.

¹¹ Despite your efforts, [it / that] is beyond our capacity to care for animals with special needs. 기출

¹² The slow pace of transformation also makes [it / them] easy to break bad habits. 기출

¹³ The young director found [it / that] amazing that her movie was nominated for the Oscars.

풀이 ¹¹ 문장의 주어인 to부정사구가 길어 동사 뒤에 왔으므로 주어 자리에 가주어 it을 쓰는 것이 적절하다. ¹² 문장의 목적어인 to부정사구가 길어 목적격보어 뒤에 왔으므로 목적어 자리에 가목적어 it을 쓰는 것이 적절하다. ¹³ 문장의 목적어인 that절이 길어 목적격보어 뒤에 왔으므로 목적어 자리에 가목적어 it을 쓰는 것이 적절하다.

어법 적용 연습

A
다음 네모 안에서 어법에 알맞은 것을 고르시오.

1 If one person in a community gets an infectious disease, he can spread
[it / them] to others who are not immune.

infectious 전염되는
immune 면역성이 있는

2 She had the good fortune to have enlightened parents who considered
the education of a daughter as important as [that / those] of a son. `기출`

enlightened 깨우친, 계몽된

3 Known things develop into new things because some procedures lose
[its / their] value or are absorbed into others.

absorb 흡수하다

4 [It / That] is not surprising that there are many fish species that are
endangered in both freshwater and marine habitats.

endangered 멸종 위기의

5 She collects data on cheating in both large classes and small [one / ones]
and then analyzes the data. `기출`

cheating 부정행위

B
다음 밑줄 친 부분이 어법상 맞으면 ○표를 하고, 틀리면 바르게 고치시오.

1 My music teacher thought <u>that</u> natural that I would want to write and
perform my own music.

2 In the 1970s, the U.S. made direct payments to farmers and encouraged
<u>themselves</u> to grow corn.

direct payment 직접 지불(제)

3 The workshop focused on creating new habits and getting rid of old
<u>ones</u> that hinder personal achievements.

hinder 방해하다, 막다

4 The brains of people who used both Spanish and English were more
nimble and agile than <u>that</u> of monolinguals.

nimble 민첩한, 영리한
agile 재빠른, 기민한

5 "Yellow journalism" sometimes took the form of gossip about public
figures who considered <u>them</u> private figures. `기출`

public figure 공인, 유명 인사

6 Although language is an essential component of brain function, just like the brain <u>itself</u>, it is still a mystery to scientists trying to learn how language works <u>it</u> magic on our neural networks.

neural network 신경망

7 Neanderthals are considered <u>ours</u> closest relative, but their bodies were considerably stockier than <u>ours</u>; this is believed to be due to the cold environments in which they lived.

Neanderthal 네안데르탈인(의)
stocky 다부진, 단단한

8 <u>It</u> is often believed that Shakespeare, like most playwrights of his period, did not always write alone, and many of his plays are considered collaborative or were rewritten after <u>its</u> original composition. [기출]

playwright 극작가
collaborative 공동의, 합작의
rewrite 다시[고쳐] 쓰다

9 Anytime you injure <u>you</u>, it is essential that you clean the wound to prevent infections. You should wash <u>them</u> with liquid soap, making sure to clean the surrounding area as well.

wound 상처, 부상
infection 감염

C 다음 글의 밑줄 친 부분 중, 어법상 틀린 부분을 모두 찾아 고치시오.

1 The leopard shark got its name because of its dark brown markings similar to ①<u>that</u> found on leopards. Like some other sharks, female leopard sharks lay eggs and hatch ②<u>themselves</u> inside their bodies. They keep ③<u>their</u> babies inside for twelve months until live birth occurs. [기출 응용]

marking 무늬, 반점
hatch 부화하다

2 Websites use cookies because they make ①<u>them</u> easier for visitors to use the site. They do this by storing passwords, preferences, and other information. Although most browsers ②<u>accept</u> cookies automatically, users can disable this function or have it alert ③<u>it</u> when cookies are being used.

preference 선호(하는 것)
disable 기능을 억제하다

3 Everyone has a dream course they want to take and a dream college they want to pursue ①<u>it</u> from. But what if you had to choose ②<u>it</u> of them? This decision is no doubt crucial, as ③<u>its</u> is ultimately going to affect your career and future opportunities.

crucial 중대한, 결정적인
ultimately 궁극적으로, 결국

어법 실전 Test

1

다음 글의 밑줄 친 부분 중, 어법상 틀린 것은?

New technology diffusion generally occurs in a predictable sequence of stages. Initially, consumers learn about the new technology through the media or by observing ①its use firsthand. For example, they may read an online article about a new electronic device or see a classmate using ②one. After this, they weigh the pros and cons. Is the device affordable? Can they do things with it ③when they couldn't do with devices they already own? Finally, if they decide they want to try it, they will make their purchase. Once they own the device, consumers continue to assess its value, eventually accepting, rejecting, or ④modifying their use of it. Ultimately, they may find that it doesn't provide any useful innovation to their daily routines and regret having purchased it. In other words, consumers select which new technology ⑤to pursue based on expected outcomes and then confirm whether or not it has fulfilled those expectations.

3
6
9
12

어법 분석 | 밑줄 친 부분이 묻고 있는 어법 사항을 써 봅시다.

① _____
② _____
③ _____
④ _____
⑤ _____

2

다음 글의 밑줄 친 부분 중, 어법상 틀린 것은? 기출

Trying to produce everything yourself would mean you are using your time and resources to produce many things ①for which you are a high-cost provider. This would translate into lower production and income. For example, even though most doctors might be good at record keeping and arranging appointments, ②it is generally in their interest to hire someone to perform these services. The time doctors use to keep records is time they could have spent seeing patients. Because the time ③spent with their patients is worth a lot, the opportunity cost of record keeping for doctors will be high. Thus, doctors will almost always find it ④advantageous to hire someone else to keep and manage their records. Moreover, when the doctor specializes in the provision of physician services and ⑤hiring someone who has a comparative advantage in record keeping, costs will be lower and joint output larger than would otherwise be achievable.

3
6
9
12

어법 분석 | 밑줄 친 부분이 묻고 있는 어법 사항을 써 봅시다.

① _____
② _____
③ _____
④ _____
⑤ _____

3

(A), (B), (C)의 각 네모 안에서 어법에 맞는 표현으로 가장 적절한 것은?

Assimilation is the process through which individuals or minority groups with a distinct ethnic heritage become socially indistinguishable from other members of society by being absorbed into the dominant culture. In ³ Hawaii, for example, numerous Asian and Pacific minorities have voluntarily assimilated (A) ┃themselves / them┃ into mainstream Hawaiian society. This type of assimilation generally takes on three distinct forms ⁶ occurring in a sequential progression. The initial stage is cultural assimilation, during which the minority group gradually surrenders its own cultural features, including language, values, and behaviors, while ⁹ accepting (B) ┃that / those┃ of the dominant group. Next comes social assimilation —members of the minority group begin to join the social institutions of the mainstream group, such as churches and neighborhood ¹² associations. Finally, there is physical integration. This final stage involves widespread intermarriage, (C) ┃which / through which┃ the biological distinctions between the two groups are gradually declined. ¹⁵

어법 분석 ┃ 네모 안에서 묻고 있는
어법 사항을 써 봅시다.

(A) _____
(B) _____
(C) _____

(A)		(B)		(C)
① themselves	⋯⋯	those	⋯⋯	through which
② themselves	⋯⋯	that	⋯⋯	which
③ themselves	⋯⋯	those	⋯⋯	which
④ them	⋯⋯	that	⋯⋯	which
⑤ them	⋯⋯	those	⋯⋯	through which

WORDS

1 diffusion 확산 predictable 예측 가능한 sequence 순서 firsthand 직접 device 기기 weigh 따져보다, 무게를 달다
pros and cons 장단점, 찬반론 affordable (가격이) 알맞은 assess 평가하다 modify 수정하다 innovation 혁신 fulfill 달성하다, 충족하다

2 provider 공급자 translate into ~로 해석[번역]하다 opportunity cost 기회비용 advantageous 유리한 specialize in ~을 전문으로 하다
provision 제공 physician (내과) 의사 comparative advantage 비교 우위 joint 공동의 achievable 성취[달성]할 수 있는

3 assimilation 동화 minority group 소수 집단 ethnic 민족의 heritage 유산 indistinguishable 구별할 수 없는 absorb 흡수하다
dominant 지배하는 voluntarily 자발적으로 mainstream 주류의 take on 취하다, 때맡다 sequential 순차적인 surrender 포기하다
association 조합, 연합 integration 통합 intermarriage (다른 종족·민족 간의) 결혼 biological 생물학적인

1 다음 중 어법상 옳은 것은?

① She looked around the tiny apartment for things which were her.
② He realized he needed a battery and went to a store to get one.
③ That is quite natural for the students to feel anxiety on the test day.
④ The author made its possible to discover a new way of appreciating art.
⑤ Why is the boiling point of water higher than it of ammonia?

[2-4] 우리말과 같은 의미가 되도록 다음 조건에 맞게 영작하시오.

〈 조건 〉
1. 괄호 안의 어구를 모두 사용하되, 필요시 어형을 바꿀 것
2. 대명사를 사용할 것

2 어떤 것이라도 구매하기 전에, 여러분은 여러분의 필요와 예산에 대해 스스로에게 물어볼 필요가 있다.
(you, need, budget, needs, about, to ask, and)
Before you make any purchase, _____
_____.

3 그들의 이야기는 다른 아이들의 그것들과 대조를 보인다.
(other, with, children, of, contrast, that)
Their stories _____
_____.

4 그 회사는 내년까지 그것의 사업 구조를 바꾸겠다는 것을 분명히 했다.
(by, clear, make, that, it, change, will, business structure, next year, it, its)
The company _____
_____.

5 밑줄 친 (A), (B)의 it이 가리키는 것을 각각 우리말로 쓰시오.

Due to the fact that business models are complicated and made up of multiple building blocks and their interconnections, (A) it is extremely hard to properly comprehend a model without first sketching (B) it out.

(A) _____
(B) _____

[6-7] 다음 글을 읽고, 물음에 답하시오. 기출 응용

When I started my career, I looked forward to the annual report from the organization showing statistics for each of ①its leaders. As soon as I received ②it in the mail, I'd look for my standing and compare my progress with the progress of all the other leaders. After about five years, I realized how harmful it was ③to do that. Comparing yourself to ④other is just a needless distraction. 여러분 자신과 비교해야 하는 유일한 사람은 여러분뿐이다. Your mission is to become better today than ⑤you were yesterday.

6 위 글의 우리말을 다음 조건에 맞게 영작하시오.

〈 조건 〉
다음 단어를 한 번씩 모두 사용하되, 어형을 바꾸거나 단어를 추가하지 말 것
(you, compare, should, to, is, you, yourself)

The only person _____
_____.

7 위 글의 밑줄 친 ①~⑤ 중 어법상 틀린 것은?

 ①　　 ②　　 ③　　 ④　　⑤

CHAPTER 06

형용사/부사/비교

06 형용사/부사/비교

A 형용사와 부사의 역할

1 형용사의 역할

형용사는 명사 앞이나 뒤에서 명사를 수식하거나 주어나 목적어의 보어 역할을 한다.

¹ **Professional** communication is **important** in the workplace. 〈명사 수식/주격보어〉

² The player made himself **famous** by playing well in the games. 〈목적격보어〉

2 부사의 역할

부사는 동사, 형용사, 다른 부사, 절이나 문장 전체를 수식한다.

³ All patient records on file are **completely** confidential. 〈형용사 수식〉

⁴ **Luckily**, no one was hurt when the plane slid off the runway. 〈문장 전체 수식〉

형용사 vs. 부사

수식하는 말의 품사와 문장에서의 역할에 따라 형용사나 부사를 선택한다.
보어 자리에는 부사가 아닌 형용사가 온다.

¹ Our lives today are [total/totally] different from the lives of people 300 years ago. 기출

² Online hate crimes should be treated as [serious/seriously] as face-to-face abuse.

³ We should no longer remain [silent/silently] on the question of climate change.

풀이 ¹ 형용사 different를 앞에서 수식하는 부사가 와야 하므로 totally가 적절하다. ² 동사 be treated를 수식하는 부사가 와야 하므로 seriously가 적절하다. ³ 2형식 동사 remain의 보어 자리에는 형용사가 와야 하므로 silent가 적절하다.

한정 용법 형용사 vs. 서술 용법 형용사

형용사에는 명사의 앞이나 뒤에서 직접 수식하는 한정 용법 형용사와 주격보어나 목적격보어로 쓰이는 서술 용법 형용사가 있다.
접두사 a-가 붙은 형용사는 서술 용법으로만 쓰인다.

• 한정 용법 형용사	• 서술 용법 형용사
main, live, only, elder, total, very, mere, inner, upper, former, latter, fallen 등	asleep, alive, awake, alone, aware, afraid, ashamed, unable, glad, worth, well 등

⁴ For many parents, there is nothing more peaceful than a(n) [sleeping/asleep] baby.

⁵ If dinosaurs were still [live/alive], life on Earth would be completely different.

풀이 ⁴ 명사 앞에는 한정 용법 형용사가 와야 하므로 sleeping이 적절하다. ⁵ 주격보어로 서술 용법 형용사가 와야 하므로 alive가 적절하다.

주의해야 할 형용사와 부사

형용사와 부사의 형태가 동일한 단어들이 있다. 이런 단어에 -ly가 붙으면 의미가 달라지므로 유의한다.

late (늦은 / 늦게) — lately (최근에)	high (높은 / 높이) — highly (매우, 대단히)
hard (열심인 / 열심히) — hardly (거의 ~않다)	short (짧은 / 짧게) — shortly (곧, 즉시)
near (가까운 / 가까이에) — nearly (거의)	most (최고의, 대부분의 / 가장) — mostly (주로, 대개)

B 비교 구문의 종류

형용사와 부사는 원급, 비교급, 최상급의 형태로 비교 구문에서 다양하게 쓰인다.

1 원급: as+원급+as (…만큼 ～한[하게])

⁵ It is often said that nothing is **as** *precious* **as** good health. 기출

⁶ Exercise can lower blood pressure **as** *effectively* **as** drugs.

2 비교급: 비교급+than (…보다 더 ～한[하게])

⁷ With a diameter of 370 feet, the lake is *larger* **than** a soccer field.

⁸ Young children are generally **more** *sensitive* **than** adults.

3 최상급: the+최상급+(in/of) … ((… 중) 가장 ～한[하게])

⁹ Washing your hands is **the most** *effective* way to prevent the spread of germs.

¹⁰ Black opal is **the most** *valuable* and *desired* **of** all opals.

¹¹ Mozart is remembered as *one of* **the** *great***est** musicians **in** history.

---

⁶ The plane shakes [hard/hardly], and I freeze, feeling like I'm not in control of anything. 기출

⁷ The company has been working on the project for [near/nearly] a decade.

풀이 ⁶ hardly는 '거의 ～않다'라는 뜻이므로 문맥상 '심하게, 세게'의 의미인 hard가 적절하다. ⁷ near는 '가까운, 가까이에'라는 뜻이므로 문맥상 '거의'의 의미인 nearly가 적절하다.

POINT 4 비교급/최상급 강조

비교급을 강조하여 '훨씬'의 의미를 나타내기 위해 부사 much, even, still, far, a lot 등을 쓴다. 부사 very, more, pretty는 비교급을 수식할 수 없다.

최상급을 강조할 때에는 by far, the very, quite 등을 쓴다.

⁸ The fund raised [very/far] more than any of them expected in just three months. 기출

⁹ Fifth in line from the Sun, Jupiter is [far/by far] the largest planet in the solar system.

풀이 ⁸ 비교급의 의미를 강조할 때 쓸 수 있는 부사는 far가 적절하다. ⁹ 최상급의 의미를 강조할 때 쓸 수 있는 부사(구)는 by far가 적절하다.

POINT 5 비교 관용 표현

관용적으로 쓰이는 다양한 비교 표현을 알아둔다.

the+비교급, the+비교급 (…할수록 더 ～한)	비교급+and+비교급 (점점 더 ～한)
as ~ as possible (가능한 한 ～한[하게])	배수사+as+원급+as (…보다 −배 ～한[하게])
not so much A as B (A라기보다는 B)	no[not any] more A than B (B가 아닌 것과 같이 A도 아니다)

¹⁰ The [many/more] people that are vaccinated, the fewer chances a disease has to spread.

¹¹ It is best to remain friendly and state your opinion as clearly [as/than] possible.

¹² The movie was not so [many/much] about romance as about a musician.

풀이 ¹⁰ 「the+비교급, the+비교급」 구문으로 many의 비교급인 more가 적절하다. ¹¹ 「as+부사+as possible」 구문이므로 부사 뒤에는 as가 적절하다. ¹² 「not so much A as B」 구문으로 not so 다음에는 much가 적절하다.

어법 적용 연습

A 다음 네모 안에서 어법에 알맞은 것을 고르시오.

1 Mr. Fernando, a retired officer, could remember World War II as vivid / vividly as anything that had happened just yesterday.

officer 장교
vivid 생생한, 선명한

2 Quick judgements are relevant not only in the workplace; they are equal / equally applicable in relationships. 기출 응용

relevant 관련 있는
applicable 적용할 수 있는

3 During wet season, temperatures remain high / highly and rainfall comes in the form of intense tropical downpours.

downpour 폭우

4 Most / Almost plastics break down into smaller and smaller pieces when exposed to ultraviolet (UV) light. 기출

ultraviolet 자외선(의)

5 The driver of the delivery truck braked too late / lately and too hard, causing a serious accident. 기출

B 다음 밑줄 친 부분이 어법상 맞으면 ○표를 하고, 틀리면 바르게 고치시오.

1 The more active you are on social media, more likely people are to recognize you and support your business. 기출

2 While many people use public transportation, cycling is by far the most popular mode of transport in the Netherlands.

transport 운송 수단

3 We encourage you to recycle as more as possible, but the best thing to do is to produce less waste.

4 A man has been rescued after being trapped under a falling tree in a back garden.

rescue 구조하다
trap 가두다

5 Marine animals are twice as vulnerable to climate change-driven habitat loss than land-dwelling animals.

vulnerable 취약한
habitat 서식지
dwell 살다, 거주하다

6   The father said, "Every time you get angry, drive a nail into that old fence as <u>hardly</u> as you can." The fence was very tough. Nevertheless, the boy was so <u>furiously</u> that during the very first day he drove in 37 nails. 기출

drive a nail 못을 박다

7   An analysis of the most recent weather data shows that Australia's summers are now <u>even</u> longer than its winters due to increasing temperatures caused by <u>globally</u> climate change.

analysis 분석

8   The Great Depression did not impact the Maine coast as <u>obvious</u> as it did many parts of America because the coast was already so depressed <u>economically</u> that it had nowhere to fall.

the Great Depression 대공황
depressed (경기가) 침체된

9   In ancient times it was considered <u>dangerously</u> to be outdoors during an eclipse; however, the partial phases of eclipses are no more dangerous <u>as</u> any other time of the day, as long as you don't stare at the sun.

eclipse 일식
partial 부분적인

C   다음 글의 밑줄 친 부분 중, 어법상 틀린 부분을 <u>모두</u> 찾아 고치시오.

1   Transporting ① <u>alive</u> animals demands special attention to their specific requirements. Our ② <u>professional</u> trained workers are experienced in animal shipping and will take ③ <u>extreme</u> care with your shipment.

shipment 수송(품)

2   Recent changes in population demographics have led to ① <u>more and more</u> families placing elderly relatives in institutions. One of ② <u>the bigger</u> issues facing these senior citizens is the prospect of living a(n) ③ <u>alone</u> life.

demographics 인구 통계 (자료)
institution 보호 시설
prospect 가망, 가능성

3   It can be helpful to read your own essay ① <u>aloud</u> to hear how it sounds, and it can sometimes be ② <u>by far</u> more beneficial to hear someone else read it. Either approach will help you hear things that you might not notice when editing ③ <u>silent</u>. 기출

어법 실전 Test

다음 글의 밑줄 친 부분 중, 어법상 틀린 것은? 기출

Architecture is generally conceived, designed, and realized in response to an existing set of conditions. These conditions may be ①purely functional in nature, or they may also reflect in varying degrees the social, political, ³ and economic climate. In any case, it is assumed that the existing set of conditions is ②much less satisfactory and that a new set of conditions would be desirable. The initial phase of any design process is the recognition ⁶ of a problematic condition and the decision ③to find a solution to it. Design is above all a purposeful endeavor. A designer must first document the existing conditions of a problem and ④collecting relevant data to be ⁹ analyzed. This is the critical phase of the design process since the nature of a solution is related to how a problem ⑤is defined.

어법 분석 | 밑줄 친 부분이 묻고 있는 어법 사항을 써 봅시다.

① _____
② _____
③ _____
④ _____
⑤ _____

2

다음 글의 밑줄 친 부분 중, 어법상 틀린 것은?

Viewing a collection of ancient Egyptian statues, one fact will immediately stand out—a great many of them are missing their noses. It may seem ①logical to attribute this to inevitable wear and tear occurring over ³ millennia. However, the fact that the damage is found in such a consistent pattern suggests that it ②may have been an intentional act. In ancient Egypt, representations of the human form were considered receptacles ⁶ of great power, as it was believed that the essence of a god or the soul of a human who was no longer ③live could enter and inhabit them. Therefore, it is suspected that the vandalism of statues was a ritual intended to ⁹ "deactivate" them and remove their power, the logic being ④that without a nose, the statue could no longer "breathe." Even if a tomb robber was mostly interested in stealing the precious objects, for example, the scared ¹² criminal was also worried that the tomb's deceased occupant ⑤might take revenge if his or her rendered likeness wasn't damaged.

* vandalism 공공 기물 파손 행위

어법 분석 | 밑줄 친 부분이 묻고 있는 어법 사항을 써 봅시다.

① _____
② _____
③ _____
④ _____
⑤ _____

3

다음 글의 밑줄 친 부분 중, 어법상 틀린 것은?

Research shows that breakfast plays a ① very larger role in our overall health than previously thought. In a study, 16 men alternated between a low-calorie breakfast and a high-calorie dinner and vice versa for three days. Diet-induced thermogenesis, which measures how efficiently the body metabolizes food, ② was tracked, along with hunger levels, blood glucose levels, and cravings for sweets. The results showed that eating breakfast, no matter how many calories it contains, creates levels of diet-induced thermogenesis that are twice as ③ high as those produced by the same meal eaten for dinner. This suggests that our metabolism is more active in the morning. Furthermore, people who eat richer breakfasts have less of an appetite, specifically for sweets, and ④ tend to eat less at dinner. Because breakfast is also linked to reducing levels of insulin and blood glucose, it makes sense ⑤ for people with diabetes to focus on breakfast rather than dinner.

* diet-induced thermogenesis 식이성 열발생

어법 분석 | 밑줄 친 부분이 묻고 있는 어법 사항을 써 봅시다.

① _____
② _____
③ _____
④ _____
⑤ _____

WORDS

1 architecture 건축 conceive 생각해 내다, 상상하다 in response to ~에 반응하여 purely 순전히, 전적으로 satisfactory 만족스러운 recognition 인식 problematic 문제가 있는 purposeful 의도적인, 목적이 있는 endeavor 노력, 시도 document 기록하다

2 attribute 결과로[덕분으로] 보다 inevitable 피할 수 없는, 필연적인 millennia 수천 년 consistent 한결같은 representation 초상, 조각상 receptacle 그릇, 용기 inhabit 살다, 거주하다 ritual (종교적) 의식 deactivate 비활성화시키다, 정지시키다 tomb 무덤 deceased 사망한 occupant 보유자, 거주자 revenge 복수 render 만들다, 제공하다 likeness 유사성, 닮음

3 overall 전반적인, 전체의 previously 이전에, 사전에 alternate 교체하다, 번갈아 나오게 하다 vice versa 거꾸로, 반대로 metabolize 대사 작용을 하다 glucose 포도당 craving 갈망, 욕구 appetite 식욕 insulin 인슐린 diabetes 당뇨병

Chapter 06 형용사/부사/비교 **57**

1 다음 중 어법상 틀린 문장을 모두 고르면?

① I woke up lately in this morning, and I had to rush to work by taxi.

② Global sea levels are rising even faster than predicted because of global warming.

③ He moved to my neighborhood yesterday, so his house is now very nearly.

④ People want to help him directly, but I think the best solution is to leave him alone.

⑤ For most women, no more than six teaspoons of sugar per day are recommended.

[2-4] 우리말과 같은 의미가 되도록 다음 조건에 맞게 영작하시오.

┌─────────〈 조건 〉─────────┐
1. 괄호 안의 단어를 모두 사용하되, 필요시 어형을 바꿀 것
2. 주어진 두 단어 중, 의미와 어법에 맞는 한 단어를 선택하여 영작할 것
└─────────────────────────┘

2 내 자리에서 나는 선생님 말씀을 거의 들을 수 없었다.

[hard / hardly]

(hear, my, from, seat, the teacher)

I could _____

_____ .

3 그의 영화는 전 세계의 많은 비평가들에 의해 매우 추천을 받았다. [high / highly]

(be recommended, critics, all over the world)

His movie _____

_____

4 사람들이 새로운 기술을 더 많이 연습할수록, 그들은 그것을 더 빠르게 향상시킬 것이다. [fast / faster]

(practice, a new skill, improve)

The more _____

_____

5 (A), (B)의 빈칸에 공통으로 들어갈 단어를 쓰시오.

(A) Being overconfident of her swimming skills, she swam _____ away from the beach.

(B) The role of effort in the success we achieve is _____ greater than we thought.

[6-7] 다음 글을 읽고, 물음에 답하시오. 기출 응용

The belief that humans have morality and animals don't is such a ① longstanding assumption that it could be called a habit of mind, and 나쁜 습관은 고치기가 극도로 어렵다. Many people have agreed with the idea because it's easier ② to deny morality to animals than to deal with the complex effects of the possibility that animals have moral behavior. Denial of who animals are conveniently allows for ③ maintaining false stereotypes about the cognitive and emotional capacities of animals. ④ Clearly a major paradigm shift is needed. This is because the lazy acceptance of habits of mind has a ⑤ strongly influence on how animals are understood and treated.

6 위 글의 밑줄 친 우리말을 다음 조건에 맞게 영작하시오.

┌─────────〈 조건 〉─────────┐
1. 7 단어로 작성할 것
2. habits, extremely, break를 포함할 것
3. hard와 hardly 중, 의미와 어법에 맞는 한 단어를 선택하여 사용할 것
└─────────────────────────┘

_____

_____

7 위 글의 밑줄 친 ①~⑤ 중 어법상 틀린 것은?

①　　　②　　　③　　　④　　　⑤

CHAPTER 07

동명사/to부정사

07 동명사/to부정사

A 동명사의 역할

동명사(구)는 문장에서 명사처럼 주어, 목적어, 보어 역할을 한다.

¹ **Installing** a dishwasher doesn't require any special tools or skills. 〈주어〉

² The couple *enjoys* **watching** political debates on TV. 《(타동사의) 목적어》

³ Both management and the employees agreed *with* not **raising** the minimum wage. 《(전치사의) 목적어》

⁴ The best part of volunteering is **finding** homes for animals in need. 《(주격)보어》

B to부정사의 역할

to부정사(구)는 문장에서 명사(주어/목적어/보어), 형용사(명사 수식/보어), 부사(형용사/부사/동사 수식) 역할을 한다.

POINT 1 동사+동명사 vs. 동사+to부정사

목적어로 동명사를 취하는 동사와 to부정사를 취하는 동사를 구별해서 알아 둔다.

• 목적어로 동명사를 취하는 동사	• 목적어로 to부정사를 취하는 동사
enjoy, stop, postpone, finish, deny, avoid, practice, suggest, consider, keep, mind, put off, give up 등	want, hope, wish, expect, ask, decide, agree, plan, manage, promise, need, fail, happen, pretend 등

¹ We are social animals who need [discussing/to discuss] our problems with others. 기출

² Smokers should give up [smoking/to smoke] for at least several weeks before surgery.

풀이 ¹ need는 목적어로 to부정사를 취하는 동사이므로 to discuss가 적절하다. ² give up은 목적어로 동명사를 취하는 동사이므로 smoking 이 적절하다.

POINT 2 동명사와 to부정사를 목적어로 취하는 동사

목적어로 동명사와 to부정사를 둘 다 취하는 동사 중 동명사를 취할 때와 to부정사를 취할 때 뜻이 달라지는 동사(remember, regret, forget)가 있다. 동명사를 목적어로 취하면 이미 한 일을 나타내고, to부정사를 목적어로 취하면 앞으로 할 일을 나타낸다.

³ I vaguely remember [seeing/to see] a similar picture somewhere before.

⁴ We regret [informing/to inform] you that we are unable to complete your request.

⁵ I quit my job and decided to try [living/to live] abroad for a couple of months for a change.

풀이 ³ 문맥상 과거의 일을 기억한다는 의미가 되어야 하므로 동명사 seeing이 적절하다. ⁴ 「regret+to-v」는 '(앞으로) ~하게 되어 유감이다' 라는 뜻이고 「regret+v-ing」는 '(과거에) ~했던 것을 후회하다'라는 뜻이므로 문맥상 to부정사 to inform이 적절하다. ⁵ 「try+v-ing」 는 '~을 시도해 보다'라는 뜻이고, 「try+to-v」는 '~하기 위해 노력하다, 애쓰다'라는 뜻이므로 문맥상 동명사 living이 적절하다.

POINT 3 to부정사의 to vs. 전치사 to

to부정사의 to 뒤에는 동사원형이 오고, 전치사 to 뒤에는 (동)명사가 온다. to부정사의 to와 전치사 to를 혼동하지 않도록 유의한다

be used(accustomed) to v-ing (~하는 데 익숙하다)	when it comes to v-ing (~하는 것에 관한 한)
look forward to v-ing (~하는 것을 고대하다)	object to v-ing (~하는 것에 반대하다)

1 명사적 용법

⁵ **To know** ones' ignorance is the best part of knowledge. 〈주어〉

⁶ I don't want **to start** a new business from scratch. 〈목적어〉

⁷ He encouraged the graduates **to set** long-term goals. 《(목적격)보어》

2 형용사적 용법

⁸ We developed a website **to connect** volunteers and organizations. 〈명사 수식〉

⁹ You are **to arrive** at least 30 minutes prior to the event. 《(주격)보어》

3 부사적 용법

¹⁰ The actors had a rehearsal **in order not to make** mistakes on the stage. 〈목적〉

¹¹ You will be surprised **to hear** the price of this bike. 〈조건〉

¹² The old man awoke **to find** several fish in the wire netting. 〈결과〉

¹³ I am sorry **to take** up so much of your time. 《(감정의) 원인》

---

⁶ Until the introduction of telephones, pigeons were used to [carrying / carry] messages.

⁷ We're looking forward to [seeing / see] excellent work from you in your new department. 기출

풀이 ⁶ 문맥상 '~하기 위해 사용되다'라는 뜻이 되어야 하므로 부사적 용법의 to부정사 to carry가 적절하다.   ⁷ look forward to에서 to는 전치사이므로 전치사의 목적어로 올 수 있는 동명사 seeing이 적절하다.

 동명사와 to부정사의 의미상의 주어

동명사의 의미상의 주어는 동명사 앞에 소유격이나 목적격을 써서 나타낸다.
to부정사의 의미상의 주어는 to부정사 앞에 「for / of+목적격」을 써서 나타낸다.

⁸ Sometimes it takes longer [for / of] a person to feel the effects of the drug.

⁹ I know it was rude [for / of] me to interrupt you while you were speaking.

¹⁰ The thought of his [come / coming] back gave the villagers a strange feeling.

풀이 ⁸ to부정사의 행위 주체와 문장의 주어가 다를 때 의미상의 주어는 「for+목적격」을 써야 하므로 for가 적절하다.   ⁹ to부정사의 의미상의 주어가 사람의 성격 / 감정을 나타내는 형용사 뒤에 올 때는 「of+목적격」을 써야 하므로 of가 적절하다.   ¹⁰ 전치사 of의 목적어 자리로 소유격 his가 의미상의 주어이므로 동명사 coming이 적절하다.

 동명사와 to부정사의 태 / 시제

동명사와 to부정사가 의미상의 주어와 수동 관계인 경우 수동태(「being+p.p.」, 「to be+p.p.」)를 쓴다.
동명사와 to부정사가 문장의 동사보다 앞선 시점을 나타낼 때는 완료시제(「having+p.p.」, 「to have+p.p.」)를 쓴다.

¹¹ About 250 years ago, fossil fuels began to [use / be used] for powering machines. 기출

¹² The Chinese are said to [invent / have invented] ice cream almost 3,000 years ago.

¹³ I support the idea of the class president [being chosen / having chosen] by popular vote.

풀이 ¹¹ 주어 fossil fuels가 '사용되다'라는 수동의 의미가 되어야 하므로 수동태 be used가 적절하다.   ¹² 본동사의 시제인 현재보다 먼저 일어난 과거의 일을 나타내야 하므로 완료시제 have invented가 적절하다.   ¹³ 동명사의 의미상의 주어 the class president가 '선출되다'라는 수동의 의미가 되어야 하므로 수동태 being chosen이 적절하다.

어법 적용 연습

A 다음 네모 안에서 어법에 알맞은 것을 고르시오.

1 Imagine you planned |designing / to design| an experiment to investigate the effects of loud music on teenagers' ability to concentrate.

investigate 조사하다
concentrate 집중하다

2 It was very thoughtful |for / of| the hosts to prepare slippers so that their guests could change out of their wet shoes.

3 Most people without health insurance postpone |going / to go| for annual check-ups or health screenings because they can't afford them.

health insurance 건강 보험
check-up (건강) 검진
health screening 건강 진단 검사

4 The idea has been rejected by residents who object to |have / having| to pay to park near their own homes.

5 There are times when you feel generous, but there are other times when you just don't want to |bother / be bothered|. 기출

B 다음 밑줄 친 부분이 어법상 맞으면 ○표를 하고, 틀리면 바르게 고치시오.

1 When it comes to <u>deal</u> with the distressing things in life, our "fight-or-flight response" is often triggered.

distressing 고통스러운, 괴로움을 주는
trigger 유발하다

2 They might benefit from <u>being involved</u> in a voluntary program where they receive support and help to build their own social network. 기출

3 If you lose your license, replacing it promptly will reduce the opportunity for it <u>to use</u> by a criminal.

promptly 즉각
criminal 범죄자

4 How do you feel about the possibility of your food being modified without you <u>being</u> aware of it?

modify 수정[변경]하다

5 About 20 percent of people admit to <u>have shared</u> a fake news story on a popular social networking site, either accidentally or on purpose. 기출

accidentally 우연히, 뜻하지 않게
on purpose 고의로

6 During a whale-watching tour, many passengers report that it was an amazing experience <u>for</u> them to be so near live whales. Few people ever forget <u>to see</u> a huge whale up close.

up close 바로 가까이에(서)

7 To avoid <u>eating</u>, some spiders pretend to <u>being</u> ants. Most animals that eat insects prefer spiders over ants, so <u>appearing</u> to be an ant is an effective survival strategy for spiders.

survival strategy 생존 전략

8 The traditional role of managers has been <u>to make</u> decisions for organizations. But what will happen if AI becomes smart enough <u>to be</u> <u>replaced</u> managers and take control of the decision-making process?

take control of ~을 장악[지배]하다

9 These special effects are similar in principle to 3-D art, motion pictures, or visual illusions, none of which have been around long enough <u>to</u> our brains <u>to have evolved</u> special mechanisms to perceive them. 기출

visual illusion 착시
mechanism 체계, 메커니즘
perceive 인지하다

C 다음 글의 밑줄 친 부분 중, 어법상 틀린 부분을 모두 찾아 고치시오.

1 People have gotten used to ① <u>recycle</u> paper, but some paper belongs in the trash. Paper cups lined with plastic, for example, are too difficult ② <u>to recycle</u>, as are used paper towels. Try not ③ <u>putting</u> them in the recycling bin.

belong in ~에 알맞다

2 One time he told me to cut the grass, and I decided ① <u>to have done</u> just the front yard and put off ② <u>doing</u> the back. But then it rained for a couple days and the backyard grass became so ③ <u>highly</u> that I had to cut it with a sickle. 기출 응용

sickle 낫

3 ① <u>To know</u> how to remain passionate about your work is essential. It's natural ② <u>going</u> through periods of boredom or disinterest if you have tasks that seldom vary. But you can just remind yourself that the sooner you do them, the faster you can get back to ③ <u>do</u> what you enjoy.

passionate 열정적인
disinterest 무관심

어법 실전 Test

다음 글의 밑줄 친 부분 중, 어법상 틀린 것은? [3점] 기출

Application of Buddhist-style mindfulness to Western psychology came primarily from the research of Jon Kabat-Zinn at the University of Massachusetts Medical Center. He initially took on the difficult task of treating chronic-pain patients, many of ① them had not responded well to traditional pain-management therapy. In many ways, such treatment seems completely ② paradoxical—you teach people to deal with pain by helping them to become more aware of it! However, the key is to help people let go of the constant tension that ③ accompanies their fighting of pain, a struggle that actually prolongs their awareness of pain. Mindfulness meditation allowed many of these people to increase their sense of well-being and ④ to experience a better quality of life. How so? Because such meditation is based on the principle that if we try to ignore or repress unpleasant thoughts or sensations, then we only end up ⑤ increasing their intensity.

어법 분석 | 밑줄 친 부분이 묻고 있는 어법 사항을 써 봅시다.

① _____
② _____
③ _____
④ _____
⑤ _____

다음 글의 밑줄 친 부분 중, 어법상 틀린 것은?

In politics, a lame duck is a politician who is still in power but about to leave office. This term dates back to the 18th century, when stock exchange traders are known ① to use it to describe people or companies that couldn't repay their debts. The idea was ② that actual lame ducks are easy prey for predators; similarly, lame-duck debtors would be at the mercy of their creditors. It wasn't until about 100 years later that the term ③ was applied to politicians who had reached the end of their political terms. This usage is considered ④ insulting because it suggests the politician in question has prematurely lost his or her power and is no longer capable of effecting change. People believe there is no point in passing laws ⑤ that lame-duck politicians favor, as those due to replace them will have the ability to simply reverse those changes once they take power.

어법 분석 | 밑줄 친 부분이 묻고 있는 어법 사항을 써 봅시다.

① _____
② _____
③ _____
④ _____
⑤ _____

3

(A), (B), (C)의 각 네모 안에서 어법에 맞는 표현으로 가장 적절한 것은?

According to the World Health Organization (WHO), around 50 million people have dementia worldwide and there are nearly 10 million new cases every year. Dementia results in cognitive impairments that make it difficult ³ for people to remember (A) | undertaking / to undertake | essential daily tasks. In recent years, people with dementia have typically used their mobile phones to remind them of (B) | what / which | they need to do; ⁶ however, many dementia patients find mobile phones too complicated to navigate, and such portable devices are easily lost or misplaced. To address this, industry specialists have begun to investigate (C) | whether / that | ⁹ mobile phones should be abandoned as a tool for dementia sufferers and to push forward the development of alternative technological solutions to improve their lives. This would likely involve algorithmic processes for ¹² handling information from heat-detecting equipment that could track the location of individuals in their own homes and allow reminders to be delivered via a variety of existing household electronics. ¹⁵

* dementia 치매

	(A)		(B)		(C)
①	undertaking	······	which	······	that
②	undertaking	······	what	······	whether
③	to undertake	······	what	······	that
④	to undertake	······	what	······	whether
⑤	to undertake	······	which	······	whether

어법 분석 | 네모 안에서 묻고 있는
어법 사항을 써 봅시다.

(A) _____

(B) _____

(C) _____

WORDS

1 application 적용 mindfulness 마음 챙김 primarily 주로, 원래 chronic-pain 만성 통증 paradoxical 역설적인 let go of ~을 놓다
accompany 동반[수반]하다 prolong 연장하다 meditation 명상 repress 억누르다 sensation 기분, 느낌 intensity 강도

2 lame 절름발이의 leave office 공직을 퇴임하다 term 용어; 임기 date back to ~로 거슬러 올라가다 stock exchange 증권 거래소
predator 포식자 debtor 빚진 사람, 채무자 at the mercy of ~에 휘둘러 usage 사용, 관습 insulting 모욕적인
prematurely 조급하게, 시기상조로 effect 초래하다, (목적을) 달성하다 there is no point in ~하는 것에 의미가 없다 due 예정인
reverse 뒤집다, 되돌리다 take power 집권하다

3 cognitive 인지의 impairment 손상, 장애 undertake 수행하다 complicated 복잡한 navigate 다루다; 길을 찾다 portable 휴대 가능한
device 장비 misplace 잘못 놓다, 놓은 곳을 잊다 address 해결하다 investigate 조사하다 abandon 버리다, 포기하다
push forward 계속 진행하다 alternative 대안, 대체 algorithmic 알고리즘적인 via ~을 통하여

빈출 어법

1 다음 중 어법상 틀린 문장을 <u>모두</u> 고르면?

① It was quite difficult of them to accept the government's proposals.

② The UN had to put off voting on sanctions on nuclear weapons.

③ Wendy stopped to ask her colleague about the team's plan.

④ Extensive renovations were supposed to be finished last month.

⑤ Larry needed improving his ability to use the equipment in case of emergency.

[2-4] 우리말과 같은 의미가 되도록 다음 조건에 맞게 영작하시오.

〈 조건 〉
1. 괄호 안의 어구를 모두 사용하되, 필요시 어형을 바꿀 것
2. 동명사나 to부정사를 사용할 것

2 나는 다음 주에 너의 대학교를 방문할 수 있기를 기대한다.
(forward, visit, your, look, college, to)
I _____ next week.

3 Ron이 아픈 어머니를 집에 혼자 남겨 둔 것은 잔인했다.
(Ron, leave, of, sick mother, cruel, his)
It was _____ home alone.

4 Victoria는 여러 번 뉴욕을 방문했던 것 같다.
(New York, visit, several, times)
Victoria seems _____.

5 (A), (B)에서 밑줄 친 부분의 의미를 우리말로 쓰시오.

(A) I forgot <u>ordering</u> Jim to put the old books away.
(B) I regret <u>to inform</u> you that my wedding has been canceled.

(A) _____
(B) _____

[6-7] 다음 글을 읽고, 물음에 답하시오. 기출 응용

Many of the manufactured products made today contain so many chemicals and artificial ingredients (A) which / that it is sometimes difficult to know exactly what is inside them. Fortunately, now there are food labels. Food labels are 당신이 먹는 음식에 대한 정보를 찾는 한 가지 좋은 방법이다. Labels on food are like the table of contents (B) finding / found in books. The main purpose of food labels is (C) informed / to inform you what is inside the food you are purchasing.

6 위 글의 밑줄 친 우리말을 다음 조건에 맞게 영작하시오.

〈 조건 〉
1. 12 단어로 작성할 것   2. 관계사를 사용할 것
3. way, find, information, the foods, eat을 포함할 것

_____
_____

7 (A), (B), (C)의 각 네모 안에서 어법에 맞는 표현은?

	(A)	(B)	(C)
①	which	finding	to inform
②	that	finding	informed
③	which	found	to inform
④	that	found	to inform
⑤	that	found	informed

CHAPTER (08)

분사/분사구문

08 분사/분사구문

A 분사의 개념과 종류

분사는 동사를 변형하여 형용사처럼 쓸 수 있게 만든 것이다.

현재분사(v-ing) 능동/진행	inspiring speech (감동적인 연설)	smiling girl (웃는 소녀)
과거분사(p.p.) 수동/완료	broken glass (깨진 잔)	baked potatoes (구워진 감자)

B 분사의 역할

1 명사 수식: 단독으로 수식할 때는 명사 앞에서, 다른 어구와 함께 수식할 때는 명사 뒤에서 수식한다.
¹ **Growing** children need calcium. 〈명사 앞〉 　　² Follow the rules **written** on the sign. 〈명사 뒤〉

2 보어 역할: 주어나 목적어를 보충 설명하는 보어 역할을 한다.
³ She came **running** toward us. 〈주격보어〉 　　⁴ He had his eyes **checked** by a doctor. 〈목적격보어〉

동사 vs. 분사

한 문장에 본동사는 하나이므로 주어진 문장에 본동사가 없으면 동사 자리이고, 본동사가 있으면 분사 자리이다. 단, 접속사가 있으면 본동사가 추가될 수 있다.

¹ Staff members [look/looking] after babies [require/requiring] a particular personality.

² A job search [starts/starting] with identifying individual job skills and one's [preferring/preferred] workplace environment. 기출 응용

> **풀이** ¹ 주어 Staff members를 수식하는 말로 현재분사 looking이 적절하고, 문장의 동사가 필요하므로 require가 적절하다. ² 주어가 A job search이고 with 이하는 전치사의 목적어이므로 문장의 본동사는 starts가 적절하고, 명사 workplace environment가 '선호되는' 것이므로 명사를 수동의 의미로 수식하는 과거분사 preferred가 적절하다.

현재분사 vs. 과거분사

분사와 명사의 관계가 능동이면 현재분사를 쓰고, 수동이면 과거분사를 쓴다.
목적어와 목적격보어의 관계가 능동·진행이면 목적격보어로 동사원형이나 현재분사를 쓰고, 수동·완료이면 과거분사를 쓴다.

³ A rescue team was able to enter the house through a [broken/breaking] window.

⁴ There was a long line of people [waited/waiting] for the bus during the morning rush hour.

⁵ We had our picture [taken/taking] with the Eiffel Tower behind us.

> **풀이** ³ 명사 a window와 분사는 수동의 관계이므로 과거분사 broken이 적절하다. ⁴ 명사 people과 분사는 능동의 관계이므로 현재분사 waiting이 적절하다. ⁵ 목적어 our picture와 목적격보어의 관계가 수동이므로 목적격보어는 과거분사 taken이 적절하다.

감정을 나타내는 분사

감정을 나타내는 동사는 분사 형태로 형용사처럼 자주 쓰이는데, 주어나 수식을 받는 명사가 감정을 일으키는 주체일 때는 현재분사를 쓰고, 감정을 느끼는 대상일 때는 과거분사를 쓴다.

surprising (놀라게 하는) – surprised (놀란)　　satisfying (만족스러운) – satisfied (만족한)　　tiring (피곤하게 하는) – tired (피곤한)
amazing (놀라게 하는) – amazed (놀란)　　shocking (충격적인) – shocked (충격 받은)　　boring (지루하게 하는) – bored (지루한)

C 분사구문의 개념과 의미

분사구문은 「접속사+주어+동사 ~,」의 부사절을 분사를 이용하여 부사구로 만든 것으로, 문장 전체를 수식한다.

시간	⁵ **Hearing the news,** she started to cry. (← When she heard the news,)
원인/이유	⁶ **Not knowing what to do,** he just stood there. (← As he didn't know what to do,)
조건	⁷ **Turning to the left,** you will see the pet shop. (← If you turn to the left,)
동시동작	⁸ **Listening to the rain,** she drank tea. (← While she was listening to the rain,)

분사구문의 주어가 주절의 주어와 다를 경우 분사구문에 주어를 생략하지 않고 써 준다.
분사구문의 의미를 명확히 하기 위해 분사구문에 접속사를 표시하는 경우도 있다.

⁹ ***The machine*** being out of order, we sent for a mechanic.
¹⁰ ***After*** graduating high school, she made her debut as a fashion model.

---

⁶ One of the [surprising/surprised] changes after losing weight is that you can sleep better.

⁷ The music was so good that everyone looked very [relaxing/relaxed] while listening to it.

풀이 ⁶ 수식 받는 명사 changes가 감정을 일으키는 주체이므로 현재분사 surprising이 적절하다. ⁷ 주어 everyone은 감정을 느끼는 대상이므로 과거분사 relaxed가 적절하다.

분사구문: 능동 vs. 수동

분사구문의 생략된 주어를 파악하여 주어와 분사의 관계가 능동이면 현재분사를 쓰고, 수동이면 과거분사를 쓴다.
「with+(대)명사+분사」 구문에서 (대)명사는 분사의 의미상 주어로, (대)명사와 분사의 관계가 능동이면 현재분사를 쓰고, 수동이면 과거분사를 쓴다.

⁸ One student chose to avoid the obstacles, [taking/taken] the easier path to the end. 기출

⁹ [Surrounding/Surrounded] by bodyguards, the singer left the airport.

¹⁰ Janet was busy cooking dinner for her family with her hair [tying/tied] in a ponytail.

풀이 ⁸ 분사구문의 생략된 주어 one student와 능동 관계이므로 현재분사 taking이 적절하다. ⁹ 분사구문의 주어 the singer와 수동 관계이므로 과거분사 Surrounded가 적절하다. ¹⁰ 분사의 의미상 주어인 her hair와 수동 관계이므로 과거분사 tied가 적절하다.

완료/수동 분사구문

주절의 시제보다 부사절의 시제가 앞선 시점을 나타낼 때 「having+p.p.」 형태의 완료 분사구문을 쓴다.
부사절의 동사가 수동태인 경우 분사구문은 「being/having been+p.p.」 형태가 되는데, being/having been은 주로 생략되고 과거분사만 남는다.

¹¹ [Being left/Leaving] alone in the dark, she got scared and burst into tears.

¹² [Having returned/Returned] to France, Fourier began his research on heat conduction. 기출

풀이 ¹¹ 주어 she가 '남겨진' 것이 되어야 하므로 수동 분사구문 Being left가 적절하다. ¹² 연구를 시작한 주절의 시점보다 더 앞서 일어난 일을 나타내므로 완료 분사구문 Having returned가 적절하다.

어법 적용 연습

A 다음 네모 안에서 어법에 알맞은 것을 고르시오.

1 You will get all the excellent stories that make *Winston Magazine* the fastest | growing / grown | magazine in America. 기출

2 Taking care of her mother with dementia for so long left Dorothy completely | draining / drained |.

> dementia 치매
> drain 고갈시키다, 소모시키다

3 | Working / Worked | in a print shop, he became interested in art and began to paint landscapes in a fresh, new style. 기출

> landscape 풍경(화)

4 The SA Foundation's scholarship students can study abroad with all their expenses | covering / covered |, including tuition and accommodation.

> scholarship 장학금
> tuition 수업료
> accommodation 숙소, 거처

5 If you feel | worrying / worried | about the future of the planet, contact our local environmental group or visit our website.

B 다음 밑줄 친 부분이 어법상 맞으면 ○표를 하고, 틀리면 바르게 고치시오.

1 <u>Having made</u> sure that the ice was thick enough to support me, I began to walk across the river with my dogs.

2 Glaciers, wind, and flowing water help move the rocky bits along, with the tiny travelers <u>got</u> smaller and smaller as they go. 기출

> glacier 빙하
> bit 한 조각

3 <u>Scattering</u> in pieces across the globe, the Berlin Wall has completely disappeared from where it once stood.

> scatter 흩어지다

4 Instead of simply making guesses, scientists <u>following</u> a system that is designed to prove if their ideas are correct or incorrect. 기출

5 In recent years, the only people <u>allowing</u> to set foot on the abandoned island located off the coast have been a few scientists.

> set foot 발을 들여놓다
> abandoned 버려진

6 The basic difference between an AI robot and a normal robot is the ability of the AI robot to make decisions and <u>learn</u>, as well as to adapt to its environment <u>base</u> on data from its sensors. 기출

adapt to ~에 적응하다

7 Our high school graduation ceremony was held in the school gym, with some of us <u>sit</u> in chairs and others on the floor, as the gym wasn't big enough <u>to put</u> 300 chairs in.

graduation ceremony 졸업식

8 <u>Priding</u> herself on never being afraid to try something new, Frida Kahlo had a mirror <u>attaching</u> above her bed so that she could work on self-portraits while she was recovering from her terrible accident.

priding oneself on ~에 자부심을 갖다
attach 부착하다

9 There are some heroes who defy adversity, performing <u>amazed</u> deeds in challenging situations; other heroes, however, do their work without being noticed, quietly <u>making</u> a big difference in the lives of others. 기출

defy 견뎌 내다
adversity 고난, 역경
deed 행위, 행동

C 다음 글의 밑줄 친 부분 중, 어법상 틀린 부분을 모두 찾아 고치시오.

1 It has been shown that parents ① tending to react faster to the cries of a daughter than to those of a son. There is also a great deal of data ② confirmed that the way in which parents respond to their kids can encourage or ③ suppress genetic tendencies.

suppress 억제하다, 참다
genetic 유전적인

2 If you are constantly ① engaged in asking yourself questions about things you are hearing, you will find that even ② bored lecturers become a bit more ③ interested because much of the interest will be coming from what you are generating rather than what the lecturer is offering. 기출

generate 발생시키다, 생성하다

3 *Canada Today* ① naming Natasha Black its latest news anchor. ② Asking about her feelings about getting the job after ③ having worked in the past as a researcher and technician, Black said it was a great opportunity.

name 임명하다, 지명하다

어법 실전 Test

1

다음 글의 밑줄 친 부분 중, 어법상 틀린 것은?

According to contextualism, individuals striving to make the best possible decisions for all can be said to be inarguably moral. Acting dishonestly in the interest of protecting others ① is considered a moral act; refusing to lie even when doing so will cause harm to come to others, on the other hand, is considered immoral. Since the circumstances surrounding each situation we face vary, it would be unjust to condemn people morally for always seeking to make the best decision ② possible. Formalism and most forms of relativism, on the contrary, while acknowledging the need for undesirable behavior when better alternatives don't exist, ③ contending that these actions are still morally unacceptable. "Having to do what is wrong," it has been explained, "doesn't make it right." ④ Having done wrong, we should experience feelings of guilt and accept whatever moral or civil consequences we incur. This stands in sharp contrast to contextualism's belief ⑤ that such a person is both innocent and morally commendable.

* contextualism 맥락주의(개념을 주어진 맥락에 의해 이해할 수 있다고 주장하는 이론)

어법 분석 | 밑줄 친 부분이 묻고 있는 어법 사항을 써 봅시다.

① _____
② _____
③ _____
④ _____
⑤ _____

2

다음 글의 밑줄 친 부분 중, 어법상 틀린 것은? [3점] 기출

What comes to mind when we think about time? Let us go back to 4,000 B.C. in ancient China where some early clocks were invented. ① To demonstrate the idea of time to temple students, Chinese priests used to dangle a rope from the temple ceiling with knots representing the hours. They would light it with a flame from the bottom so that it burnt evenly, ② indicating the passage of time. Many temples burnt down in those days. The priests were obviously not too happy about that until someone invented a clock ③ was made of water buckets. It worked by punching holes in a large bucket ④ full of water, with markings representing the hours, to allow water to flow out at a constant rate. The temple students would then measure time by how fast the bucket drained. It was much better than burning ropes for sure, but more importantly, it taught the students ⑤ that once time was gone, it could never be recovered.

어법 분석 | 밑줄 친 부분이 묻고 있는 어법 사항을 써 봅시다.

① _____
② _____
③ _____
④ _____
⑤ _____

3

(A), (B), (C)의 각 네모 안에서 어법에 맞는 표현으로 가장 적절한 것은?

Nearly all human beings exhibit a pronounced tendency to overestimate not only their own abilities but also their capacity to control their own destinies. For example, people drive with a false sense of security, ³ considering (A) them / themselves exceptional drivers unlikely to be involved in an accident, despite the fact that causes of most accidents are beyond their control. In a similar way, when (B) asked / asking to estimate ⁶ how long the completion of a project will take, most people underestimate the length of time, exhibiting too much confidence in themselves and failing to take into account unanticipated delays. This sort of optimism is the ⁹ reason people overestimate the likelihood of good events occurring in their lives and underestimate the likelihood of negative ones. Although they understand that bad things can and often (C) do / does happen, their ¹² expectation remains unwaveringly firm that they will happen to someone else.

어법 분석 | 네모 안에서 묻고 있는 어법 사항을 써 봅시다.

(A) _____

(B) _____

(C) _____

	(A)		(B)		(C)
①	them	······	asking	······	does
②	them	······	asked	······	do
③	themselves	······	asked	······	does
④	themselves	······	asking	······	do
⑤	themselves	······	asked	······	do

WORDS _____

1　strive to ~하려고 노력하다[애쓰다]　inarguably 논쟁의 여지없이　immoral 부도덕한　unjust 부당한　condemn 비난하다　formalism 형식주의 relativism 상대주의　acknowledge 인정하다　undesirable 바람직하지 않은　alternative 대안　contend 주장하다 unacceptable 용납될 수 없는　guilt 죄책감　civil 사회의, 시민의　consequence 결과　incur 초래하다　stand in contrast to ~와 대조를 이루다

2　demonstrate 증명[입증]하다　temple 사원, 절　priest 사제　dangle 매달다　knot 매듭　flame 불길, 불꽃　evenly 고르게　passage 흐름, 경과 punch (구멍을) 뚫다　constant 변함없는; 끊임없는　drain 물이 빠지다

3　pronounced 뚜렷한　tendency 경향　overestimate 과대평가하다　capacity 능력　destiny 운명　security 안전　exceptional 예외적인 estimate 추정하다　underestimate 적게 추산하다; 과소평가하다　take into account ~을 고려하다　unanticipated 예상치 못한 optimism 낙관주의　likelihood 가능성　unwaveringly 흔들림 없이　firm 확고한

1 다음 빈칸에 동사 require를 넣을 때, 형태가 나머지와 <u>다른</u> 하나는?

① The wearing of seat belts is _____ by law.
② Unfortunately, he failed to reach the _____ standard.
③ The new committee _____ more concrete information at the meeting yesterday.
④ Anyone _____ assistance should contact the management office.
⑤ All the soldiers were _____ to move on command.

[2-4] 우리말과 같은 의미가 되도록 다음 조건에 맞게 영작하시오.

〈 조건 〉
1. 괄호 안의 어구를 모두 사용하되, 필요시 어형을 바꿀 것
2. 분사구문을 사용할 것

2 자연의 아름다움에 압도당해서, 나는 무슨 말을 해야 할지 몰랐다.
(by, nature, overwhelm, be, the beauty, of)

_____
_____, I did not know what to say.

3 전에 이런 일 같은 것을 전혀 해 본 적이 없어서, 나는 처음에는 무서웠다.
(do, before, like this, anything, never)

_____
_____, I was scared at first.

4 자연광에서 찍혀서, 이 사진은 아름다운 호수를 있는 그대로 보여 준다.
(take, natural light, in, be)

_____,
this photo shows the beautiful lake as it is.

5 (A), (B)에서 밑줄 친 우리말을 with를 이용하여 영작하시오.

(A) He turned around and sat on the sofa <u>그의 다리를 꼰 채로.</u>
(B) The girl is walking <u>그녀의 개가 그녀를 따라오는 채로.</u>

(A) _____
(B) _____

[6-7] 다음 글을 읽고, 물음에 답하시오. 기출 응용

We all know that 성질은 논쟁에서 첫 번째로 잃는 것 중의 하나이다. It's easy to say one should keep cool, but how do you do it? The point to remember ① being that sometimes in arguments the other person is trying to make you ② to annoy. They may be saying things that are intentionally ③ designing to annoy you. They know that if they get you to lose your cool, you'll say something that sounds ④ foolishly; you'll simply get angry and then it will be impossible for you ⑤ winning the argument. So don't fall for it.

6 위 글의 밑줄 친 우리말을 다음 조건에 맞게 영작하시오.

〈 조건 〉
다음 단어를 한 번씩 모두 사용하되, 어형을 바꾸거나 단어를 추가하지 말 것
(lost, things, arguments, one, the first, of, in)

tempers are _____
_____.

7 위 글의 밑줄 친 ①~⑤는 어법상 틀린 것이다. 다음 중 바르게 고쳐지지 <u>않은</u> 것은?

① being → is
② to annoy → annoying
③ designing → designed
④ foolishly → foolish
⑤ winning → to win

CHAPTER 09

주의할 구문
(병렬/도치/강조/어순)

09 주의할 구문(병렬/도치/강조/어순)

POINT 1 병렬 구조

등위접속사나 상관접속사로 연결된 단어, 구, 절은 문법적으로 같은 형태로 연결된다.
비교 구문에서 비교되는 두 대상(개념)은 문법적으로 대등한 형태를 이룬다.

¹ Exercising gives you more energy and [keeps/keeping] you from feeling exhausted. 기출

² The documentary that I watched was not only funny but also [informative/informatively].

³ You all know that preventing a threat is always easier than [to remove/removing] one.

⁴ Some children prefer playing outdoors to [stay/staying] inside the house.

풀이 ¹ 등위접속사 and로 두 개의 동사가 연결되므로 gives와 같은 형태인 3인칭 단수동사 keeps가 적절하다. ² 상관접속사 「not only A but (also) B」 구문으로 funny와 같은 형태로 주격보어 역할을 하는 형용사 informative가 적절하다. ³ 비교 구문으로 두 비교 대상이 같은 형태여야 하므로 preventing과 같은 형태인 동명사 removing이 적절하다. ⁴ 「prefer A to B」의 비교 구문으로 playing과 같은 형태인 동명사 staying이 적절하다.

POINT 2 도치 구문

강조를 위해 부정어, 장소/방향의 부사구, 보어를 문두로 이동시키면 주어와 (조)동사가 도치된다.
if가 생략된 가정법 문장의 종속절, 「so+(조)동사+주어」, 「neither(nor)+(조)동사+주어」 구문에서도 도치가 일어난다.

⁵ Never [have/has] the physicist been on a plane, as she has acrophobia.

⁶ On the site of an ancient battlefield [stand/stands] the castle called the Fortress of Wind.

⁷ So satisfied [Tim was/was Tim] with the building's layout that he paid the architect a bonus.

⁸ [Had/Were] he started working earlier, he could have met the deadline.

⁹ None of them wanted to mention the terrible accident, and neither [did/was] I.

풀이 ⁵ 현재완료 시제가 쓰인 문장에서 부정어가 문두에 오는 경우 조동사 have(has)가 주어와 도치되는데 주어 the physicist가 단수이므로 has가 적절하다. ⁶ 부사구가 문두에 오는 경우 주어와 동사가 도치되는데 주어(the castle)가 단수이므로 stands가 적절하다. ⁷ 보어가 문두에 오는 경우 주어와 동사가 도치되므로 was Tim이 적절하다. ⁸ 가정법 과거완료의 종속절에서 if가 생략된 경우 조동사 had가 주어와 도치되므로 Had가 적절하다. ⁹ 부정부사 neither 뒤에는 앞에 나온 일반동사 wanted를 대신하는 동사가 주어와 도치되어 나와야 하므로 did가 적절하다.

POINT 3 강조 구문

「It is(was) ~ that」 구문을 써서 주어, 목적어, 부사(구)를 강조할 수 있다.
동사를 강조할 때는 「do(does/did)+동사원형」 형태로 쓴다.

¹⁰ It is in the IT industry [that/which] the greatest revolution in all of human history has taken place.

¹¹ Standing up for myself [does/did] cause a change in me, but it didn't grant me unlimited and never-ending confidence. 기출 응용

풀이 ¹⁰ 부사구 in the IT industry를 강조하는 「It is ~ that」 강조 구문이므로 that이 적절하다. 뒤에 완전한 절이 이어지므로 which는 올 수 없다. ¹¹ 동사 cause를 강조하는 동사로 문장의 시제(과거)와 일치해야 하므로 did가 적절하다.

간접의문문의 어순

의문사가 이끄는 명사절을 간접의문문이라고 하며 「의문사＋주어＋동사」의 어순으로 쓴다. Do you think(believe) ~?와 같은 의문문의 목적어로 간접의문문이 오면 의문사는 문장의 맨 앞에 위치한다.

¹² Science tells us [what are we/what we are], and that knowledge is beyond value. 기출 응용

¹³ [Do you think why/Why do you think] the movie has been loved by people for so long?

풀이   ¹² tells의 직접목적어 역할을 하는 간접의문문이 와야 하므로 what we are가 적절하다.   ¹³ 의문문(do you think)의 목적어로 간접의문문이 오는 경우 의문사 why가 문장 맨 앞에 와야 하므로 Why do you think가 적절하다.

 so/such가 들어간 구문의 어순

「so＋형용사＋a(n)＋명사」, 「such＋a(n)＋형용사＋명사」 구문에서 관사와 형용사의 어순에 유의한다.
「so＋형용사/부사＋that＋주어＋동사」 구문은 「형용사/부사＋enough＋to부정사」나 「too＋형용사/부사＋to부정사」 구문으로 바꿔 쓸 수 있다.

¹⁴ There are many reasons why urban mobility is [so/such] a controversial topic today.

¹⁵ Senators sometimes argue about [so/such] serious a matter as bombing a country.

¹⁶ The online cartoon was [so popular/popular so] that it was made into a TV series.

¹⁷ Microplastics are [too small/small too] to be caught in typically used filters. 기출

풀이   ¹⁴ 「a(n)＋형용사＋명사」의 어순이 이어지므로 such가 적절하다.   ¹⁵ 「형용사＋a(n)＋명사」의 어순이 이어지므로 so가 적절하다.   ¹⁶ 문맥상 '너무 ~해서 …하다'의 의미를 나타내는 「so＋형용사＋that＋주어＋동사」 구문이 알맞으므로 so popular가 적절하다.   ¹⁷ 문맥상 '너무 ~해서 …할 수 없다'의 의미를 나타내는 「too＋형용사＋to부정사」 구문이 알맞으므로 too small이 적절하다.

 「타동사＋부사」에서 목적어의 위치

「타동사＋부사」의 목적어가 명사일 경우 부사 앞이나 뒤에 올 수 있지만, 대명사일 경우 반드시 타동사와 부사 사이에 온다.

bring up(양육하다)	drop off(내려 주다)	give up(포기하다)	call off(취소하다)
hand in(제출하다)	put off(연기하다)	put on(입다)	pick up(태우러 가다)
see off(배웅하다)	throw away(버리다)	turn on/off(켜다/끄다)	turn down(거절하다)

¹⁸ Could you [drop me off/drop off me] at the bus terminal tomorrow?

cf. I've lost my cell phone, so I'll go to the restaurant that I had lunch at and ask the staff to [look it for/look for it].

풀이   ¹⁸ 목적어가 대명사이므로 타동사(drop)와 부사(off) 사이에 써야 한다. 따라서 drop me off가 적절하다.   cf. 「자동사＋전치사」의 경우 두 단어가 하나의 타동사 역할을 하므로 목적어는 항상 전치사 뒤에 써야 한다. 따라서 look for it이 적절하다.

어법 적용 연습

A 다음 네모 안에서 어법에 알맞은 것을 고르시오.

1 In addition to congestion, patients often complain about sleeping poorly at night and | feel / feeling | fatigued during the day.

congestion 충혈
fatigued 심신이 지친, 피로한

2 It was the same lion | that / whether | the slave had helped in the forest a few days earlier. [기출 응용]

3 Their attitude is "why put something off until tomorrow when you can | put off it / put it off | until next year?"

4 Although I knew taking pictures was not allowed, the masterpiece was | so / such | impressive that I almost took one.

masterpiece 명작, 걸작
impressive 인상적인

5 Not only | is / are | 2020 the year of the rat, but it is also the year of the number four.

B 다음 밑줄 친 부분이 어법상 맞으면 ○표를 하고, 틀리면 바르게 고치시오.

1 Our total employment costs are much higher than <u>that</u> of our competitors, so we need to lay off 10 percent of our employees.

lay off 해고하다

2 <u>Little she imagined</u> that one year later they would be working together at this company.

3 Angela <u>does</u> hope you will pass the audition and get the chance to act in the director's new film.

4 As technology pushes on, people living in the big city no longer know how to wait, or even <u>what does waiting mean</u>.

push on 계속 나아가다

5 They were surprised that she was able to come up with <u>so</u> a remarkable idea despite her young age.

remarkable 놀랄 만한

6   Dave was smart, talented, and handsome. However, he was very selfish, and his temper was <u>difficult so</u> that nobody wanted to be his friend. He often got angry and <u>saying</u> hurtful things to people around him. 기출 응용

temper 성질, 성미

7   In this box <u>is</u> many documents pertaining to your research project from last year, so please go through them before I <u>throw away them</u>.

pertain to ~와 관계가 있다
go through ~을 살펴보다

8   From learning about space to <u>experiencing</u> a simulation of a spaceflight, you can find out <u>what is it like</u> to be an astronaut at our summer space camp.

simulation 시뮬레이션, 모의 실험
spaceflight 우주 비행

9   When people randomly <u>come across something</u>, some will be satisfied with it and others will not. It is how we interpret the experience <u>what</u> determines our reaction to it.

randomly 임의로, 무작위로
interpret 이해하다, 해석하다

C   다음 글의 밑줄 친 부분 중, 어법상 틀린 부분을 모두 찾아 고치시오.

1   After leaving the doctor's office, I didn't return to school. ①<u>Nor I went</u> home. I needed some time before I saw my parents and they ②<u>start</u> asking ③<u>what had happened to me</u>. They would not be satisfied until they knew everything.

2   A researcher studied ①<u>how changed family patterns</u> and what caused these changes. Family patterns did ②<u>changed</u> mostly due to a rise in life expectancy, more geographical mobility, and ③<u>increasing</u> pressure in terms of housing.

life expectancy 기대 수명
geographical mobility 지리적 이동

3   Did ancient humans really just drop dead as they ①<u>were entering to</u> their prime, or did some live ②<u>long enough</u> to see a wrinkle on their face? It would appear that as time went on, conditions improved and ③<u>so the length of people's lives did</u>. But it is not so simple. 기출

drop dead 급사하다
prime 전성기, 한창때

어법 실전 Test

1

(A), (B), (C)의 각 네모 안에서 어법에 맞는 표현으로 가장 적절한 것은?

It has been estimated that there are more than a billion individual bacteria representing approximately 300 different species living inside your mouth. (A) [Despite / Although] being only 1/500th the width of a human hair, ³ their sheer numbers make them a serious threat to your oral health as they can cause several oral diseases including tooth decay, cavities and periodontal disease. This is because they feed on sugars found in the food and beverages ⁶ you consume, ingesting them in order to grow and then (B) [leave / leaving] behind waste, which we call dental plaque. Dental plaque is a kind of biofilm that clings to your teeth. Bacteria attach (C) [them / themselves] to ⁹ it and over time begin to produce acids that can wear down a tooth's protective layer of enamel and cause cavities to form. They also produce toxic substances that can penetrate gum tissue and cause a condition known ¹² as gingivitis. Fortunately, proper oral hygiene and a healthy diet can prevent bacteria from reproducing in your mouth and causing tooth decay.

* gingivitis 치은염

어법 분석 | 네모 안에서 묻고 있는 어법 사항을 써 봅시다.

(A) _____
(B) _____
(C) _____

	(A)	(B)	(C)
①	Despite	⋯⋯ leave	⋯⋯ themselves
②	Despite	⋯⋯ leaving	⋯⋯ them
③	Despite	⋯⋯ leaving	⋯⋯ themselves
④	Although	⋯⋯ leave	⋯⋯ them
⑤	Although	⋯⋯ leaving	⋯⋯ themselves

2

다음 글의 밑줄 친 부분 중, 어법상 틀린 것은? [3점] 기출

The present moment feels special. It is real. However much you may remember the past or anticipate the future, you live in the present. Of course, the moment ① during which you read that sentence is no longer ³ happening. This one is. In other words, it feels as though time flows, in the sense that the present is constantly updating ② itself. We have a deep intuition that the future is open until it becomes present and ③ that the past ⁶ is fixed. As time flows, this structure of fixed past, immediate present and open future gets carried forward in time. Yet as ④ natural as this way of thinking is, you will not find it reflected in science. The equations of physics ⁹ do not tell us which events are occurring right now — they are like a map without the "you are here" symbol. The present moment does not exist in them, and therefore neither ⑤ do the flow of time. ¹²

어법 분석 | 밑줄 친 부분이 묻고 있는 어법 사항을 써 봅시다.

① _____
② _____
③ _____
④ _____
⑤ _____

3

다음 글의 밑줄 친 부분 중, 어법상 틀린 것은?

Although some people believe that the poor are poor because they are less capable, Princeton psychologist Eldar Shafir has suggested that it's actually poverty ① what makes them less capable. This is based on the idea ② that scarcity influences behavior. For example, when studying the behavior of Indian sugarcane farmers, the professor found that they made better decisions after they had been paid for their harvest, as compared to the period before the harvest, ③ when they were struggling financially. This type of scarcity, according to the professor, can make people focus too much on one thing, causing them ④ to neglect other things in their lives. In the case of the poor, overfocusing on their lack of money means they have little mental space left for everyday tasks, such as overseeing children's homework or ⑤ taking medicine on time. These people would likely be just as capable as anyone else if their scarcity were alleviated.

어법 분석 | 밑줄 친 부분이 묻고 있는 어법 사항을 써 봅시다.

① _____

② _____

③ _____

④ _____

⑤ _____

WORDS

represent ~에 상당하다, 나타내다   **sheer** 순전한   **oral** 구강의   **decay** 부패, 부식   **cavity** (충치의) 구멍   **periodontal** 치주의   **ingest** 섭취하다, 삼키다   **plaque** (치아에 끼는) 플라크[치태]   **biofilm** 미생물학, 생물막   **cling** 달라붙다   **acid** 산, 산성의   **wear down** ~을 마모시키다   **protective** 보호하는, 방어적인   **layer** 층, 막   **penetrate** 침투하다, 뚫고 들어가다   **hygiene** 위생

anticipate 예상[예측]하다   **intuition** 직관(력)   **immediate** 당면한, 즉각적인   **reflect** 반영하다   **equation** 방정식   **physics** 물리학

capable 할 수 있는, 유능한   **psychologist** 심리학자   **poverty** 가난, 빈곤   **scarcity** 부족, 결핍   **sugarcane** 사탕수수   **harvest** 수확, 추수   **struggle** 발버둥치다, 분투하다   **financially** 재정적으로   **neglect** 방치하다, 등한시하다   **oversee** 감독하다   **alleviate** 완화하다, 줄이다

1 다음 중 어법상 틀린 문장을 모두 고르면?

① Honestly tell him what do you think he needs to do to help her.

② Little did I dream that she would make a serious mistake in the contract.

③ It was the little boy that had almost died from lead poisoning last winter.

④ I can't forget staying in China for 6 months and to work as an intern there.

⑤ You should be careful when dealing with animals that are too dangerous to touch.

[2-4] 우리말과 같은 의미가 되도록 다음 조건에 맞게 영작하시오.

――― 〈 조건 〉 ―――
1. 괄호 안의 어구를 모두 사용하되, 필요시 어형을 바꿀 것
2. 지시대로 밑줄 친 부분을 강조하는 문장을 만들 것

2 우리가 결혼하기로 결정한 곳은 바로 이 교회이다.
(It ~ that 구문 사용 / have decided, get married, to, in this church)

_____

3 우리가 축제를 위해 사야 할 필요가 있었던 건 카메라였다.
(It ~ that 구문 사용 / a camera, need, buy, to, for festival)

_____

4 나는 그가 그 기계를 작동하는 법을 정말로 알고 있다고 느꼈다.
(강조의 동사 사용 / feel, that, how to work, the machine, know)

_____

5 다음 문장을 「so ~ that ....」 구문을 사용하여 같은 의미의 문장으로 바꾸시오.

She is too tired to focus on the lecture.

_____

[6-7] 다음 글을 읽고, 물음에 답하시오. 기출 응용

When is the right time for babies to start using computers? If babies are less than a year old, the answer is clear, because their vision 화면에 집중할 수 있을 정도로 충분히 발달되지 않았다. But after their first birthday, people have different answers. Some people disagree with the idea of exposing three-year-olds to computers, insisting that parents stimulate their children in the traditional ways through reading or play. Others argue that early exposure to computers is helpful in adapting to our digital world. They believe the earlier kids start using computers, the more familiarity they will have when using other digital devices.

6 위 글의 밑줄 친 우리말을 다음 조건에 맞게 영작하시오.

――― 〈 조건 〉 ―――
1. 9 단어로 작성할 것   2. 현재완료 시제를 사용할 것
3. develop, enough, focus on, the screen을 포함할 것

_____

7 위 글의 제목으로 가장 적절한 것은?

① Risks of Using Computers

② The Educational Role of Reading and Play

③ The Development of Vision in Infants

④ How to Adapt to Digital Devices Well

⑤ Different Views on When Babies Should Start Using Computers

CHAPTER 10

시제

10 시제

A 단순시제

• **현재시제:** 반복되는 일, 습관, 진리 • **과거시제:** 과거의 일, 역사적 사실 • **미래시제:** 미래의 계획, 의지

현재	¹ At traditional funerals, men **wear** dark suits.
과거	² Dante **wrote** his masterpiece in the early 1300s.
미래	³ At least 30 people **will attend** the meeting tomorrow.

B 진행시제

현재진행	⁴ The mechanic **is fixing** his car now.
과거진행	⁵ Julie **was driving** when the accident happened.
미래진행	⁶ More people **will be shopping** online this year.

POINT 1

시간/조건 부사절에서 현재시제

시간(when, until, before, after 등)이나 조건(if, unless 등)을 나타내는 접속사가 이끄는 부사절에서는 현재시제가 미래시제를 대신한다. 단, 접속사 if/when이 이끄는 절이 명사절이나 형용사절인 경우 미래시제를 그대로 쓴다.

¹ If you [make/will make] wrong decisions, you will try to correct your mistakes.

² The time will soon come when he [regrets/will regret] what he said.

³ It is still unknown if the graduation ceremony [occurs/will occur] as scheduled.

풀이 ¹ If가 이끄는 조건의 부사절이므로 현재시제 make가 적절하다. ² when절이 The time을 수식하는 형용사절(관계사절)이므로 주절의 시제와 같은 미래시제 will regret이 적절하다. ³ if가 이끄는 절이 문장의 진주어 역할을 하는 명사절이므로 미래시제 will occur가 적절하다.

POINT 2

현재완료 vs. 과거

현재완료는 과거에서 현재까지 일어난 일이나 지속된 상태를 나타내고, 과거는 과거의 지나간 시점이나 끝난 일을 나타낸다. 명확한 과거를 나타내는 부사(yesterday, ago, last 등)는 현재완료와 함께 쓸 수 없다.

⁴ Last year, she [has had/had] a tennis match with the top-ranked player. 기출 응용

⁵ A conference on sustainable energy has taken place every year [since/in] 2000.

⁶ For all of human history, we [have been/were] the most creative beings on Earth. 기출

풀이 ⁴ 명확한 과거의 시점을 나타내는 부사구(last year)와 함께 쓰였으므로 과거시제 had가 적절하다. ⁵ 과거의 한 시점(2000)부터 현재까지 이어지고 있는 일을 나타내는 현재완료가 쓰인 문장이므로 since(~이래로)가 적절하다. in 2000은 명확한 과거를 나타낸다. ⁶ 과거부터 현재까지 지속된 상태를 나타내고 있으므로 현재완료 have been이 적절하다.

POINT 3

과거 vs. 과거완료(대과거)

과거의 특정 시점보다 더 앞서 일어난 일은 과거완료(대과거)로 나타낸다. 과거에 일어난 A, B 두 가지 일 중에서 A가 먼저 일어난 경우, A는 과거완료(대과거)로 쓰고, B는 과거시제로 쓴다.

C 완료시제

현재완료	7 He **has** *just* **finished** his second surgery of the day. 〈완료〉 8 The restaurant **has been** here *since* I was a kid. 〈계속〉 9 Most children **have** *never* **seen** a tiger in real life. 〈경험〉 10 I **have forgotten** my user ID and password. 〈결과〉
과거완료	11 A man **had** just **come** in when another followed.
미래완료	12 He **will have made** a decision by the end of the week.

* 현재완료와 자주 쓰이는 부사/전치사로 just, already〈완료〉, for, since〈계속〉, once, ever, never〈경험〉 등이 있다.

D 완료진행시제

현재완료진행	13 The company **has been developing** keyboards since 1990.
과거완료진행	14 You **had been sleeping** for an hour when I woke you up.
미래완료진행	15 I'**ll have been working** for five years this December.

7 Most had finished eating before the last person [got / had gotten] their food.

8 During our conversation, I realized that we [met / had met] before in Paris.

풀이   7 마지막 사람이 음식을 받은 시점은 대부분의 사람들의 식사 시점보다 나중의 일이므로 주절의 시제는 과거완료 had finished, 종속절인 접속 사절의 시제는 과거시제 got이 적절하다.   8 주절의 시제인 과거(realized) 시점보다 먼저 일어난 일이므로 과거완료 had met이 적절하다.

진행형으로 쓸 수 없는 동사

상태/인식, 소유, 감정, 지각 등 상태를 나타내는 동사는 진행형으로 쓰지 않는다. 단, 이 동사들이 동작의 의미를 나타낼 때는 진행형으로 쓸 수 있다.

• 상태/인식	be, exist, know, remember, resemble 등	• 소유	have, belong to, own 등
• 감정	love, like, dislike, hate 등	• 지각	feel, see, smell, hear, taste 등

9 Most adults think they [know / are knowing] their exact foot size, so they don't measure their feet when buying new shoes. 기출

10 While we [had / were having] dinner, we heard a massive bang outside the window.

풀이   9 상태를 나타내는 동사는 진행형으로 쓸 수 없으므로 know가 적절하다.   10 have가 '가지다'라는 소유의 의미가 아닌 '먹다'라는 동작의 의미이므로 진행형을 쓸 수 있고, while은 '~하는 동안'이라는 진행 중의 의미를 나타내므로 과거진행형 were having이 적절하다.

시제 일치 vs. 시제 일치 예외

과학적/일반적 사실, 속담, 격언, 습관은 주절의 시제에 관계없이 항상 현재시제로 쓴다. 역사적 사실은 항상 과거시제로 쓴다.

11 We learned that water [is / was] composed of oxygen and hydrogen.

12 I was taught that Galileo Galilei [discovered / had discovered] four of Jupiter's moons.

풀이   11 과학적 사실을 나타낼 때는 항상 현재시제를 쓰므로 주절이 과거라도 is가 적절하다.   12 역사적 사실을 나타낼 때는 항상 과거시제를 쓰므 로 주절보다 이전에 일어난 일이라도 discovered가 적절하다.

어법 적용 연습

A 다음 네모 안에서 어법에 알맞은 것을 고르시오.

1 When your training is / will be finished, we will be able to settle you into the department of your choice. 기출

settle 자리를 잡게 하다

2 Some of these problems continued / have continued to challenge mathematicians until modern times. 기출

mathematician 수학자

3 I wonder if there is / will be free parking available when we arrive late in the evening, about 10 p.m.

4 Both lions and tigers belong / are belonging to the cat family, but they are quite different.

family (동식물 분류상의) 과(科)

5 After he appeared on TV, his family members who were searching / had been searching for him for 16 years were able to find him. 기출

B 다음 밑줄 친 부분이 어법상 맞으면 ○표를 하고, 틀리면 바르게 고치시오.

1 Although the Sun has much more mass than Earth, we are much closer to Earth, so we <u>are feeling</u> its gravity more.

mass 질량, 부피
gravity 중력

2 A popular Prince Avenue restaurant <u>has closed</u> its doors last month due to a massive rent increase.

massive 거대한, 막대한
rent 임대료

3 Newton discovered that pure white light <u>separates</u> into all colors visible to the human eye when passing through a prism.

4 Ever since SIC started operation in 1987, the number of transactions processed annually <u>showed</u> a continuous increase.

transaction 거래, 매매

5 If a person <u>begins</u> the day in a good mood, he or she will likely have a productive day. 기출

productive 생산적인

6 Before Vincent van Gogh <u>arrived</u> in Arles in 1888, he <u>lived</u> in Paris for two years, developing a more modern style of painting.

7 For five years, scientists <u>have worked</u> on a system that combines existing meteorological data and new technology and can predict when lightning <u>strikes</u> within a range of 30 kilometers.

meteorological 기상(학상)의
lightning 번개
range 범위, 거리

8 The Great Green Wall <u>has been first launched</u> in 2007 at the initiative of 12 African countries. In Senegal alone, over 11 million trees <u>have been planted</u> since the project rolled out.

Great Green Wall 녹색장성
(사막화 방지를 위한 조림 계획)
initiative 주도; 개시
roll out 시작하다, 출시하다

9 Gold <u>is</u> discovered in the area in 1849, which attracted hordes of eager prospectors overnight. However, the gold quickly disappeared, and the newcomers left as abruptly as they <u>have appeared</u>.

hordes of 수많은, 큰 무리의
eager 열렬한
prospector (광산의) 시굴자,
탐광자
abruptly 갑자기

C 다음 글의 밑줄 친 부분 중, 어법상 틀린 부분을 모두 찾아 고치시오.

1 Spider veins are small blood vessels, generally red or blue in color, ①<u>what</u> are visible on the skin. Their appearance ②<u>is resembling</u> spider webs or tree branches, and people ③<u>are usually having</u> them on their legs or face.

blood vessel 혈관

2 Serene tried to do a pirouette in front of her mother but ①<u>fell</u> to the floor. Serene's mother said that she herself ②<u>has tried</u> to do a pirouette many times before succeeding at Serene's age. She ③<u>had fallen</u> so often that she sprained her ankle and had to rest for three months. 기출

pirouette 피루엣 (발레에서 한
쪽 발로 서서 빠르게 도는 것)
sprain 삐다, 접지르다

3 Igor Cerc went to a store to have a clock ①<u>engraving</u>. It was a gift he ②<u>was taking</u> to a wedding the day he was picking it up. However, when he arrived at the store, he found that the technician ③<u>broke</u> the glass of the clock during the engraving process. 기출

engrave 새기다

어법 실전 Test

1

다음 글의 밑줄 친 부분 중, 어법상 틀린 것은?

Today over two million photographs are taken every minute in our digital world, with nearly every person on the planet ① having some form of camera. This democratization of photography has produced numerous ³ benefits, but it has also inflicted serious social problems on the world. Photographs are regularly manipulated in the interest of generating "fake news" and personal privacy is violated by the unauthorized circulation of ⁶ photos ② taken without consent. ③ To deal with this dark side of digital photography, we must examine the principles that govern other aspects of our lives and apply them to the way we produce, distribute and consume ⁹ photographs. If we ④ will continue to take pictures that harm our subjects, no one will want to be photographed. We must also regulate the way we manipulate our photos, taking care to enhance the images in ways that do ¹² not deceive our audiences. Failure to do ⑤ so will likely jeopardize the integrity of the entire industry.

어법 분석 | 밑줄 친 부분이 묻고 있는 어법 사항을 써 봅시다.

①

②

③

④

⑤

2

(A), (B), (C)의 각 네모 안에서 어법에 맞는 표현으로 가장 적절한 것은?

The Baroque style of art originated in the early 17th century, after the Renaissance had come to an end. Baroque artists (A) were / have been primarily focused on creating a strong and emotional experience within ³ their observers through a connection with the subject of the artwork. While Renaissance art that preceded it tended to portray the moment before a significant event took place, Baroque art generally captured the moment ⁶ (B) which / when the most dramatic action was occurring. This opposite treatment of a subject is displayed in Michelangelo's *David*, a masterpiece of the High Renaissance, and Baroque sculptor Bernini's work of the same ⁹ name. Michelangelo's *David* is calm and still before his battle, while Bernini's *David* is seen throwing a stone at his adversary. Clearly, Baroque art sought to generate extreme emotion, which stands in stark contrast to ¹² the calm rationality that was prized (C) during / while the Renaissance.

어법 분석 | 네모 안에서 묻고 있는 어법 사항을 써 봅시다.

(A)

(B)

(C)

	(A)	(B)	(C)
①	were	…… which	…… during
②	were	…… when	…… during
③	were	…… when	…… while
④	have been	…… which	…… while
⑤	have been	…… when	…… during

3

다음 글의 밑줄 친 부분 중, 어법상 **틀린** 것은? [3점] 기출

Coming home from work the other day, I saw a woman trying to turn onto the main street and ①having very little luck because of the constant stream of traffic. I slowed and allowed her to turn in front of me. I was feeling pretty good until, a couple of blocks later, she stopped to let a few more cars into the line, causing us both to miss the next light. I found myself completely ②irritated with her. How dare she slow me down after I had so graciously let her into the traffic! As I was sitting there stewing, I realized ③how ridiculous I was being. Suddenly, a phrase I once read ④came floating into my mind: 'You must do him or her a kindness for inner reasons, not because someone is keeping score or because you will be punished if you don't.' I realized that I ⑤wanted a reward: If I do this nice thing for you, you (or someone else) will do an equally nice thing for me.

* stew 안달하다

어법 분석 | 밑줄 친 부분이 묻고
있는 어법 사항을 써 봅시다.

① _____

② _____

③ _____

④ _____

⑤ _____

3 (right margin)

6

9

12

WORDS

1 democratization 민주화   photography 사진[촬영]술   numerous 수많은   inflict (고통·타격을) 주다, 가하다   manipulate 조작하다
in the interest of ~을 위해   violate 침해하다   unauthorized 허가받지 않은   circulation 유통, 유포   consent 동의, 찬성   govern 지배하다
subject 대상, 피사체   regulate 규제하다   enhance 향상시키다, 강화하다   deceive 속이다   jeopardize 위태롭게 하다   integrity 진실성

2 originate 유래하다   precede 앞서다, 선행하다   portray 묘사하다   significant 중요한; 두드러진   capture 포착하다   masterpiece 걸작
sculptor 조각가   still 정지해 있는, 조용한   adversary 적, 상대   seek 추구하다(-sought-sought)   stark 극명한   rationality 합리성
prize 소중하게 여기다

3 the other day 며칠 전에, 일전에   constant 지속적인   stream 흐름   irritated 짜증 난   graciously 친절하게   ridiculous 어리석은   phrase 구절
float 떠오르다   keep score 점수를 매기다   reward 보상   equally 똑같이, 동등하게

1 다음 중 어법상 **틀린** 문장을 **모두** 고르면?

① Haven't I told you yet? I have visited this theater five years ago.

② Nate will leave his house when his aunt comes to take care of his brother.

③ Patrick is knowing that he will be chosen as a member of the national team.

④ My history teacher said that the Korean War began on June 25, 1950.

⑤ Kelly has used this room since her sister left for university a year ago.

[2-4] 우리말과 같은 의미가 되도록 다음 조건에 맞게 영작하시오.

─── 〈 조건 〉 ───
1. 괄호 안의 어구를 모두 사용할 것
2. 시제에 유의하여 어형을 바꿀 것

2 Tony는 1년 전에 그 사고가 일어난 이래로 이 차를 운전하지 않았다.

(not drive, the accident, since, this car, happen)

Tony _____

_____ a year ago.

3 Gary는 한 달 전에 파티에서 잃어버렸던 지갑을 찾았다.

(the wallet, lose, he, that, at the party)

Gary found _____

_____ a month before.

4 당신이 프로젝트를 떠나기로 결정한다면 Jerry는 그의 일을 그만두고 우리에게 합류할 겁니다.

(quit, decide, and, join, his job, if, us, you)

_____ to leave your project,

Jerry _____.

5 **(A), (B)**에서 어법상 틀린 부분을 바르게 고치시오.

(A) I'm surprised that Jane is remembering the episode so well.

(B) We will give you a detailed timetable when you will visit us.

(A) _____ → _____

(B) _____ → _____

[6-7] 다음 글을 읽고, 물음에 답하시오. 기출 응용

The desire for fame has ① its roots in the experience of neglect. We sense the need for a great deal of admiring attention when we ② are painfully exposed to earlier deprivation. Perhaps, one's parents never noticed one much, they were so busy with other things, ③ focusing on other famous people, or just working too hard. There ④ were no bedtime stories and one's school reports weren't the subject of praise and admiration. That's why one dreams ⑤ that one day the world will pay attention. 우리가 유명하면, 우리의 부모 역시 우리를 대단하게 볼 수 밖에 없을 것이다.

6 위 글의 밑줄 친 우리말을 다음 조건에 맞게 영작하시오.

─── 〈 조건 〉 ───
1. 11 단어로 작성할 것
2. famous, parents, have to, admire, too를 포함할 것

When _____

_____.

7 위 글의 밑줄 친 ①~⑤ 중 어법상 틀린 것은?

①   ②   ③   ④   ⑤

CHAPTER 11

태

11 태

A 수동태의 개념

주어가 어떤 동작의 대상이 될 때 동사는 「be+p.p.」 형태가 되는데, 이를 수동태라 한다.
수동태 문장의 주어는 능동태 문장의 목적어이므로 목적어가 없는 1, 2형식 문장은 수동태로 나타낼 수 없다.

B 수동태의 형태

1 3형식 수동태

¹ The *Mona Lisa* **was painted** by Leonardo da Vinci.
← Leonardo da Vinci painted the *Mona Lisa*. 〈3형식〉

2 4형식 수동태

² His nickname **was given** *to* him by his father. 〈직접목적어 주어〉
³ He **was given** his nickname by his father. 〈간접목적어 주어〉
← His father gave him his nickname. 〈4형식〉

3 5형식 수동태

⁴ New York **is called** "The Big Apple" (by people).
← People call New York "The Big Apple." 〈5형식〉

> **cf.** 4형식 문장의 직접목적어가 수동태 문장의 주어가 되면 동사에 따라 간접목적어 앞에 전치사 to/for/of가 온다.
>
> | to | give, send, tell, teach, show, lend |
> |---|---|
> | for | make, buy, cook, get, find |
> | of | ask, require, demand |

능동태 vs. 수동태

주어가 동작을 하는 주체일 때 능동태를 쓰고, 동작의 대상이 될 때 수동태를 쓴다. 능동태의 목적어가 수동태의 주어이므로 동사 뒤에 목적어가 있으면 능동태이고, 목적어가 없으면 수동태이다.

¹ Mars [named / was named] for the Roman god of war because of its reddish appearance.

² Several studies [have shown / have been shown] that people with low self-esteem tend to magnify the importance of their failures. 기출

³ The professor is [looked up to / looked up to by] his colleagues and his students alike.

> 풀이 ¹ '이름이 붙여진' 것으로 주어 Mars가 동작의 대상이고, 동사 뒤에 목적어가 없으므로 수동태 was named가 적절하다. ² 주어 Several studies가 that절의 내용을 '보여 주는' 것으로 동작의 주체이고, 동사 뒤에 목적어가 있으므로 능동태 have shown이 적절하다. ³ 주어 The professor가 '존경을 받는' 동작의 대상이므로 수동태가 적절하고, 뒤에 목적어가 없어야 하므로 looked up to by가 적절하다. 수동태의 행위자는 「by+목적격」으로 쓴다.

수동태로 쓸 수 없는 동사

목적어가 필요하지 않은 자동사와 상태/소유를 나타내는 타동사는 수동태로 쓸 수 없다.

• 자동사	• 타동사(상태/소유)
become, seem, (dis)appear, occur, happen, remain, exist, die, take place 등	resemble, lack, suit, fit, cost, have, possess, belong to, turn out, result from, consist of, suffer from 등

⁴ Unrealistic optimists believe that success will [happen / be happened] to them. 기출

⁵ I think that everyone is born with creativity and [is possessed / possesses] artistic ability.

> 풀이 ⁴ happen은 목적어가 필요하지 않은 자동사로 수동태로 쓸 수 없으므로 happen이 적절하다. ⁵ possess는 소유의 의미를 나타내는 동사로 수동태로 쓸 수 없으므로 possesses가 적절하다.

지각동사 / 사역동사의 수동태

지각동사나 사역동사가 쓰인 5형식 문장을 수동태로 쓰면 목적격보어인 원형부정사가 to부정사가 되면서 「be+p.p.+to부정사」 형태가 된다.

> ⁶ The vehicle was seized by the police, and the man was made [walk/to walk] home.

> ⁷ A turtle was seen [take/to take] a pebble in his mouth and carry it to the heap.

풀이 ⁶ 사역동사 make가 쓰인 5형식 문장을 수동태로 바꾸면 목적격보어인 원형부정사는 to부정사가 되므로 to walk가 적절하다.   ⁷ 지각동사 see가 쓰인 5형식 문장을 수동태로 바꾸면 목적격보어인 원형부정사는 to부정사가 되므로 to take가 적절하다.

목적어가 절인 문장의 수동태

think, believe, say, expect, report 등의 동사가 that절을 목적어로 취할 경우 「It is(was)+p.p.+that절」의 형태 또는 「that절의 주어+be+p.p.+to부정사」 형태의 수동태가 가능하다. 이때, that절의 시제가 주절보다 앞선 시제이면 to부정사는 완료부정사인 「to have+p.p.」가 된다.

> ⁸ It [believes/is believed] that the height of a child depends on genetics.

> ⁹ Many adults are said to [have/have had] psychological problems when they were younger.

풀이 ⁸ that절 이하가 '믿어지는' 것이므로 수동태가 적절하다. that절을 목적어로 취한 문장의 수동태는 「It+be+p.p.+that절」의 형태로 쓴다.   ⁹ 말하여지는 시점보다 더 앞선 시점의 일을 나타내므로 완료부정사 have had가 적절하다.

by 외의 전치사를 쓰는 수동태

일반적으로 수동태의 행위자는 「by+목적격」으로 쓰나 by 외의 전치사를 쓰는 경우도 있다.

be satisfied with (~에 만족하다)	be surprised at (~에 놀라다)
be filled with (~로 가득 차 있다)	be known for/as (~로 유명하다/~로 알려져 있다)
be(get) married to (~와 결혼하다)	be interested in (~에 관심이 있다)
be composed of (~로 구성되다)	be made from(of) (~로 만들어지다)

> ¹⁰ He was interested [in/at] how animated movies are actually produced.

> ¹¹ Now the streets are filled [by/with] millions of demonstrators marching and shouting.

풀이 ¹⁰ 동사 interest가 수동태로 쓰일 때는 전치사 in이 적절하다.   ¹¹ 동사 fill이 수동태로 쓰일 때는 전치사 with가 적절하다.

진행 / 완료 수동태

진행을 나타내는 진행 수동태는 「be+being+p.p.」로, 이전 시점부터의 계속을 나타내는 완료 수동태는 「have(has/had)+been+p.p.」로 나타낸다.

> ¹² Vaccines [are developing/are being developed] around the world.

> ¹³ This concept [has been discussed/is being discussed] as far back as Aristotle. 기출 응용

풀이 ¹² 백신이 '개발되고 있는 중'이라는 수동과 진행의 의미를 나타내야 하므로 진행시제 수동태 are being developed가 적절하다.   ¹³ 과거 (아리스토텔레스 시대)부터 '논의되고 있다'는 수동과 계속의 의미를 나타내야 하므로 완료시제 수동태 has been discussed가 적절하다.

어법 적용 연습

A 다음 네모 안에서 어법에 알맞은 것을 고르시오.

1 Venus is commonly known for / known as the "twin sister" of Earth, since it is roughly the same size and mass as Earth.

roughly 대략, 거의

2 The team studied whether or not dogs and their owners resemble / are resembled each other.

3 A new English translation of the book restored material that had edited / had been edited out of the original version.

restore 복원하다, 회복시키다

4 Major diseases such as smallpox, polio, and measles have eradicated / have been eradicated by mass vaccination. 기출

smallpox 천연두
polio 소아마비
measles 홍역
eradicate 근절하다

5 It reports / is reported that around 8% of the Earth's crust contains aluminum in the form of different minerals.

crust 표면

B 다음 밑줄 친 부분이 어법상 맞으면 ○표를 하고, 틀리면 바르게 고치시오.

1 After the war was over and the troops returned home, women <u>were made leave</u> their new jobs and go back into the home.

troop 병력, 군대

2 Employers <u>are expected to interact</u> with employees in a certain way, as are doctors with patients. 기출

interact 소통하다, 상호작용하다

3 If you are not <u>satisfied about</u> your bank's service, the first thing you can do is to contact the customer center.

4 Breaks are necessary to revive your energy levels, but they shouldn't <u>be taken</u> carelessly. 기출

revive 회복시키다

5 Divorce and unemployment can <u>be seemed</u> devastating to one person but be perceived as an opportunity for growth by another. 기출

unemployment 실업
devastating 충격적인

6 She <u>was attended</u> a regular school with other children from her neighborhood, but when the Nazis invaded her country in 1940, she <u>forced</u> to transfer to a school for Jewish children.

invade 침입[침략]하다
Jewish 유대인의

7 Nonverbal communication is not a substitute for verbal communication. Rather, it should <u>be functioned</u> as a supplement, serving to enhance the richness of the content of the message that <u>is being shared</u>. 기출

nonverbal 비언어적인
supplement 보충, 보완

8 For several years, a lot of psychology research <u>based</u> on the assumption that human beings <u>are driven</u> by base motivations such as aggression, egoistic self-interest, and the pursuit of simple pleasures. 기출

aggression 공격성
egoistic 이기적인

9 Clusters of stars were believed <u>forming</u> patterns in the sky called constellations, which <u>have historically ascribed</u> to characters from mythology.

cluster 무리
constellation 별자리
ascribe (기원이 ~에 있다고) 여기다
mythology 신화

C 다음 글의 밑줄 친 부분 중, 어법상 틀린 부분을 모두 찾아 고치시오.

1 Water ①<u>is composed with</u> an oxygen atom and a pair of hydrogen atoms. Due to electrostatic attraction, they ②<u>attract</u> to one another. As a result, the hydrogen atoms have a positive charge, ③<u>while</u> the oxygen atom has a negative charge.

electrostatic attraction 정전기 인력
positive(negative) charge 양(음)전하

2 The sweeping changes that ①<u>were brought about</u> by the French Revolution resulted in freedom and independence for the people. Instead of a monarchy, new political forces ②<u>established</u>, including democracy and nationalism. The revolution also ③<u>led to</u> the rise of capitalism in France.

sweeping 전면적인, 광범위한
independence 독립
monarchy 군주제

3 A person's BMI is a measurement that uses height and weight ①<u>to gauge</u> the body fat of adults. It ②<u>says</u> that the ideal BMI lies somewhere between 18.5 and 24.9, while a BMI between 25 to 34.9 ③<u>considered</u> to be an indicator of a high risk for serious health issues.

measurement 측정, 측량
gauge 측정하다
indicator 지표

어법 실전 Test

1

다음 글의 밑줄 친 부분 중, 어법상 틀린 것은? 기출

The process of job advancement in the field of sports ①is often said to be shaped like a pyramid. That is, at the wide base are many jobs with high school athletic teams, while at the narrow tip are the few, highly desired ³ jobs with professional organizations. Thus there are many sports jobs altogether, but the competition becomes ②increasingly tough as one works their way up. The salaries of various positions reflect this pyramid model. ⁶ For example, high school football coaches are typically teachers who ③paid a little extra for their afterclass work. But coaches of the same sport at big universities can earn more than $1 million a year, causing the salaries of ⁹ college presidents ④to look small in comparison. One degree higher up is the National Football League, ⑤where head coaches can earn many times more than their best-paid campus counterparts. ¹²

어법 분석 | 밑줄 친 부분이 묻고 있는 어법 사항을 써 봅시다.

① _____
② _____
③ _____
④ _____
⑤ _____

2

(A), (B), (C)의 각 네모 안에서 어법에 맞는 표현으로 가장 적절한 것은?

When an animal is subjected to high levels of stress, it will sometimes perform obsessively repetitive actions — this is known as stereotypic behavior. When confined to an enclosure, for example, certain species ³ develop route-tracing routines. This (A) consists / is consisted of walking the same route around a cage or swimming the same route around a tank in a single repeated pattern. The degree and frequency of an animal's displays ⁶ of stereotypic behavior can serve as a measure of its well-being, especially in the case of more highly evolved species, such as primates and elephants. Studies of stereotypic behavior (B) has / have mainly focused on the ⁹ benefits — in terms of reducing the frequency of this behavior — of providing animals with environmental enrichment. This involves attempting to enhance a captive animal's quality of life by identifying and (C) furnishes ¹² / furnishing the stimuli that are required to ensure its psychological and physiological well-being.

어법 분석 | 네모 안에서 묻고 있는 어법 사항을 써 봅시다.

(A) _____
(B) _____
(C) _____

	(A)		(B)		(C)
①	is consisted	⋯⋯	have	⋯⋯	furnishes
②	consists	⋯⋯	have	⋯⋯	furnishes
③	consists	⋯⋯	has	⋯⋯	furnishing
④	consists	⋯⋯	have	⋯⋯	furnishing
⑤	is consisted	⋯⋯	has	⋯⋯	furnishing

3

다음 글의 밑줄 친 부분 중, 어법상 틀린 것은?

Arriving at an overly broad market definition can be a serious error. A mortgage provider, for example, was interested in expanding its portfolio of products to compete with insurance companies. It commissioned a single segmentation project to analyze financial services in the interest of developing products and services ① targeted at certain demographic groups. After spending months talking with customers, the company was forced to abandon the project. Individual customers were seen ② change their criteria for making purchases inconsistently depending on the product range. When discussing travel insurance, for example, their opinions as to ③ what criteria they would use to choose a provider were very different from the ones they had for pensions. The company concluded that it was impossible ④ to segment their market. Had they taken the time, however, to find out how consumers categorized the products and defined the markets the company was trying to break into, the project ⑤ would have worked.

3

6

9

12

15

어법 분석 | 밑줄 친 부분이 묻고 있는 어법 사항을 써 봅시다.

① _____
② _____
③ _____
④ _____
⑤ _____

WORDS

1 advancement 승진; 진보 narrow 좁은 desired 갈망하는, 바라는 professional 전문적인 competition 경쟁 tough 힘든, 어려운 work one's way up 승진하다, 애써 위로 올라가다 reflect 반영하다 counterpart 상응하는 사람, 상대

2 be subjected to ~을 받다[당하다] obsessively 강박적으로 repetitive 반복적인 stereotypic 판에 박은, 상동형 confine 가두다 enclosure 울타리 measure 척도 evolved 진화한 primate 영장류 enrichment 풍요 enhance 높이다, 강화하다 captive 포획된, 억류된 identify 식별하다 furnish 제공하다 stimuli 자극(stimulus의 복수형) psychological 심리적인 physiological 생리적인

3 arrive at ~에 이르다 mortgage 담보 대출 insurance 보험 commission 의뢰하다 segmentation 세분화, 분할 analyze 분석하다 financial 금융의 in the interest of ~을 위해 demographic 인구의, 인구 통계학적인 abandon 포기하다, 버리다 criteria 기준(criterion의 복수) inconsistently 일관성 없이 pension 연금 break into ~에 진입하다; 침입하다

1 다음 중 어법상 틀린 문장은?

① The white tower is being painted light blue as part of a city project.
② According to the news, the event was taken place at the James Sports Center.
③ The prime minister said he was disappointed with the results of the meeting.
④ Only a few visitors were seen to come to the once-bustling tourist destination.
⑤ In this competition, each team is comprised of three members.

[2-4] 다음 문장을 같은 의미가 되도록 수동태로 바꾸시오.

2 The city made the vendors pay their stall rents every month.

= _____

_____ by the city.

3 People have translated Anne Frank's diary into 70 languages.

= _____

_____ by people.

4 Doctors say that obesity is becoming a serious issue all over the world.

= Obesity _____

_____ by doctors.

5 다음 글에서 어법상 틀린 부분을 두 군데 찾아 바르게 고치시오.

The program is consisted of multiple projects and portfolios that were developing to achieve specific objectives.

(1) _____ → _____
(2) _____ → _____

[6-7] 다음 글을 읽고, 물음에 답하시오. 기출 응용

"시간 밖에서 사는 사람들"이라고 불릴 수 있는 몇몇 문화가 있다. The Amondawa tribe of Brazil does not have a concept of time that can ① be measured or counted. They live in a world of serial events rather than seeing events as ② being rooted in time. Also, no one ③ has an age. Instead, they change their names ④ to be reflected their stage of life and position within their society. For example, a little child will give up his or her name to a newborn sibling and take on a new ⑤ one.

6 위 글의 밑줄 친 우리말을 다음 조건에 맞게 영작하시오.

⟨ 조건 ⟩
1. 7 단어로 작성할 것
2. 관계대명사를 사용할 것
3. 「refer to ~ as ... 」구문을 활용할 것

There are some _____

_____ "people who live outside of time."

7 위 글의 밑줄 친 ①~⑤ 중 어법상 틀린 것은?

①　　　②　　　③　　　④　　　⑤

CHAPTER 12

조동사/가정법

12 조동사/가정법

A 조동사

조동사는 be동사, 일반동사 앞에 쓰여서 동사에 특정한 의미를 더해 주는 동사이다. 조동사 다음에는 동사원형을 쓴다.

can/could	능력, 허가, 가능성	should/shall	의무, 당위, 제안
may/might	추측, 허가	must/have to	강한 추측, 의무
will/would/used to	의지, 미래, 부탁, 과거의 습관	had better/would rather	경고, 조언
could/would/may	공손한 의문문 표현	need/dare	필요, 용기

1 You **can** get sunburned on hazy or cloudy days. 〈가능성〉

2 They **would** always have coffee together in the morning. 〈과거의 습관〉

3 Opportunities **should** be given equally to everybody. 〈당위〉

조동사＋have＋p.p.

과거의 일을 나타내는 「조동사＋have＋p.p.」는 조동사에 따라 다양한 뜻이 있다.

must have+p.p. (~했음이 틀림없다)	should have+p.p. (~했어야 했다)
may(might) have+p.p. (~했을지도 모른다)	cannot have+p.p. (~일 리가 없다)

1 I can't remember what happened. I [must/cannot] have lost consciousness.

2 We took a wrong turn. We [may/should] have turned left at the last intersection.

풀이 1 문맥상 '~했음이 틀림없다'는 의미의 강한 추측을 나타내는 말이 와야 하므로 「must have+p.p.」를 쓰는 것이 적절하다. 2 문맥상 지난 일에 대한 후회를 나타내는 말이 와야 하므로 「should have+p.p.」를 쓰는 것이 적절하다.

「제안/주장/명령/요구 동사+that절」의 should

제안/주장/명령/요구를 나타내는 동사(suggest/insist/demand/recommend 등)의 목적어로 쓰인 that절의 내용이 당위(~해야 한다)를 나타낼 때 that절의 동사는 「should+동사원형」으로 쓴다. 이때 should는 자주 생략된다.

3 As we were sitting down to eat, the kind lady insisted that I [sit/sat] beside her. 기출

4 It is recommended that blood pressure [is/be] checked at least once before treatment.

cf. The evidence suggests that early humans [prefer/preferred] the organ meat of the animal. 기출 응용

풀이 3 주장을 나타내는 동사 insisted의 목적어로 쓰인 that절의 내용이 당위를 나타내므로 that절의 동사는 「(should+)동사원형」 sit이 적절하다. 4 제안을 나타내는 동사 is recommended의 목적어로 쓰인 that절의 내용이 당위를 나타내므로 that절의 동사는 「(should+)동사원형」 be가 적절하다. cf. that절의 내용이 당위가 아닌 '사실'인 경우 that절의 동사는 시제 일치의 원칙에 따른다. that절은 과거의 일을 나타내고 있으므로 preferred가 적절하다.

가정법 과거 vs. 가정법 과거완료 vs. 혼합 가정법

가정법 과거는 현재의 일을, 가정법 과거완료는 과거의 일을 반대로 가정한다. 혼합 가정법은 과거 사실을 반대로 가정하여 현재 사실의 반대를 나타낼 경우 「If+가정법 과거완료, 가정법 과거」의 형태로 쓰며 주절에는 now, today 등의 부사가 자주 쓰인다. 현재 사실을 반대로 가정하여 과거를 유추할 경우에는 「If+가정법 과거, 가정법 과거완료」의 형태로 쓴다.

B 가정법

가정법은 실제와 반대인 상황을 가정하여 아쉬움이나 소망을 표현하는 화법이다.

가정법 과거 (현재 사실을 반대로 가정)	If+주어+were[동사의 과거형] ~, 주어+조동사의 과거형+동사원형 …
	⁴ If I **worked** out regularly, I **could keep** fit. (= As I don't work out regularly, I can't keep fit.)
가정법 과거완료 (과거 사실을 반대로 가정)	If+주어+had+p.p. ~, 주어+조동사의 과거형+have+p.p. …
	⁵ If I **had had** enough money at that time, I **could have helped** you. (= As I didn't have enough money at that time, I couldn't help you.)
혼합 가정법 (과거/현재 또는 현재/과거 사실을 반대로 가정)	If+주어+[had+p.p./동사의 과거형] ~, 주어+조동사의 과거형+[동사원형/have+p.p.] …
	⁶ If you **had taken** my advice, you **wouldn't regret** your decision now. (= As you didn't take my advice, you regret your decision now.)

⁵ If the Earth [is / were] flat, the sun would be visible above the horizon all the time.

⁶ If you [didn't find / hadn't found] the problem, it would have led to damage to the network.

⁷ If I had charged my phone last night, the battery wouldn't [be / have been] dead now.

풀이 ⁵ 현재 사실의 반대를 가정할 때 조건절의 동사로 과거형 were가 적절하다. be동사는 주어에 관계없이 원칙적으로 were를 쓰는 것에 유의한다. ⁶ 과거 사실의 반대를 가정할 때 조건절의 동사로 과거완료형 hadn't found가 적절하다. ⁷ 문맥상 과거 사실과 현재 사실을 반대로 가정하고 있으므로 주절의 wouldn't 뒤에는 be가 적절하다. now가 있으므로 have been은 어색하다.

I wish / as if 가정법

「I wish 가정법」은 실현되지 않은 소망을 가정하고, 「as if 가정법」은 마치 그런 것처럼 행동하는 상황을 가정한다.
주절과 같은 시점에 대한 가정이면 가정법 과거를, 주절보다 앞선 시점에 대한 가정이면 가정법 과거완료를 쓴다.

⁸ I wish I [read / had read] more books and watched less TV when I was younger.

⁹ He worshipped medical doctors as if they [were / had been] exceptional beings. 기출

풀이 ⁸ 현재인 주절(I wish)보다 앞선 시점(when I was younger)에 대한 소망이므로 과거완료 had read가 적절하다. ⁹ 문맥상 주절(He worshiped)과 같은 시점에 대한 가정이므로 과거형 were가 적절하다.

If 없는 가정법

가정법의 조건절인 if절의 동사가 were나 조동사 had / should인 경우 if를 생략하기도 하는데, 이때 주어와 동사가 도치된다.
「without(but for)+명사(구)」, 「suppose (that) ~」 등은 if절 대용으로 쓰인다.

¹⁰ [He had / Had he] renewed his visa in time, he could have stayed longer with us.

¹¹ [Despite / Without] sunshine, all life would be extinct within a short period of time.

¹² [Suppose / Supposing] you had to wear a suit every day. Would that bother you?

풀이 ¹⁰ 가정법의 조건절에서 if가 생략되면 주어와 동사가 도치되므로 Had he가 적절하다. ¹¹ 문맥상 현재 사실을 반대로 가정하는 「Without +명사(구)」를 써서 나타낼 수 있으므로 Without이 적절하다. Without sunshine은 If it were not for sunshine의 의미이다. ¹² 「suppose (that) ~」을 써서 '만약 ~라고 가정하다'라는 의미로 명령문을 써야 하므로 Suppose가 적절하다.

어법 적용 연습

A 다음 네모 안에서 어법에 알맞은 것을 고르시오.

1 I downloaded an app to help me track a postal item which should / cannot have arrived at my address by now.

postal 우편의

2 I wish I paid / had paid more attention to the reviews before booking. I don't want to waste my time at this place tonight.

3 Many students would benefit if they spend / spent more time analyzing the meaning of their reading assignments. 기출 응용

4 The Earth's forests absorb a lot of carbon dioxide. Without trees, global warming would be / have been worse.

absorb 흡수하다

5 If she had grown up in a different city, she would definitely be / have been a completely different person now.

definitely 분명히

B 다음 밑줄 친 부분이 어법상 맞으면 ◯표를 하고, 틀리면 바르게 고치시오.

1 Soccer was instrumental to him. Had he not become a soccer player, he might have turned to a life of crime.

instrumental 중요한

2 You can become your own cheerleader by acting as if you are already the person that you want to be. 기출

3 When you were first learning to read, you may have studied specific facts about the sounds of letters. 기출

4 The applicant refused to submit to an examination and insisted that he have no mental health issues.

submit to ~에 따르다
examination 검사

5 Our parents would be horrified if they have to participate in the culture of their grandchildren. 기출 응용

horrify 몸서리치게[소름끼치게] 만들다

6 The UK's chief medical officer has insisted in a report that e-cigarettes <u>were avoided</u>, in defiance of experts who say that they <u>could</u> help smokers quit.

in defiance of ~에 대항하여, ~에 도전하여

7 Rose reacted as if she <u>had been</u> shocked when she saw Hazel at the mall. The two old friends hadn't met in many months. Hazel <u>might</u> have felt bad, as she kept apologizing for not keeping in touch.

8 If the great Renaissance artists like Ghiberti or Michelangelo <u>were born</u> only 50 years before they were, the culture of artistic patronage <u>would not have been</u> in place to fund or shape their great achievements. 기출

patronage 후원

9 I'd like to thank everyone involved with the organization for your ongoing efforts and support. <u>Without</u> your dedication and hard work, the help we provide to injured animals <u>could not have continued</u>.

ongoing 진행 중인
dedication 헌신

C 다음 글의 밑줄 친 부분 중, 어법상 틀린 부분을 모두 찾아 고치시오.

1 I heard a story about newborn twins, one of ① <u>them</u> was ill. The twins ② <u>had to</u> be kept in separate incubators, as per hospital rules. A nurse on the floor, however, repeatedly suggested that the twins ③ <u>were</u> kept together in one incubator. 기출 응용

incubator 인큐베이터, 보육기
as per ~에 따라

2 My car ① <u>was stolen</u> last night from the City Hall parking lot. The car thieves ② <u>should have broken</u> a window to get inside, given that there were pieces of glass on the scene. If you ③ <u>had</u> any information about this crime, please contact me.

3 According to a study, if the US ① <u>locked down</u> just two weeks sooner, it ② <u>could have prevented</u> a large number of deaths. A researcher said, "③ <u>Has the US acted</u> sooner, many lives might have been spared."

lock down 봉쇄하다
spare 면하게 해 주다

어법 실전 Test

1

다음 글의 밑줄 친 부분 중, 어법상 틀린 것은?

When flowing water erodes a layer of rock ① located just beneath the surface of the Earth, large cavities known as sinkholes may form, sometimes suddenly and with devastating consequences. Entire structures have been swallowed up in the flash of an eye, as if they ② were never there in the first place. Some sinkholes occur naturally, while others have human activities as their cause. Natural sinkholes most commonly occur in regions ③ where there is an underground layer of soft rock, such as limestone, which dissolves quite easily. Water enters naturally occurring cracks and erodes them into larger voids that remain covered by a surface layer of sediment. As the void gradually expands, this covering eventually gives way and collapses, ④ revealing the emptiness below. Manmade sinkholes develop in a similar fashion, but their cause tends to be drilling, mining, construction, broken water or drain pipes, or improperly compacted soil after excavation work, all of ⑤ which can compromise the structural integrity of a layer of rock.

어법 분석 | 밑줄 친 부분이 묻고 있는 어법 사항을 써 봅시다.

①_____
②_____
③_____
④_____
⑤_____

2

다음 글의 밑줄 친 부분 중, 어법상 틀린 것은? [3점] 기출

The idea that hypnosis can put the brain into a special state, ① in which the powers of memory are dramatically greater than normal, reflects a belief in a form of easily unlocked potential. But it is false. People under hypnosis generate more "memories" than they ② do in a normal state, but these recollections are as likely to be false as true. Hypnosis leads them to come up with more information, but not necessarily more accurate information. In fact, it might actually be people's beliefs in the power of hypnosis that ③ leads them to recall more things: If people believe that they should have better memory under hypnosis, they will try harder to retrieve more memories when hypnotized. Unfortunately, there's no way to know ④ whether the memories hypnotized people retrieve are true or not — unless of course we know exactly what the person should be able to remember. But if we ⑤ knew that, then we'd have no need to use hypnosis in the first place!

* hypnosis 최면

어법 분석 | 밑줄 친 부분이 묻고 있는 어법 사항을 써 봅시다.

①_____
②_____
③_____
④_____
⑤_____

3

(A), (B), (C)의 각 네모 안에서 어법에 맞는 표현으로 가장 적절한 것은?

Had Peter Paul Rubens lived in the contemporary world, he (A) would be / would have been quite comfortable with the concept of entrepreneurship. It was actually common in the 17th century for painters of high prestige to serve as managers of studios that produced large quantities of paintings to satisfy the demand of wealthy patrons. By the age of 33, Rubens was a model entrepreneur who had earned enough money to purchase a residence in a luxurious Antwerp neighborhood. He employed numerous assistants at his studio, (B) which / where had been enlarged in order to facilitate the production of enormous altarpieces. Rubens even expanded his market reach by using a printing press that could be used to mass-produce copies of his book illustrations. Perhaps most importantly, (C) possessing / possessed of a modern business mind, Rubens had the foresight to copyright all of his work, ensuring that he would profit from any reproductions of it that were created.

* altarpiece 제단 뒤쪽의 그림[조각]

어법 분석 | 네모 안에서 묻고 있는
어법 사항을 써 봅시다.

(A) _____

(B) _____

(C) _____

	(A)		(B)		(C)
①	would be	......	which	......	possessing
②	would be	......	where	......	possessed
③	would have been	......	where	......	possessed
④	would have been	......	which	......	possessed
⑤	would have been	......	which	......	possessing

WORDS _____

1 erode 침식시키다, 약화시키다 cavity 구멍 devastating 파괴적인, 충격적인 swallow 삼키다 limestone 석회암 dissolve 용해되다, 녹다 void 빈 공간 sediment 퇴적물, 침전물 give way 무너지다, 부러지다 collapse 붕괴되다, 무너지다 emptiness 텅 빈 공간 mining 채굴 drain pipe 배수관 compact 압축하다, 꽉 채우다 excavation 발굴 compromise ~을 위태롭게 하다 integrity 온전함, 온전한 상태

2 dramatically 극적으로, 급격히 potential 잠재력, 가능성 generate 생산하다 recollection 기억(력) come up with ~을 생각해 내다 recall 기억해 내다, 상기하다 retrieve 되찾아 오다 hypnotize 최면을 걸다

3 contemporary 현대의, 동시대의 comfortable (경제적으로) 풍족한 entrepreneurship 기업가 정신 prestige 위신, 명성 patron 후원자 enlarge 확대하다, 확장하다 facilitate 촉진하다, 용이하게 하다 illustration 삽화 foresight 선견지명, 예지력 copyright 저작권을 얻다[가지다] reproduction 복사, 복제

1 다음 중 어법상 <u>틀린</u> 문장을 <u>모두</u> 고르면?

① I ran down the street as if I were an Olympic sprinter.

② The burglar should have been in when I saw the window broken.

③ I wish I were 10 cm taller than now because I really want to ride this roller coaster.

④ If I made a reservation at the restaurant yesterday, we could be eating there tonight.

⑤ The doctor suggested that he exercise at least 30 minutes a day for his health.

[2-4] 우리말과 같은 의미가 되도록 다음 조건에 맞게 영작하시오.

⟨ 조건 ⟩
1. 괄호 안의 어구를 모두 사용하되, 필요시 어형을 바꿀 것
2. 「I wish 가정법」 또는 「as if 가정법」을 사용할 것

2 그는 마치 자신이 그 방에서 가장 중요한 사람인 것처럼 행동했다.

(person, the most, important, be, in the room)

He acted _____

_____ .

3 그는 마치 그가 어렸을 때 아프리카에서 살았던 것처럼 유창하게 말했다.

(live, in Africa, when, be, young)

He spoke fluently, _____

_____ .

4 나도 너만큼 드럼을 잘 칠 수 있으면 좋겠다.

(play, can, as, the drums, well, as)

_____

_____

5 (A), (B)에서 밑줄 친 부분을 If를 생략한 가정법 문장으로 쓰시오.

(A) <u>If you should buy tickets elsewhere</u>, be careful of the following things.

→

(B) <u>If it had not been for the effort of our workers</u>, we could not stand here today.

→

[6-7] 다음 글을 읽고, 물음에 답하시오. 기출 응용

Benjamin Franklin suggested that a newcomer ① <u>asks</u> his new neighbor to do him a favor, citing an old maxim: He that has once done you a kindness will be more ready ② <u>to do</u> you another than he whom you yourself have obliged. For him, asking someone for something was the most ③ <u>usefully</u> invitation to social interaction. Such asking on the part of the newcomer provided the neighbor with an opportunity to show ④ <u>himself</u> as a good person. It also meant the latter could ask the former for a favor in return, ⑤ <u>increasing</u> the familiarity and trust. 양쪽이 서로를 도와준다면, they could eventually overcome their mutual fear of the stranger.

6 위 글의 밑줄 친 우리말을 다음 조건에 맞게 영작하시오.

⟨ 조건 ⟩
1. 6 단어로 작성할 것
2. 가정법의 조건절을 완성할 것
3. both parties, each other를 포함할 것

_____

7 위 글의 밑줄 친 ①~⑤ 중에서 어법상 <u>틀린</u> 것을 골라 바르게 고친 것을 <u>모두</u> 고르면?

① asks → ask　　　　② to do → doing

③ usefully → useful　　④ himself → him

⑤ increasing → increase

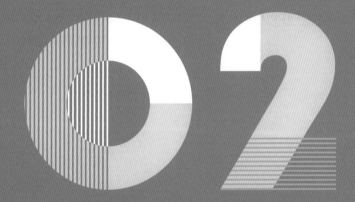

PART
02

01 다음 글의 밑줄 친 부분 중, 어법상 틀린 것은?

Why has NASA been ① using Cape Canaveral in the state of Florida as a launch site for its rockets for over 70 years? There are two main reasons: first of all, Cape Canaveral is located in close proximity to the Atlantic Ocean. This means ② that rockets can be safely launched to the east over open waters. If a problem occurs shortly after liftoff, the rocket can be steered safely into the ocean, ③ which it can crash without endangering the public. Also, in the case of multistage rockets, for example, when one stage runs out of fuel, it can be shed from the rocket and drop harmlessly into the waves. The second reason is related to Cape Canaveral's ④ relatively close proximity to the equator. Earth is constantly moving in a west-to-east rotation, and the velocity of this rotation increases as one draws nearer to the equator. NASA uses this natural rotation to give its rockets the extra speed they need ⑤ to escape Earth's atmosphere.

02 다음 글의 밑줄 친 부분 중, 어법상 틀린 것은?

Loneliness is an emotion every human being is likely to experience at some point, one that is often associated with unfriendliness, isolation, and unsociability. However, numerous psychologists have suggested ① that we should view loneliness as a positive experience. The human brain requires balance. While we may crave social interactions and feelings of community, having time alone allows the brain to relax and recharge. Feelings of social isolation also cause us to pay more attention to the world around us and ② provide us with heightened powers of observation. This can make us more ③ attentive to fellow humans in distress, which suggests that lonely people have elevated levels of empathy. Alone time encourages reflection and new ways of thinking, often ④ leading to an enhanced understanding of ourselves. Ultimately, periods of loneliness remind us of our real identity and ⑤ what do we truly desire from our lives.

03 다음 글의 밑줄 친 부분 중, 어법상 틀린 것은?

In "Goldilocks and the Three Bears", a girl samples porridge from three bowls, the first ①being too hot, the next too cold, and the final one "just right." It is from this tale that the term the "Goldilocks effect" is derived. It describes the practice of offering premium and budget versions of products in order to make a regularly priced product ②seem more appealing. This can be easily observed in coffee shops, ③where customers may choose from options ranging from small to large, with regular in the middle. ④Are these shops to offer merely two options, the majority of customers would choose the cheaper option. ⑤Given a trio of choices, however, they're most likely to select the one in the middle. It is believed that this behavior is based on our inherent psychological impulse to avoid extremes. Businesses take advantage of this impulse by placing their most profitable items in the center, so they can increase their profits without raising their prices.

* porridge 오트밀

04 (A), (B), (C)의 각 네모 안에서 어법에 맞는 표현으로 가장 적절한 것은?

Since the dawn of the space age in the 1950s, we (A) launched / have launched thousands of rockets and sent even more satellites into low Earth orbit, an area of outer space around Earth that encloses all orbits below 2000 km. Unfortunately, dangerously dense conditions have been created by the large number of objects currently in low Earth orbit, making it (B) inevitable / inevitably that collisions will occur. Such collisions could cause what is known as a cascading effect, a chain reaction leading to more and more self-generating collisions that may render certain orbits unusable. In 2009, for example, a nonfunctioning Russian satellite smashed into an American commercial one, creating more than 2,000 new pieces of space debris, each of (C) them / which now poses a serious threat to other satellites in low Earth orbit. It has been suggested that the best way to prevent the exponential growth of deadly space junk is to remove all non-operational spacecraft from orbit.

	(A)	(B)	(C)
①	launched	inevitable	which
②	launched	inevitably	them
③	have launched	inevitable	them
④	have launched	inevitably	which
⑤	have launched	inevitable	which

01 다음 글의 밑줄 친 부분 중, 어법상 틀린 것은?

The presence of other people has a strong influence on human beings. In some cases, such as when a relentless opponent drives an athlete ① to play at a peak level, this influence can motivate him or her to improve his or her performance. But at other times, ② his presence can be problematic, such as when an actor struggles with his or her lines after becoming intensely aware of the proximity of the audience. The presence of others also has a direct effect on certain bodily functions or expressions of feelings. Yawning, for example, can be contagious — when we see someone else ③ yawn, we may be overcome with an urge to do so ourselves. The same holds true for laughter. Studies have shown that we are about 30 times more likely ④ to laugh when there are others around us than when we are alone. Simply having an acquaintance who is happy ⑤ increases the likelihood that we ourselves will feel content.

02 (A), (B), (C)의 각 네모 안에서 어법에 맞는 표현으로 가장 적절한 것은? 기출

English speakers have one of the simplest systems for describing familial relationships. Many African language speakers would consider it absurd to use a single word like "cousin" to describe both male and female relatives, or not to distinguish whether the person (A) described / describing is related by blood to the speaker's father or to his mother. To be unable to distinguish a brother-in-law as the brother of one's wife or the husband of one's sister would seem confusing within the structure of personal relationships existing in many cultures. Similarly, how is it possible to make sense of a situation (B) which / in which a single word "uncle" applies to the brother of one's father and to the brother of one's mother? The Hawaiian language uses the same term to refer to one's father and to the father's brother. People of Northern Burma, who think in the Jinghpaw language, (C) has / have eighteen basic terms for describing their kin. Not one of them can be directly translated into English.

	(A)	(B)	(C)
①	described	which	have
②	described	in which	has
③	described	in which	have
④	describing	which	has
⑤	describing	in which	has

03 (A), (B), (C)의 각 네모 안에서 어법에 맞는 표현으로 가장 적절한 것은?

When it comes to machine learning, it is algorithms, not computer programmers, that create the rules that a computer must follow. Algorithms (A) resemble / are resembling the kinds of rules that parents set for their kids. They give computers instructions that allow them to learn from data and, as a result, the computers can be taught to perform new, complex tasks without any additional manual programming. Machine learning basically works in the following way: training data is fed into a learning algorithm, (B) it / which then uses this input to create a new set of rules. In a sense, this is a way of generating an entirely new algorithm that can be referred to as the machine learning model. Through the use of different training data, the same learning algorithm could generate different models, from ones that teach the computer to (C) translate / translating languages to others that predict the behavior of the stock market.

(A)	(B)	(C)
① resemble	it	translate
② are resembling	it	translating
③ resemble	which	translate
④ are resembling	which	translate
⑤ resemble	which	translating

04 다음 글의 밑줄 친 부분 중, 어법상 틀린 것은?

The Pareto principle, sometimes referred to as the 80-20 rule, ① states that a mere 20% of all causes are responsible for 80% of any given event's outcomes. In business, this well-regarded axiom is used to identify which inputs are potentially more productive than others and therefore need to ② be prioritized. For example, companies may find ③ it advantageous to focus on the 20% of their clients who bring in 80% of their revenues, directing marketing efforts specifically at them in the interest of retaining their patronage. The principle can be applied to nearly any field, including everyday activities. Students ④ preparing for an exam might choose to utilize the 80-20 rule by identifying the 20% of the textbook most likely to generate 80% of the test questions. They can then spend more time going over those parts and devote a smaller amount of time ⑤ to study the less useful 80%. Of course, not everything falls exactly into an 80-20 distribution, so we must use this principle wisely.

* patronage 단골 손님, 고객

01 다음 글의 밑줄 친 부분 중, 어법상 틀린 것은?

The encroachment of human beings into animal territory ①has had many negative effects on the species that call these areas home. The mere presence of humans produces fear in most wild animals, and their efforts ②to avoid contact with humans can lead to significant changes in their behavior. According to research, human activity has driven mammals around the world to become more active at night, ③which they have less of a chance of encountering humans. High levels of human disturbance, including such diverse activities as hunting, hiking, and farming, ④have resulted in increases in mammals' nocturnal activity by a factor of 136. This type of extreme behavioral change can have serious consequences on animals, ⑤as they focus on behavior to avoid humans at the cost of reproduction. Eventually, long-term disturbances can cause lower reproduction rates, with negative consequences to the population of the species.

02 (A), (B), (C)의 각 네모 안에서 어법에 맞는 표현으로 가장 적절한 것은?

In the modern volatile work world, in which the workforce has changed in many ways and people are often subjected to prolonged periods of unemployment, many families are becoming entrepreneurs by transforming their households into workplaces. During Mexico's financial crisis of 1995, (A) which / in which the country's gross domestic product saw a single-year drop of 7.5 percent, the formation of new household businesses skyrocketed. Although the crisis lasted only about a year, studies of financial patterns in subsequent years showed that, with many household members (B) having lost / being lost their jobs in 1995, there was a growing trend of families forming new businesses and hiring their own unemployed relatives. The study demonstrates that the motivation of many households (C) started / starting a family business is survival during an uncertain period of high unemployment.

	(A)		(B)		(C)
①	which	⋯⋯	having lost	⋯⋯	started
②	which	⋯⋯	being lost	⋯⋯	starting
③	in which	⋯⋯	having lost	⋯⋯	started
④	in which	⋯⋯	having lost	⋯⋯	starting
⑤	in which	⋯⋯	being lost	⋯⋯	started

03 (A), (B), (C)의 각 네모 안에서 어법에 맞는 표현으로 가장 적절한 것은?

One of the more confusing aspects of our new digital society is the willingness of individuals to provide information to third parties online while claiming to value their personal privacy. Research has offered some insight into this paradox, revealing that a driving motivation behind participating in online communities is reciprocity and recognition. Once individuals become part of a community, they may not wish to shelter (A) themselves / them from it. As a result, as participation in digital communities rapidly increases, so do privacy issues. This situation can be observed in young people (B) spend / spending time online. They want to socialize in private spaces away from the prying eyes of adults, but they must surrender control of their personal information to do so. There are three ways people commonly deal with the resulting paradox: they convince themselves that privacy is actually (C) overvaluing / overvalued ; they ease their concerns by focusing on the privacy policies of data collectors; or they simply change their attitudes about privacy online.

* reciprocity 상호[호혜]주의

	(A)	(B)	(C)
①	themselves	spending	overvalued
②	themselves	spend	overvalued
③	themselves	spending	overvaluing
④	them	spend	overvaluing
⑤	them	spending	overvalued

04 다음 글의 밑줄 친 부분 중, 어법상 틀린 것은?

If there is a gene sequence responsible for creativity, scientists have not yet discovered it. However, research by clinical psychologists ① tends to indicate that creativity is a universal talent. Some psychologists suggest ② that although we all possess inherent creative skills, precious few of us understand how to exploit them. Electronic scans have shown that the human brain is capable of processing sensory data before we even become ③ consciously aware of it. When music is played, for example, the brain instantly springs into action, searching for similar musical patterns stored in the memory, ④ seeks to categorize and compare it. This type of instinctive cognitive process easily overwhelms our creative instincts. The brains of prodigies, on the other hand, do not engage in these processes, meaning that they do not have a block, a filter, on a talent that is universal. Prodigies are special not because of an ability that they have but because of ⑤ one they do not.

* prodigy 영재

01 다음 글의 밑줄 친 부분 중, 어법상 틀린 것은?

You may be surprised to learn that there are different colors of fat in your body and that each type ① has a different function. White fat, technically known as white adipose tissue, is ② what people generally refer to as body fat. Its primary functions are to store energy and to provide insulation ③ in that the organs can stay warm. However, excessive amounts of white fat, especially visceral fat that has accumulated around the midsection, can be harmful to one's health, as ④ it elevates one's risk of heart disease or diabetes. Brown fat, or brown adipose tissue, is activated in cold conditions. Because it contains a large number of mitochondria, brown fat is able to burn calories as a means of producing heat. This aspect of brown fat has led some health professionals ⑤ to speculate that it could be used as a component of a treatment for obesity and some metabolic syndromes.

* adipose 지방질의 ** visceral 내장의
*** mitochondria 미토콘드리아(세포질 속에 있는
호흡을 관장하는 소기관)

02 (A), (B), (C)의 각 네모 안에서 어법에 맞는 표현으로 가장 적절한 것은?

In the modern classroom, there are a variety of ways (A) which / in which teachers utilize technology to improve their lessons and connect with students. Although using technology to achieve these goals can be effective, not all of these approaches are created (B) equal / equally. In a recent study it was shown that when it comes to technology-enhanced learning, activity-based learning leads to greater classroom success than lecture-based learning. The researchers found that students were found to be more engaged with the technology, as well as more creative, when the lessons had an active component. For example, some students were encouraged (C) to develop / developing an app that could teach the history of the Berlin Wall to their classmates. These students ultimately comprehended the material at a deeper level because they experienced it through a collaborative engagement with the technology rather than by simply explaining it to their peers.

	(A)	(B)	(C)
①	which	equal	developing
②	which	equally	developing
③	in which	equal	developing
④	in which	equal	to develop
⑤	in which	equally	to develop

03 다음 글의 밑줄 친 부분 중, 어법상 틀린 것은? [3점]

기출

If there's one thing koalas are good at, it's sleeping. For a long time many scientists suspected that koalas were so lethargic ①because the compounds in eucalyptus leaves kept the cute little animals in a drugged-out state. But more recent research has shown that the leaves are simply so low in nutrients ②that koalas have almost no energy. Therefore, they tend to move as little as possible — and when they ③do move, they often look as though they're in slow motion. They rest sixteen to eighteen hours a day and spend most of that unconscious. In fact, koalas spend little time thinking; their brains actually appear to ④have shrunk over the last few centuries. The koala is the only known animal ⑤its brain only fills half of its skull.

* lethargic 무기력한 ** drugged-out 몽롱한, 취한

04 다음 글의 밑줄 친 부분 중, 어법상 틀린 것은?

A self-fulfilling prophecy occurs when an originally false social belief leads people to act in ways that objectively confirm that belief. We witness this on a national scale every holiday season — it begins with the release of survey results ①indicating which toys industry insiders expect to be popular. Generally, this results in one specific toy emerging as the must-have gift of the year. Soon everyone begins ②to hear tales of the unprecedented demand for the toy and the news that a shortage will occur. Stores limit the number of toys shoppers may purchase and panicked parents stampede to malls to make sure that they are not ③leaving out. This causes supplies of the toy, which were never severely low in the first place, to become depleted, creating the very shortage that had ④been predicted. A belief in an inaccurate version of reality creates expectations ⑤that make the untrue become true.

* stampede 우르르 몰려 가다

01 (A), (B), (C)의 각 네모 안에서 어법에 맞는 표현으로 가장 적절한 것은?

The Crusades of the Middle Ages had a huge impact on the world. One of their primary effects (A) [was / were] that they led to greater interaction between different groups of people and societies. Shortly before the initial crusades in the 11th century, the Middle East had (B) [raised / risen] to become a center of learning and knowledge. Due to their geographical location between Asia and Europe, Middle Eastern civilizations had access to a broad range of learning and philosophies. When the first crusaders from Europe made contact with Middle Eastern people, (C) [who / they] were exposed to new ideas and advancements, such as Middle Eastern mathematical concepts, which eventually made their way back to Europe. There was also a significant amount of cultural exchange involving food, social practices, and celebrations. For these reasons, the Crusades are viewed by many historians as an important factor in the emergence of the European Renaissance centuries later.

	(A)	(B)	(C)
①	was	raised	who
②	was	risen	they
③	was	risen	who
④	were	raised	they
⑤	were	risen	they

02 (A), (B), (C)의 각 네모 안에서 어법에 맞는 표현으로 가장 적절한 것은?

The term "risky shift" refers to the fact that the decision-making of groups tends to be riskier than an initial analysis of the individual members would seem to indicate. This contradicts the commonly held belief (A) [that / which] groups make decisions that are more conservative than individual decisions. Many studies have confirmed the existence of the risky shift phenomenon, (B) [revealed / revealing] that people favor less cautious decisions after group discussions. In one experiment, participants were given numerous theoretical situations in which there was a choice between a risky decision and a conservative one, such as a college student choosing between a prestigious university (C) [which / where] success would be unlikely and a less challenging school that offered a path to success. Contrary to the assumption that a group of people would arrive at a more logical, rational, and cautious decision than would a single person, the results of the experiment showed that both group and individual decisions were less conservative after a group discussion.

	(A)	(B)	(C)
①	which	revealed	where
②	that	revealed	which
③	that	revealing	which
④	that	revealing	where
⑤	which	revealing	where

03 다음 글의 밑줄 친 부분 중, 어법상 <u>틀린</u> 것은?

With the world of modern business ① growing more complex, many organizations are turning to shared leadership, a marked change from the traditional style of management tiers arranged in a vertical hierarchy. Instead of handing those in management positions the majority of the responsibility for decision-making while shutting their subordinates out of the process, shared leadership focuses on collaborative efforts. Although managers are still in charge, the entire staff shares the power and influence of the department, ② giving individuals more autonomy over the decisions that affect them directly. In effect, it establishes an open-door policy ③ in which the ideas of all are welcomed. As a result, employees are empowered to take the initiative rather than sitting back and waiting ④ to tell what to do. When workers realize that they have a voice within the organization and ⑤ that they share a portion of the responsibility for its success, both their productivity and job satisfaction rise to levels that are higher than ever before.

04 다음 글의 밑줄 친 부분 중, 어법상 <u>틀린</u> 것은?

The question of what exactly philosophy is has often been asked. One way to work toward an understanding of the answer is by going to a library and flipping through books on a variety of academic subjects. In many cases, you will find ① what the author has opted to make the final chapter a summation of the book as a whole. What this means is that authors, ② having written an entire book on a specialized subject, often find themselves longing to present the facts that they have gathered in a larger context. This final chapter may ③ be called many different things, including a conclusion, an epilogue, or a postscript. But it is, in virtually every instance, an attempt to share the larger implications of the book's topic and to clarify ④ how it relates to other fields or to life. When authors do this, they are stepping out of their familiar role as a field specialist and ⑤ trying on the shoes of a philosopher.

01 다음 글의 밑줄 친 부분 중, 어법상 틀린 것은?

One of the methods through which zoologists describe specific species has been the cataloging of their characteristic patterns of behavior. Though they may seem similar, we cannot confuse the nest-building activities of a cuckoo with ① those of a goose. The behavior ② exhibited in each case is unique and species-specific. When a behavioral pattern can be observed in nearly every individual of a species and even in individuals brought up in isolation, ③ it can be said that it is inherited rather than learned. In the cases in which individuals fail to exhibit the pattern or individuals are found ④ in whom it takes on a different form, it can be assumed that environmental factors have played a hand. This is a reminder that despite the powerful influence of hereditary traits on a species, in living organisms neither structure nor function can develop except in an environment and the ultimate form each of the organisms ⑤ take depends on the characteristics of that environment.

02 (A), (B), (C)의 각 네모 안에서 어법에 맞는 표현으로 가장 적절한 것은?

The psychological phenomenon known as the bandwagon effect occurs when people consciously adapt their own behavior, preferences, or beliefs to match (A) that / those of a majority of people, regardless of their own beliefs. This phenomenon can be commonly observed in online social networking, as people flock to certain services and sites for no other reason than the fact that other people are flocking to them. This behavior is, in essence, a form of groupthink (B) which / in which people feel a tremendous pressure to conform when it seems that everyone is doing something. The fear of exclusion also plays a role in the phenomenon. To avoid being viewed as strange or different, people simply go along with (C) what / that everyone else is doing, in the hopes that this will ensure social inclusion and acceptance. Although it may seem like harmless behavior on the surface, the bandwagon effect can lead to fallacies in an individual's reasoning.

	(A)	(B)	(C)
①	those	in which	that
②	that	which	that
③	those	which	what
④	that	in which	what
⑤	those	in which	what

03 다음 글의 밑줄 친 부분 중, 어법상 틀린 것은?

Most people consider it common sense ① to keep out of the sun as much as possible, primarily in the interest of avoiding skin cancer and premature aging. Some researchers, however, argue that completely avoiding sunlight is not ② so a good idea. The primary benefit of sun exposure is the production of vitamin D in the skin, ③ which is triggered by the sun's UVB rays. Vitamin D is necessary in adequate amounts to signal your immune system to monitor the rest of your body. Vitamin D deficiencies have been linked to an increased susceptibility to infection, disease, and immune-related disorders. Sunlight is also believed to encourage the release of a hormone ④ called serotonin in the brain. Serotonin creates a more positive mood and causes individuals ⑤ to feel calm and focused. A lack of sunlight is associated with a decrease in serotonin levels, which can lead to major depressive disorder (MDD) with seasonal pattern.

* UVB rays 중파장 자외선

04 (A), (B), (C)의 각 네모 안에서 어법에 맞는 표현으로 가장 적절한 것은?

Although the prototypical portrait portrays a single individual, the addition of another person is actually a classic motif in its own right. The inclusion of an additional person allows the portrait artist to highlight either the contrasts or similarities between two different personalities, (A) creates / creating a new layer to the mood and message the finished painting will ultimately convey. When setting out to create a double portrait, the artist must pay careful attention to the painting's composition, ensuring unity in their gestures and the spatial relationship between the two figures. Some artists find (B) it / that helpful to view the two individuals in the portrait as a single unit. They may, for example, use the same color for both subjects when applying the initial colors, such as cool blues and violets for shadows and warm yellows and oranges for highlights. Doing so helps depict a feeling of closeness between the two people that (C) is / are beyond the mere physical.

* prototypical 전형적인, 원형적인

	(A)	(B)	(C)
①	creates	that	is
②	creating	it	is
③	creating	that	is
④	creating	it	are
⑤	creates	it	are

01 다음 글의 밑줄 친 부분 중, 어법상 틀린 것은? [3점]

기출

Why do we often feel that others are paying more attention to us than they really are? The spotlight effect means seeing ourselves at center stage, thus intuitively overestimating the extent ① to which others' attention is aimed at us. Timothy Lawson explored the spotlight effect by having college students ② change into a sweatshirt with a big popular logo on the front before meeting a group of peers. Nearly 40 percent of them ③ were sure the other students would remember what the shirt said, but only 10 percent actually did. Most observers did not even notice ④ that the students changed sweatshirts after leaving the room for a few minutes. In another experiment, even noticeable clothes, such as a T-shirt with singer Barry Manilow on it, ⑤ provoking only 23 percent of observers to notice — far fewer than the 50 percent estimated by the students sporting the 1970s soft rock singer on their chests.

* sport 자랑해 보이다

02 다음 글의 밑줄 친 부분 중, 어법상 틀린 것은?

Lemmings are the subjects of a persistent myth — they are said ① to commit mass suicide by leaping off seaside cliffs. ② Due to this false belief, based on the fact that migrating lemmings sometimes drown trying to cross rivers, the human phenomenon of choosing to behave in a certain way because everyone else is doing it is known as the "lemming effect." This behavior is a type of double-edged sword in that it can be either wise or foolish ③ for a person to follow the crowd, depending on the situation. A stark example of the dangers of the lemming effect took place in 1987. In a single day, the Dow Jones Industrial Average fell about 23%, despite there ④ being no drop in corporate profits substantial enough to merit such a massive reaction. The sell-off actually began modestly but soon grew into a form of mass hysteria, as more and more investors began to dump their stocks for no other reason than everyone around them ⑤ was doing so.

* lemming 레밍, 나그네쥐

03 (A), (B), (C)의 각 네모 안에서 어법에 맞는 표현으로 가장 적절한 것은?

If something is said to be sustainable, particularly in the context of natural resources, it can be used in such a way that it meets our present needs without threatening the well-being of the future generation. The need for sustainability has become a point of emphasis in recent years, and numerous efforts have (A) been made / made to educate the public about the benefits it brings to human health and well-being, along with the dangers of relying on unsustainable resources. These dangers include pollution — fossil fuel emissions — that has triggered a sharp increase in such ailments as asthma and emphysema in modern times. Furthermore, the car-centric lifestyle associated with unsustainable societies, along with an excess of unhealthy food choices, (B) have / has contributed to the global obesity crisis. Overcrowding, noise pollution, and excessive consumption also tend (C) to drive down / driving down life satisfaction. In a socially sustainable society, people value well-being and health.

* asthma 천식 ** emphysema 폐기종

	(A)	(B)	(C)
①	been made	has	to drive down
②	been made	have	to drive down
③	been made	has	driving down
④	made	has	to drive down
⑤	made	have	driving down

04 다음 글의 밑줄 친 부분 중, 어법상 틀린 것은?

While most people believe that multitasking is a symbol of efficiency and capability, when it comes to tasks that demand conscious attention, it actually is inefficient. The human brain system, which ① <u>includes</u> components such as the cortex and limbic system, may be analogous in function to a parallel processor. But the cortex itself, when ② <u>considered</u> in isolation, is more like a sequential processor — that is to say, it can only process one thing at a time. For this reason, tasks that rely on the focused attention of the cortex cannot be performed ③ <u>simultaneously</u>. You may think you're multitasking, but ④ <u>what</u> you're actually doing is shifting your attention from task to task. Every time your cortex ⑤ <u>shifting</u> attention like this, your brain's processing speed and accuracy slip. On the other hand, tasks like walking and talking are not controlled by the cortex and can therefore be accomplished at the same time with little loss of efficiency in either task.

* cortex (대뇌) 피질 ** limbic (대뇌) 변연계의

01 다음 글의 밑줄 친 부분 중, 어법상 틀린 것은?

There has been a great deal of research in recent years into the alleged health benefits of selflessness, sometimes ①referred to as a "helper's high." Volunteers have been shown to enjoy both lower mortality rates and lower rates of depression than those who don't volunteer. When we behave ②selflessly, our brains release happy hormones such as dopamine and serotonin, which make you feel warm and pleasant inside. It has even been suggested that humans are hardwired for empathy and generosity. This is related to the fact that we possess mirror neurons, which ③are brain cells that show the same response whether we actually perform an action or simply observe it performed by someone else. Therefore, they allow us ④to understand the actions, intentions and feelings of others. This also explains why volunteering is so satisfying—witnessing someone ⑤experienced happiness and gratitude causes our brains to reflect these emotions back onto ourselves.

02 (A), (B), (C)의 각 네모 안에서 어법에 맞는 표현으로 가장 적절한 것은?

As we are constantly pursuing elusive ways to improve our physical health, it is only natural that we find the concept of superfoods appealing. There is an undeniable allure to their unique combination of exaggerated benefits and credible-sounding scientific claims. Of course, superfoods do not usually harm your body, so there is no reason not to (A) pick up them / pick them up when you're at the supermarket. But you can get similar benefits by simply adopting a balanced diet. No single food can miraculously wipe away all of your accumulated health ailments or provide you with the entire range of nutrients your body requires. For example, vitamin deficiencies can be harmful, but excessive levels can potentially be (B) even / very worse. So instead of focusing on any single component, you should be attempting to construct an overall balanced diet from fresh and nutrient-dense foods. (C) Ingest / Ingesting a wide variety of foods ensures that your body gets neither too much nor too little of a particular nutrient.

	(A)	(B)	(C)
①	pick up them	even	Ingesting
②	pick up them	very	Ingest
③	pick them up	even	Ingest
④	pick them up	very	Ingesting
⑤	pick them up	even	Ingesting

03 (A), (B), (C)의 각 네모 안에서 어법에 맞는 표현으로 가장 적절한 것은?

Earth is 93 million miles away from the Sun, which is the reason our planet has a range of temperatures that is conducive to life. But how did Earth come to (A) situate / be situated in such a perfect position—is it just a coincidence? The best way to approach this question is to imagine that you enter a shoe store mistakenly thinking that it carries a single size. When the salesclerk brings you a pair of shoes that fit your feet, you would be (B) amazing / amazed. "What are the chances," you would think, "of the one shoe size in this store being the same as mine?" But when you realize that the store actually stocks most sizes, the question evaporates. Our universe, a place with countless stars orbited by countless planets, represents a similar situation—it's no big surprise that one of those countless planets is positioned at the right distance from (C) their / its host star to allow life to thrive.

* conducive to ~에 도움이 되는

	(A)	(B)	(C)
①	be situated	amazed	their
②	be situated	amazed	its
③	situate	amazing	its
④	situate	amazed	their
⑤	situate	amazing	their

04 다음 글의 밑줄 친 부분 중, 어법상 틀린 것은?

Mice are adorable, lions sing, and a girl can create and control ice and snow, ① all of them are estimated to have a market value of approximately 100 billion US dollars. This bizarre yet profitable world was created by the Disney Creativity Strategy. The strategy is ② divided into three separate modes. The first is known as the dreamer mode, in which participants are encouraged ③ to set their imaginations free and suggest new ideas and previously nonexistent options. Next comes the realist mode, ④ during which the logistics, time constraints, and financial demands of each idea are considered, with trade-offs being made where they are needed. The final step is the critic mode. At this point, everyone plays devil's advocate, ⑤ striving to look at it from the perspective of what could potentially go wrong. Together, these three modes create a balance of imagination and reality in order to build a viable blueprint for each project.

01 (A), (B), (C)의 각 네모 안에서 어법에 맞는 표현으로 가장 적절한 것은?

In the phenomenon known as reciprocity, people tend to feel obligated to return favors after people do favors for them. This desire is exactly (A) what / which businesses are banking on when they offer free samples to customers. Those receiving these samples are likely to feel a compulsion to return the favor, which they often do by making a purchase. A journalist looking into the effects of reciprocity on retail commerce studied the behavior of shoppers at a store known for (B) their / its generous free-sample policy. He noted that there is another factor pushing consumers to spend money. He reported that shoppers experience a heightened awareness of the people around them when accepting free samples, which could create social pressure to make a purchase. Either way, these two psychological effects mean that offering free samples (C) works / working for businesses trying to increase their sales.

* reciprocity 상호[호혜]주의

	(A)		(B)		(C)
①	which	⋯⋯	their	⋯⋯	works
②	which	⋯⋯	its	⋯⋯	working
③	what	⋯⋯	their	⋯⋯	works
④	what	⋯⋯	its	⋯⋯	works
⑤	what	⋯⋯	its	⋯⋯	working

02 다음 글의 밑줄 친 부분 중, 어법상 틀린 것은? [3점]

기출

Are cats liquid or solid? That's the kind of question that could win a scientist an Ig Nobel Prize, a parody of the Nobel Prize that honors research that "makes people laugh, then think." But it wasn't with this in mind ① that Marc-Antoine Fardin, a physicist at Paris Diderot University, set out to find out whether house cats flow. Fardin noticed that these furry pets can adapt to the shape of the container they sit in ② similarly to what fluids such as water do. So he applied rheology, the branch of physics that deals with the deformation of matter, to calculate the time ③ it takes for cats to take up the space of a vase or bathroom sink. The conclusion? Cats can be either liquid or solid, depending on the circumstances. A cat in a small box will behave like a fluid, ④ filled up all the space. But a cat in a bathtub full of water will try to minimize its contact with it and ⑤ behave very much like a solid.

03 (A), (B), (C)의 각 네모 안에서 어법에 맞는 표현으로 가장 적절한 것은?

Virtues are the qualities that members of a specific culture consider praiseworthy. They represent the behavioral expectations of a group that (A) has / have a shared set of beliefs. Some cultures, for example, expect women to be deferential to men, while others view this type of behavior as a form of disrespect. Research has shown that people with a Western perspective of morality often are not aware of the clear distinctions between right and wrong that they draw. But the view (B) that / which things must be either right or wrong is not shared by Mediterranean cultures, where people are more focused on upholding the honor of others. Virtues are not always totally relative to culture; there are some views of courage or cowardice that are widely shared across a broad spectrum of cultures. People who work in cultures (C) different / differently from their own must remain acutely aware that their colleagues may not share their own hierarchy of values.

* deferential to ~에 공손하게 대하는 ** acutely 절실하게

(A)	(B)	(C)
① have	that	differently
② have	which	different
③ has	that	differently
④ has	which	different
⑤ has	that	different

04 다음 글의 밑줄 친 부분 중, 어법상 틀린 것은?

Jet lag is a temporary sleep disorder that occurs when people transit across time zones. The human body is equipped with an internal biological clock ① set on a 24-hour cycle known as a circadian rhythm. When the body clock gets out of synch and needs to be reset, jet lag results. ② More time zones a person crosses in a short period, the more severe the symptoms of jet lag, such as tiredness, insomnia and difficulty staying alert, are likely to be. Part of the problem is caused by a tiny part of the brain ③ called the hypothalamus. The hypothalamus plays significant roles, ④ including the activation of various body functions, such as hunger, thirst, and sleep. When the hypothalamus receives information from the optic nerve telling it that night has fallen, it sets in motion various functions that the body, which is still synched to your original time zone, ⑤ is not ready for. As a result, jet lag occurs.

* hypothalamus 시상하부

01 다음 글의 밑줄 친 부분 중, 어법상 틀린 것은?

It can be agreed that journalists are required to report the truth. However, such a statement is not sufficient on its own, ① for it does not distinguish nonfiction from other expressive endeavors. Novelists, along with poets, filmmakers and painters, often uncover important truths. All of these people create things that mirror reality, and so ② does nonfiction writers. Fiction writers commonly use facts with a view to making their work more realistic, creating authentic worlds ③ in which readers can immerse themselves. Novelists can transport us to historical periods through the use of finely honed, factual details that allow us to suspend our disbelief and experience the past as if it ④ were the present. Nonfiction writers also make use of the tools of novelists to reveal truths in a more dramatic manner. In this way, the line between fact and fiction ⑤ is constantly being blurred.

02 (A), (B), (C)의 각 네모 안에서 어법에 맞는 표현으로 가장 적절한 것은?

"Body positivity" refers to the idea that all people have the right to feel good about their bodies, regardless of (A) that / what society considers ideal in terms of shape, size, and appearance. People are encouraged to think critically about how media messages affect their self-perspective and to develop a healthier and more realistic relationship with their own bodies. Unfortunately, (B) despite / although its good intentions, body positivity has had adverse effects. The idea has become overly commercialized, and some people actually feel guilty for not feeling body positive all the time. For this reason, a new concept has been introduced: body neutrality. The idea is that people should think less about their appearance and focus on all the things their bodies are capable of. In other words, rather than telling (C) you / yourself that you love how your legs look, you should appreciate the fact that they allow you to walk to school every day.

	(A)	(B)	(C)
①	that	despite	yourself
②	that	although	yourself
③	what	despite	you
④	what	although	you
⑤	what	despite	yourself

03 다음 글의 밑줄 친 부분 중, 어법상 틀린 것은?

Our knowledge of the history of ancient Rome is based on the literary output of one extremely narrow demographic — rich, powerful Roman males. These men ① comprised less than half a percent of the Roman empire's total population, yet they achieved an absolute monopoly of authorship of Roman history. This is an obstacle that ② prevents us from fully understanding the point of view of everyday citizens of ancient Rome. The most efficient way of transmitting ideas or historical occurrences ③ is through writing, but there was no mandatory system of formal education in ancient Rome. Only male members of the wealthiest families could expect ④ receiving an education, so few ordinary Romans could read and write. For those that could, a second obstacle to ⑤ preserving their writing was simply that no one made an effort to do so. While the writings of the elite were valued, copied and sometimes protected, those of average people were far less likely to receive such treatment.

04 다음 글의 밑줄 친 부분 중, 어법상 틀린 것은?

The Dunning-Kruger effect is a cognitive bias that causes people who lack skills in or knowledge of a certain field ① to have the tendency to overestimate their related abilities. It was first described by a pair of researchers, Justin Kruger and David Dunning, who conducted an experiment in which subjects were asked to complete tests ② designed to measure their skills in a particular domain. After they finished the test, the subjects were instructed to predict how well they ③ have done on the test. It was found that the subjects generally overestimated their scores, especially those who had in actuality scored the lowest. According to Dunning, "the knowledge and intelligence that ④ are required to be good at a task are often the same qualities needed to recognize that one is not good at that task." In other words, those who lack knowledge about a certain topic often don't know enough to realize ⑤ that their knowledge is limited.

01 (A), (B), (C)의 각 네모 안에서 어법에 맞는 표현으로 가장 적절한 것은?

One of the most complex voices in the opera world is (A) [that / those] of the countertenor, a male singer who develops a falsetto register through the utilization of the edge of his vocal folds. The result is the rarest of voices, one that manages to be similar to a female voice yet possesses masculine vocal power. It is considered simultaneously delightful and disturbing to opera audiences, whose ears are accustomed to (B) [hear / hearing] arias performed by female sopranos. Historically, the countertenor was not considered an operatic voice at all; it was the castrati who would sing female roles, as (C) [it / what] was not at that time deemed proper for women to appear in operas. Today, countertenors may become a progressive vehicle to social and musical change by opening up new musical frontiers for vocalists.

* falsetto (특히 남성의) 가성

** castrati 카스트라티(castrato의 복수형, 어려서 거세한 남성 가수)

	(A)	(B)	(C)
①	that	hear	it
②	that	hearing	it
③	that	hearing	what
④	those	hear	it
⑤	those	hearing	what

02 다음 글의 밑줄 친 부분 중, 어법상 틀린 것은? [3점]

기출

Cutting costs can improve profitability but only up to a point. If the manufacturer cuts costs so deeply ① that doing so harms the product's quality, then the increased profitability will be short-lived. A better approach is to improve productivity. If businesses can get more production from the same number of employees, they're ② basically tapping into free money. They get more product to sell, and the price of each product falls. As long as the machinery or employee training ③ needed for productivity improvements costs less than the value of the productivity gains, it's an easy investment for any business to make. Productivity improvements are as important to the economy as they ④ do to the individual business that's making them. Productivity improvements generally raise the standard of living for everyone and ⑤ are a good indication of a healthy economy.

03 (A), (B), (C)의 각 네모 안에서 어법에 맞는 표현으로 가장 적절한 것은?

It has been said that historians have a different way of thinking — when confronted with contemporary change, they instinctively react by wondering (A) how / what this development differs from developments in the past. This might lead historians to look into the process by which a thriving rural town was reduced to a depressed area filled (B) by / with abandoned factories. Or perhaps it could inspire them to investigate how villages transformed from places where news was spread orally to ones in which the Internet transmits the latest information to everyone all at once. It is in the chronological spaces between such oral cultures and the digital one in which we live that historians do their work. On this topic, the American historian Gordon Wood once wrote that the role of historians "is to describe how people in the past (C) moved / moving chronologically from A to B, with B always closer to us in time."

	(A)	(B)	(C)
①	how	with	moving
②	how	by	moving
③	what	by	moving
④	how	with	moved
⑤	what	with	moved

04 다음 글의 밑줄 친 부분 중, 어법상 틀린 것은?

When pondering any of the age-old questions regarding what the true nature of scientific knowledge is, we must first acknowledge the fact ① that science is, along with several other things, a social enterprise. It is not comprised solely of brilliant individuals ② working in total isolation — instead, along with being an intellectual pursuit, it is a social activity, a job, a pathway to some form of social and economic status. It is important to remember that it is in the interactions between scientists that new knowledge is ③ generated. Furthermore, the motivations for conducting research have a powerful influence on the extent ④ which each new discovery is shared with the rest of the scientific community and society as a whole. This means that we should consider all of the facets of the scientific enterprise whenever we examine the value of ⑤ what it produces.

01 다음 글의 밑줄 친 부분 중, 어법상 틀린 것은?

Tea is one of the most commonly consumed beverages in the world, second only to water. Unless you are allergic to it, you ① cannot have tried tea at some point in your life. There are a myriad of reasons for drinking tea. One clear benefit of tea is ② that it contains beneficial antioxidants — this accounts for the feeling of calm it brings to people. Green tea contains L-theanine, an amino acid which is reported to alleviate anxiety, improve sleep, and reduce stress. In fact, according to preliminary research, L-theanine is as ③ effective as most pharmaceutical drugs when it comes to fighting stress. Even better, it does not trigger the same sort of unpleasant side effects that most commercial medicines ④ do. However, nothing is perfect. Green tea does contain high levels of caffeine, ⑤ which could lead to headaches, insomnia, and digestive issues in certain individuals.

02 다음 글의 밑줄 친 부분 중, 어법상 틀린 것은?

It has been said ① that "hard work beats talent when talent fails to work hard." Although there is a degree of truth to this statement, there seem to be numerous important aspects of our daily life that ② require neither hard work nor talent. Small changes of your gestures can lead to big improvements in your life. You can start by taking a long, hard look at your attitude, and then ③ taking steps to improve it. Human beings are drawn to positivity, and a positive attitude has the capacity to raise the spirits of those around you. Another simple change you can make is committing ④ you to punctuality. Chronic tardiness is often interpreted as a sign of disrespect for the time of the people you're meeting. Adhering to the ⑤ prearranged schedule of your appointments will make a good impression on others and open the door to more opportunities.

03 다음 글의 밑줄 친 부분 중, 어법상 **틀린** 것은? [기출]

Commercial airplanes generally travel airways similar to roads, although they are not physical structures. Airways have fixed widths and defined altitudes, ① which separate traffic moving in opposite directions. Vertical separation of aircraft allows some flights ② to pass over airports while other processes occur below. Air travel usually covers long distances, with short periods of intense pilot activity at takeoff and landing and long periods of lower pilot activity while in the air, the portion of the flight ③ known as the "long haul." During the long-haul portion of a flight, pilots spend more time assessing aircraft status than ④ searching out nearby planes. This is because collisions between aircraft usually occur in the surrounding area of airports, while crashes due to aircraft malfunction ⑤ tends to occur during long-haul flight.

* altitude 고도 ** long haul 장거리 비행

04 다음 글의 밑줄 친 부분 중, 어법상 **틀린** 것은?

Every life will contain days in which everything seems to fall apart. At these times, the best defense is to maintain a firm perspective. My friend Kelly recently described ① what she considered the worst day of her life. On this day, she was involved in a car accident as she arrived on campus. While she was exchanging insurance information with the other driver, her backpack, which contained her sole copy of a research paper she had been working on for weeks, ② being stolen from her damaged vehicle. She was able to keep herself together by focusing on the fact that things could have been ③ much worse. Her car could be repaired, and she could rewrite her paper in considerably less time than it took ④ to write the original draft. Keeping things in perspective kept her calm and cool, ⑤ saving her sanity and allowing her to move forward.

MEMO

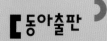
동아출판

시험에 더 강해진다!
보카클리어 시리즈

자세한 우리말 풀이로 혼자서도 쉽게!

하루 25개 40일, 중학 필수 어휘 끝!
중등 시리즈

중학 기본편 | 예비중~중학 1학년
중학 기본+필수 어휘 1000개

중학 실력편 | 중학 2~3학년
중학 핵심 어휘 1000개

중학 완성편 | 중학 3학년~예비고
중학+예비 고등 어휘 1000개

시험에 꼭 나오는 유의어, 반의어, 숙어가 한 눈에!

고교필수·수능 어휘 완벽 마스터!
고등 시리즈

고교필수편 | 고등 1~2학년
고교 필수 어휘 1600개
하루 40개, 40일 완성

수능편 | 고등 2~3학년
수능 핵심 어휘 2000개
하루 40개, 50일 완성

학습 지원 서비스

휴대용 미니 단어장

어휘 MP3 파일

중등

고등

모바일 어휘 학습 '암기고래' 앱
일반 모드 입장하기 〉 영어 〉 동아출판 〉 보카클리어

안드로이드

iOS

Supreme
수프림

정답 및 해설

수능 어법
실전

출판

수능 어법 실전

CHAPTER 01
동사의 종류

핵심 문법 정리 pp. 12-13

핵심 문법 정리 pp. 12-13

1 해가 구름 뒤로 사라졌다.
2 사람들은 여러 가지 이유로 다르다는 느낌이 든다.
3 파일을 열기 위해서는 비밀번호를 필요로 한다.
4 그 프로젝트는 우리에게 팀으로 일하는 것의 가치를 가르쳐 주었다.
5 소년들은 자신들의 연이 하늘 높이 나는 것을 보았다.

어법 출제 POINT pp. 12-13

1 objects to	2 attend	3 lie	4 confident
5 comfortable	6 waiting	7 feel	8 delivered
9 to take	10 to pay	11 do	12 was

1 objects to
해석 그 화가는 작년 9월에 갱신된 계약 조항에 반대한다.

2 attend
해석 그는 직업 학교에서 열리는 약물에 관한 자신의 강연에 참석하라고 우리를 초대했다.

3 lie
해석 나는 해변에 누워서 햇살을 즐길 수 있는 목적지를 찾았다.

4 confident
해석 나는 눈물을 참느라 안간힘을 쓰고 있었지만, 내 목소리는 자신감 있게 들리기를 바랐다.

5 comfortable
해석 당신은 땀 흘리는 것을 피하고 쾌적하게 유지하기 위해 체온을 조절할 수 있다.

6 waiting
해석 우리는 뉴욕시의 극장가에서 많은 사람들이 공연을 보기 위해 기다리고 있는 것을 보았다.

7 feel
해석 인정받고 칭찬받는 것은 그 사람이 중요하다고 느끼게 한다.

8 delivered
해석 본인이 주문한 것을 직접 가져갈 수도 있고, 소액의 요금을 내고 배달되게 할 수도 있다.

9 to take
해석 그녀는 나에게 엘리베이터 대신에 계단을 이용하라고 조언했다.

10 to pay
해석 전문가들은 부모들에게 자녀의 카시트에 대해 각별한 주의를 기울이라고 권유한다.

11 do
해석 샐러드 채소는 묽은 수프가 그런 것처럼 높은 수분 함량을 갖고 있다.

12 was
해석 그 행성은 20세기 중반보다 거의 섭씨 1도만큼 더 따뜻하다.

어법 적용 연습 pp. 14-15

A 1 lead to   2 delicious   3 does   4 rose
   5 to create
B 1 ○   2 reach   3 scribble(scribbling)   4 ○
   5 were   6 repaired / contact   7 cautious / ○
   8 try(trying) / cross   9 approach / apologize to
C 1 ② to be   ③ confident   2 ② to record   ③ did
   3 ② (to) foster   ③ reliable

A

1 lead to
해석 '더 열심히 노력하는 것'이 재능, 장비, 또는 기술의 대체제가 되지는 않지만, 이것이 절망을 초래해서는 안 된다.
해설 lead는 1형식 동사로 목적어를 취하려면 전치사와 함께 써야 하므로 lead to가 적절하다.

2 delicious
해석 사람들은 그들의 스마트폰으로 맛있게 보이는 음식 사진을 찍고 싶어 한다.
해설 감각동사 look은 주격보어로 형용사를 취하는 2형식 동사이므로 delicious가 적절하다.

3 does
해석 체중이 늘어날수록 고혈압, 당뇨병, 그리고 심장병과 같은 심각한 문제의 위험성도 높아진다.
해설 앞에 나온 동사구 goes up의 반복을 피하기 위해 대동사가 와야 하고, 주어 the risk of serious problems가 단수이므로 does가 적절하다.

4 rose
해석 지구의 온도는 빙하기와 간빙기를 거치며 일정한 속도로 상승하고 하락했다.
해설 rise는 '오르다'라는 의미의 자동사이고, raise는 '올리다'라는 의미의 타동사이다. 문맥상 '온도가 오르다'라는 의미가 자연스럽고 동사 뒤에 목적어가 없으므로 rose가 적절하다.

5 to create
해석 그 교사는 학생들에게 어휘 목록을 보여 주었고, 그 어휘 목록을 가지고 문장을 만들어 보라고 시켰다.
해설 ask는 to부정사를 목적격보어로 취하는 동사이므로 to create가 적절하다.

B

1 ○

해석 회원권은 자동으로 갱신될 것이며, 이 계약은 내년 1년 동안 유효할 것이다.

해설 상태동사 remain은 주격보어로 형용사를 취하는 동사이므로 effective가 쓰인 것은 맞다.

2 reach

해석 우리가 취업 연령에 도달할 때쯤이면, 우리가 효과적으로 수행할 수 있는 한정된 범위의 직군이 있다.

해설 reach는 목적어 앞에 전치사가 필요 없는 타동사이므로 reach로 고쳐야 한다.

3 scribble(scribbling)

해석 인터뷰를 녹음하는 것이 누군가가 노트에 쓰는 것을 보는 것보다 인터뷰 대상자에게는 덜 불안할 수 있다.

해설 지각동사의 목적어와 목적격보어의 관계가 능동이거나 동작이 진행 중임을 나타낼 때는 목적격보어로 동사원형이나 현재분사를 쓸 수 있으므로 scribble(scribbling)로 고쳐야 한다.

4 ○

해석 기상학자들이 기온이 계속 오를 것이라고 예상함에 따라 사람들은 더위로부터 자신들을 보호하라는 권고를 받는다.

해설 expect는 to부정사를 목적격보어로 취하는 동사이므로 to keep이 쓰인 것은 맞다.

5 were

해석 낮은 가격이 과거에 그랬던 것만큼 중요하지 않기 때문에 그 식품 회사는 전략을 변경했다.

해설 앞에 나온 동사 are의 반복을 피하기 위해 대동사가 와야 하는데 주어가 복수 they이고 시점이 과거 in the past이므로 were로 고쳐야 한다.

6 repaired / contact

해석 새 제품을 구입하거나 고장 난 제품을 수리받기 위해서는 217-123-4567로 연락하거나 admin@electronicadd.com으로 이메일을 보내주시면 됩니다.

해설 사역동사 have의 목적어와 목적격보어의 관계가 수동이므로 repaired로 고쳐야 한다. / contact는 목적어 앞에 전치사가 필요 없는 타동사이므로 contact로 고쳐야 한다.

7 cautious / ○

해석 한 전문가는 "당신이 아이들의 능력을 칭찬하면 그들은 더 조심스러워진다. 그들은 도전을 피한다."라고 하였다. 그것은 마치 아이들이 그들을 실패하게 하여 당신의 인정을 잃게 할 수도 있는 어떤 것을 실행하는 것을 두려워하는 것과 같다.

해설 상태동사 become의 주격보어로 형용사가 와야 하므로 cautious로 고쳐야 한다. / 사역동사 make의 목적격보어로 동사원형이 와야 하므로 fail이 쓰인 것은 맞다.

8 try(trying) / cross

해석 운전자들은 길을 건너려는 시각 장애인들을 볼 때 각별히 주의해서 그들이 자신의 시간을 갖고 건너게 해야 한다.

해설 지각동사 see의 목적격보어로 동사원형 또는 현재분사가 와야 하므로 try 또는 trying으로 고쳐야 한다. / 사역동사 let의 목적격보어로 동사원형이 와야 하므로 cross로 고쳐야 한다.

9 approach / apologize to

해석 당신이 만약 논쟁을 하고 누군가의 감정을 상하게 한다면, 상대방이 진정할 때까지 기다리고 나서 다시 다가가라. 당신이 먼저 상대방에게 사과를 한 다음에, 신뢰를 회복하도록 노력하라.

해설 approach는 타동사로 전치사가 필요하지 않으므로 approach로 고쳐야 한다. / apologize는 자동사로 목적어를 취하려면 전치사와 함께 써야 하므로 apologize to로 고쳐야 한다.

C

1 ② to be ③ confident

해석 아이들이 자신감을 키울 수 있게 하고 용기를 내도록 독려하는 것은 좋은 생각이다. 젊은이들은 위험을 감수하고, 새로운 것을 시도하고, 다른 사람들과 같지 않을 수도 있는 의견을 터놓고 나눌 만큼 자신감이 있어야 한다.

해설 ② encourage는 to부정사를 목적격보어로 취하는 동사이므로 to be로 고쳐야 한다. ③ 상태동사인 be동사의 주격보어로 형용사가 와야 하므로 confident로 고쳐야 한다.

2 ② to record ③ did

해석 인간의 뇌는 방대한 양의 정보를 수집하고, 복잡한 문제를 다루고, 해결책에 도달할 수 있다. 이러한 능력은 우리가 글쓰기, 음악, 미술을 통해 우리의 생각을 기록하게 한다. 우리가 진화함에 따라 자기 표현의 능력도 진화했다.

해설 ② allow는 to부정사를 목적격보어로 취하는 동사이므로 to record로 고쳐야 한다. ③ 앞에 나온 동사 evolved를 대신하는 동사가 와야 하므로 과거시제 did로 고쳐야 한다.

3 ② (to) foster ③ reliable

해석 그래픽은 새로운 고객을 끌어들이는 기회를 제공할 뿐만 아니라 고객들의 충성도를 조성하는 데에도 기여한다. 연구들은 고객들이 시각적으로 매력적인 웹사이트를 더욱 신뢰할 수 있다고 여기고, 따라서 그곳에서 물건을 살 가능성이 더 높다는 것을 보여 준다.

해설 ② help는 준사역동사로 목적격보어로 동사원형이나 to부정사가 모두 올 수 있으므로 (to) foster로 고쳐야 한다. ③ consider는 목적어와 목적격보어를 취하는 5형식 동사로서 목적격보어로 형용사가 와야 하므로 reliable로 고쳐야 한다.

어법 실전 Test

pp. 16-17

1 ③   2 ⑤   3 ③

1 ③

지문 해석

① 비록 우리가 많은 관심을 기울이지 않지만, 물은 사실 자연의 많은 법칙을 깨뜨리는 기괴한 물질이다. ② 우리가 얼음 조각을 물컵에 떨어뜨리면 어떤 일이 일어나는지 생각해 보라. 고형 버터는 뜨거운 팬 안에서 녹은 버터 위에 뜨지 않지만, 얼음은 물에 뜬다. ③ 이는 대부분의 물질이 온도가 내려가면 밀도가 지속적으로 증가하지만, 물은 4 ℃에 도달할 때까지만 밀도가 증가하고, 그 지점(4 ℃)에서는 실제로 밀도가 낮아지기 시작한다는 사실 때문이다. ④ 이는 수역이 위에서부터 아래로 얼어붙는다는 것을 의미하는데,

이것은 추워지는 세계 일부 지역에서 수생 생물들이 생존할 수 있게 해 준다는 사실이다. 물의 이 기묘한 특성은 우리 행성에서 생명체가 번성할 수 있게 해 준 것이다. ⑤ 만약 물이 위에서 아래로 어는 대신 아래에서부터 위로 얼어붙었다면, 우리의 바다는 빙하 시대에 굳어져서 수많은 종들을 죽였을 것이다.

어법 분석

① 접속사 ② 의문사
③ 상태동사 주격보어 ④ to부정사 목적격보어
⑤ 가정법

정답 해설

③ ... until it reaches 4 ℃, at which point it actually begins
(= at 4 ℃)
to grow less (densely → dense).
2형식 동사   보어

▶ grow는 상태 변화를 나타내는 2형식 동사 보어를 취해야 하므로 부사가 아닌 형용사 dense로 고쳐야 한다.

오답 해설

① [Although we rarely pay it much attention], water is
접속사   주어   동사   주어 동사
actually a bizarre substance [that breaks many laws of
선행사   주격 관계대명사절
nature].

▶ 뒤에 「주어+동사」의 절의 형태가 이어지므로 접속사 Although가 쓰인 것은 적절하다.

② Consider [what happens {when we drop an ice cube into
동사   간접의문문(의문사(주어)+동사)   부사절
a glass of water}].

▶ consider의 목적어 역할을 하는 간접의문문을 이끄는 의문사 what이 쓰인 것은 적절하다. 여기서는 의문사가 간접의문문의 주어 역할을 한다.

주격 관계대명사절
④ ..., a fact [that enables aquatic creatures to survive in
동사   목적어   목적격보어
the parts of the world {that get cold}].
주격 관계대명사절

▶ enable은 to부정사를 목적격보어로 취하는 동사이므로 to survive가 쓰인 것은 적절하다.

⑤ ... if water froze [from bottom up] [instead of top down],
주어   동사   전치사구   전치사구
our oceans would have solidified [during the ice ages], ...
주어   동사   전치사구

▶ 이런 현상이 실존할 경우, 과거 빙하기에 있었을 결과에 대해 현재 시점에서 가정하는 내용이므로 if절에는 가정법 과거, 주절에는 과거완료가 쓰인 혼합 가정법으로써 「조동사의 과거형+have p.p.」로 would have solidified가 쓰인 것은 적절하다.

2 ⑤

지문 해석

① 모든 농부들은 밭이 준비되도록 하는 것이 어려운 부분임을 안다. ② 씨앗을 심고 그것들이 자라는 것을 보는 것은 쉽다. 과학과 산업의 경우, 공동체가 밭을 준비하지만, 사회는 우연히 성공적인 씨앗을 심은 개인에게 모든 공로를 돌리는 경향이 있다. 씨앗을 심는 것은 반드시 엄청난 지능을 필요로 하는 것은 아니다. ③ 씨앗이 번성하게 해 주는 환경을 만드는 것이 그러하다. 우리는 과학, 정치, 사업 그리고 일상에서 공동체에 좀 더 많은 공로를 인정해 줄 필요가 있다. Martin Luther King Jr.는 위대한 사람이었다. ④ 아마도 그의 가장 큰 강점은 모든 역경에 맞서, 사회의 인종에 대한 인식과 법의 공정성에 있어 혁명적인 변화들을 성취하기 위해서 사람들이 함께 노력하도록 고무시키는 능력이었다. ⑤ 그러나 그가 성취한 것을 진정으로 이해하는 것은 그 사람 너머를 보는 것을 요구한다. 그를 모든 위대한 것들의 구현으로 여기는 대신에 우리는 미국이 위대해질 수 있음을 보여 주게 하는 데 있어서 그의 역할을 인정해야 한다.

어법 분석

① get+목적어+p.p.(목적격보어) ② 대명사
③ 대동사 ④ to부정사
⑤ 관계대명사 what

정답 해설

⑤ But [to really understand {that(→ what) he accomplished}]
주어(to부정사구)   관계대명사절   주어   동사
requires looking beyond the man.
동사

▶ understand의 목적어가 없고 뒤에 불완전한 절이 이어지므로 선행사를 포함한 관계대명사 what으로 고쳐야 한다.

오답 해설

① Every farmer knows [that the hard part is getting the
주어   동사   목적어   주어   동사 동명사 목적어
(명사절)
field prepared].

▶ 동사 get의 목적어 the field는 '준비되어지는' 것으로 목적격보어와 수동의 관계를 나타내므로 과거분사 prepared가 쓰인 것은 적절하다.

② [Inserting seeds and watching them grow] is easy.
주어(동명사구)   지각동사   목적어 목적격보어└동사

▶ 앞에 나온 명사 seeds의 반복을 피하기 위해 대명사 them이 쓰인 것은 적절하다.

부분부정(반드시 ~한 것은 아니다)
③ Planting a seed does not necessarily require overwhelming
주어(동명사구)   └── 동사 ──┘   목적어
intelligence; [creating an environment {that allows seeds to
주어(동명사구)   주격 관계대명사절
prosper}] does.
대동사

▶ 앞에 나온 require overwhelming intelligence를 대신하는 대동사로 주어 creating ~ prosper가 동명사구이므로 단수동사 does가 쓰인

것은 적절하다.

④ Perhaps his greatest strength was his ability [to inspire
　　　　　　　주어　　　　　　　 동사　　　보어

people to work together to achieve, ...].

▶ 「one's ability to-v」는 '~하는 …의 능력'이라는 의미로 쓰이므로 to부
정사 to inspire가 쓰인 것은 적절하다.

(C) ... all incoming ships had to anchor in the harbor for 40
　　　　　　　　주어　　　　　 동사

days to screen for infection [**before** anyone was allowed to
to부정사 부사적 용법(목적)　　　　　　 접속사　　　 allow+목적어+to-v의

come ashore].　　　　　　　　　　　　　　　　　　　수동태

▶ allow는 to부정사를 목적격보어로 취하는 동사로 수동태로 쓰면 목적격
보어는 동사 뒤에 그대로 써야 하므로 to come이 적절하다.

---

3 ③

지문 해석

흑사병이 중세 유럽을 황폐화시켰을 때, 의사들과 보건 관리들은 바이러스
나 박테리아에 대한 기본적인 지식조차 갖지 못했다. 그러나 흑사병에 대한
그들의 이해는 그들로 하여금 몇 가지 중요한 반 전염 조치를 실행에 옮기게
했다. (A) 1348년 흑사병이 이탈리아 주요 도시에 도달한 직후, 지방 정부
들은 표면을 소독하도록 유지하고 사회적 거리두기를 실시하는 오늘날의 조
치와 놀랄 만큼 유사한 전략을 시행하기 시작했다. (B) 중세 도시 보건 관리
들은 물건을 만짐으로써 질병이 퍼질 수 있기 때문에 거래상들이 거래되고
있는 상품에 주의해야 하고, 대면 접촉도 제한되어야 한다는 점을 이해했다.
(C) 예를 들어, 베니스에서는 입항하는 모든 배들은 누구든 상륙을 허가받
기 전에 감염 여부를 검사하기 위해 40일 동안 항구에 정박해야 한다고 명
하는 법령을 통과시켰다. 이 기다림의 기간은 'quarantino'라고 불렸는데,
이는 40일을 의미하는 이탈리아어에서 유래되었다.

어법 분석

(A) 자동사
(B) 접속사
(C) 5형식 수동태

정답 해설

(A) [Shortly **after** the plague arrived in major Italian cities in
　　　　　　　접속사　　 주어　　　 동사

1348], local governments began implementing strategies ....
　　　　　　　　주어　　　　 동사　　　　 목적어

▶ arrive는 자동사이므로 목적어를 취하려면 뒤에 전치사 at이나 in이 필
요하지만 reach는 타동사로 전치사가 필요하지 않으므로 arrived가 적
절하다.

(B) ... traders had to be careful with goods [**that** were being
　　　　　　　　　　　　　　　　　　　　　　　　↑┘ 주격 관계대명사절

traded] [**because** the disease could be spread by touching
　　　　　 접속사　　　 주어　　　　　 동사　　　└~함으로써┘

objects], ...

▶ 뒤에 「주어+동사」의 절의 형태가 이어지므로 접속사 because가 적절
하다.

※☆ **빈출 어법**　　　　　　　　　　　　　　　　p. 18

1 ③, ⑤　　 2 caused the conflict between them to get
worse　　 3 let students use the downstairs bathroom
until 6　　 4 heard a dog bark(barking) next door around
midnight yesterday　　 5 (A) 그의 친구 Jack도 지난주에 보고서
를 제출했다.　(B) Ben도 내 전화를 받지 않았다.　　 6 would be to
look at their facial expression　　 7 ③

1 ③, ⑤
해석 ① 우리는 풀밭에 누워서 새들의 노랫소리를 들었다.
② 위층에서 들려오는 소음이 매우 크게 들렸다.
③ John은 방 안에 있는 모든 사람들에게 추후 통지가 있을 때까지 가
만히 있으라고 권고했다.
④ 사고 발생 2분 뒤 승객들은 열차가 다시 흔들리는 것을 느낄 수 있었다.
⑤ Roland는 나에게 다음 날 다시 오겠다고 말했지만, 오지 않았다.
해설 ③ encourage는 to부정사를 목적격보어로 취하는 동사이므로
be를 to be로 고쳐야 한다.
⑤ 앞에 나온 동사구 come back의 반복을 피하기 위해 대동사를 써
야 하므로 wasn't를 didn't로 고쳐야 한다.

2 caused the conflict between them to get worse
해설 '~가 …하도록 야기시키다'는 「cause+목적어+to-v」 구문으
로 쓴다.

3 let students use the downstairs bathroom until 6
해설 '~가 …하도록 하다'는 「let+목적어+동사원형」 구문으로 쓴다.

4 heard a dog bark(barking) next door around midnight
yesterday
해설 지각동사는 목적격보어를 동사원형이나 현재분사로 쓸 수 있으며,
현재분사를 쓸 때에는 진행의 의미를 가진다. 부사들이 여러 개 있을 때
는 「장소 – 방법 – 시간」의 순서대로 나열한다.

5 (A) 그의 친구 Jack도 지난주에 보고서를 제출했다.
(B) Ben도 내 전화를 받지 않았다.
해석 (A) Tim이 지난주에 보고서를 제출했고, 그의 친구 Jack도 그
랬다.
(B) Rupert는 내 전화를 받지 않았다. Ben도 또한 받지 않았다.
해설 (A) did는 대동사로 쓰여 앞에 나온 handed in the report
last week를 대신한다.

(B) 앞 문장이 부정문일 때 「neither+(조)동사+주어」 구문은 '~도 그렇지 않다'의 의미를 갖는다.

6 - 7

지문 해석

당신은 누군가가 느끼는 것을 어떻게 알 수 있는지에 대해 생각해 본 적이 있는가? 친구들은 자신의 심정을 말해 줄지 모르지만, 설사 말하지 않았더라도 그들이 어떤 기분이었는지 짐작할 수 있을 것이다. 당신은 그들의 목소리 어조에서 실마리를 얻을지도 모른다. 그들은 화가 났을 때 목소리를 높일지도 모른다. 실마리를 찾는 또 다른 방법은 그들의 표정을 보는 것일 것이다. 우리는 얼굴을 많은 다른 위치로 움직일 수 있게 해 주는 수많은 근육을 가지고 있다. 이것은 우리가 특정한 감정을 느낄 때 자연적으로 일어난다.

6 would be to look at their facial expression

해설 문장의 동사는 would be이며 주격보어인 '보는 것'은 to부정사의 명사적 용법을 활용하여 쓸 수 있다. look은 자동사로써 목적어를 취하려면 전치사가 필요하므로 '~을 보다'라는 의미의 look at을 써야 한다.

7 ③

해설 ① feeling의 목적어가 없으므로 선행사를 포함하는 관계대명사 what으로 고쳐야 한다.
② be able to 뒤에는 동사원형이 와야 하므로 make로 고쳐야 한다.
③ 목적어 their voices가 동사 바로 뒤에 이어지므로 자동사인 rise를 타동사 raise로 고쳐야 한다. rose는 rise의 과거형이다.
④ enable은 목적격보어로 to부정사를 취하는 동사이므로 to move로 고쳐야 한다.
⑤ 동사 happens를 수식하는 것은 부사이므로 spontaneously로 고쳐야 한다.

CHAPTER 02
수 일치

핵심 문법 정리   pp. 20-21

1 나의 이웃 사람들은 서로 돕는 것을 좋아한다.
2 5킬로그램을 빼는 것이 나의 목표이다.
3 내가 하고 싶은 것은 콘서트에 가는 것이다.
4 그가 모든 상자들을 재활용했다는 것은 인상적이다.

어법 출제 POINT   pp. 20-21

1 conceals	2 was	3 remains	4 has	5 guides
6 is	7 are	8 was	9 use	10 are
11 comes	12 occurs	13 is	14 were	15 has
16 has	17 offers	18 were		

1 conceals
해석 사회들 사이의 차이점에 집중하는 것은 더 깊게 실체를 숨긴다.

2 was
해석 우리의 신발을 차별화시켰던 것은 모든 신발이 수제로 만들어졌다는 점이었다.

3 remains
해석 그가 어떻게 그 치명적인 바이러스에 감염되었는지는 의사들에게 의문점으로 남아 있다.

4 has
해석 그 치료법이 아이들에게 이로운지는 아직 결정되지 않았다.

5 guides
해석 일상적인 습관의 작은 변화가 당신의 인생을 다른 목적지로 이끌어 준다.

6 is
해석 소비자의 관심과 충성심을 이끌어 내는 능력은 사업 성장에 결정적이다.

7 are
해석 섬에 살고 있는 지역 주민들만 이곳에서 개업하는 것이 허용된다.

8 was
해석 항공기의 내부를 청소하는 데 사용된 화학 물질이 객실 내부로 흘러나왔다.

9 use
해석 전동 스쿠터를 이용하는 학생들의 안전을 보장하기 위해 우리는 보다 강력한 규제가 필요하다.

10 are
해석 기름기가 많은 생선은 비타민 A와 D가 풍부한데, 그것들은 아이들의 성장에 중요하다.

11 comes

해석 모든 과일 섭취의 거의 90%는 단일 과일, 과일 샐러드 또는 과일 주스에서 나온다.

12 occurs

해석 가짜 뉴스 확산의 대부분은 무책임한 공유를 통해 발생한다.

13 is

해석 이 약의 가장 흔한 부작용들 중 하나는 졸음이다.

14 were

해석 별장 앞에는 모든 종류의 과일 나무들이 있었다.

15 has

해석 그 사업가는 예전에 자선 단체에 기부하거나 자원봉사를 한 적이 한번도 없다.

16 has

해석 참가자의 수가 예년과 비교했을 때 증가했다.

17 offers

해석 각각의 하와이 섬은 고유한 기후와 지형도를 제공한다.

18 were

해석 부상자들은 군기지 근처에 있는 의료 시설로 이송되었다.

어법 적용 연습

pp. 22-23

A **1** are **2** were **3** has **4** is **5** enhances
B **1** creates **2** ○ **3** helps **4** has **5** ○ **6** is / ○
  7 provides / ○ / prevent **8** ○ / have **9** ○ / is / are
C **1** ① are ② was **2** ① comes ③ releases
  3 ① was ③ was

A

1 are

해석 저희는 현재 미디어학 수업을 수강하고 있는 지방 대학 학생들입니다.

해설 주격 관계대명사 who의 선행사 students가 복수이므로 복수동사 are가 적절하다.

2 were

해석 11세기 이후에야 다이아몬드가 보석으로 착용되었는데, 그것들은 여전히 세공되지 않은 형태로 사용되었다.

해설 부정어가 문두에 와서 주어와 동사가 도치된 경우로 주어 diamonds가 복수이므로 복수동사 were가 적절하다.

3 has

해석 전 세계적으로 기아로 고통받는 사람들의 수가 3년 연속 증가했다.

해설 「the number of+복수명사」는 단수 취급하므로 단수동사 has가 적절하다.

4 is

해석 이탈리아에서 팁을 주는 것은 관례이며, 식당에서는 금액의 10~15퍼센트 정도가 적정하다.

해설 percent of 다음에 단수명사 the bill이 왔으므로 단수동사 is가 적절하다.

5 enhances

해석 당신의 소셜 미디어 계정에 팔로워 수가 많으면 당신이 현실 세계에서 하는 일을 향상시킨다.

해설 전치사구의 수식을 받은 동명사구 주어이므로 단수동사 enhances가 적절하다.

B

1 creates

해석 모바일 기기 사용의 증가는 해커들이 민감한 정보를 훔칠 수 있는 새로운 기회를 만든다.

해설 전치사구의 수식을 받는 주어 The growing use가 단수이므로 단수동사 creates로 고쳐야 한다.

2 ○

해석 수학과 관련된 가장 초기의 대회는 16세기 및 17세기로 거슬러 올라간다.

해설 현재분사구의 수식을 받는 주어 The earliest contests가 복수이므로 복수동사 date가 쓰인 것은 맞다.

3 helps

해석 어린 나이에 제2외국어를 배우는 것은 아이들의 인지 발달에 도움이 된다.

해설 동명사구 주어는 단수 취급하므로 단수동사 helps로 고쳐야 한다.

4 has

해석 그의 보존 식품 일부가 프랑스 해군에서 검증을 받았는데 프랑스 해군은 그것의 품질에 깊은 인상을 받았다.

해설 some of 뒤에 단수명사 his preserved food가 왔으므로 단수동사 has로 고쳐야 한다.

5 ○

해석 현재 많은 IT 기업들이 고유의 음성 보조 서비스를 제공하고 있다.

해설 「a number of+복수명사」는 '많은 ~'이라는 의미로 항상 복수 취급하므로 복수동사 are가 쓰인 것은 맞다.

6 is / ○

해석 사과를 하는 가장 좋은 방법 중 하나는 당신의 행동에 책임이 있다는 것을 인정하는 것이다. 당신이 화나게 한 사람들이 당신이 틀렸다는 것을 받아들이는 것을 보면 그들은 당신을 용서하기 시작할 것이다.

해설 「one of+최상급+복수명사」는 '가장 ~한 것 중 하나'라는 뜻으로 항상 단수 취급하므로 단수동사 is로 고쳐야 한다. / 관계대명사가 생략된 관계사절의 수식을 받는 주어 people이 복수이므로 복수동사 see가 쓰인 것은 맞다.

7 provides / ○ / prevent

해석 계단을 오르는 것은 좋은 운동이 된다. 이동 수단으로 걷거나 자전거를 타는 사람들 역시 신체 활동의 필요를 충족시킨다. 하지만 많은 사람들은 그들의 주변 환경에서 그러한 선택을 가로막는 장벽을 마주하게 된다.

해설 동명사구 주어는 단수 취급하므로 단수동사 provides로 고쳐야 한다. / 관계사절의 수식을 받는 주어 People이 복수이므로 복수동사 meet이 쓰인 것은 맞다. / that절은 주격 관계대명사절로 주어에 해당하는 선행사 barriers가 복수이므로 복수동사 prevent로 고쳐야 한다.

8 ○ / have

해석 현재 캘리포니아에는 수백만 명의 이민자들이 거주한다. 세계 각국의 사람들이 미국으로 이주하였는데, 이들 이민자들의 대다수는 남아메리카와 아시아, 멕시코 출신이다.

해설 전치사구의 수식을 받는 주어 People이 복수이므로 복수동사 have가 쓰인 것은 맞다. / the majority of 다음에 복수명사 these immigrants가 왔으므로 복수동사 have로 고쳐야 한다.

9 ○ / is / are

해석 지도의 내용과 목적은 다르지만 대부분의 공통점은 지도가 현실를 나타내고 실제 지형적 특징을 묘사하는데 사용되는 기호들을 포함하고 있다는 것이다.

해설 「both+복수명사」는 복수 취급하므로 복수동사 vary가 쓰인 것은 맞다. / 관계대명사 what절이 주어로 쓰이는 경우 단수 취급하므로 단수동사 is로 고쳐야 한다. / that절의 주어에 해당하는 선행사 symbols가 복수이므로 복수동사 are로 고쳐야 한다.

C

1 ① are ② was

해석 오늘날 농장에서 식용으로 사육되는 닭은 과거의 닭보다 두 배이상 크다. 예를 들어, 1955년 슈퍼마켓에서 판매된 닭의 평균 무게는 3.07 파운드에 불과했지만 2016년에는 6.18 파운드에 달했다.

해설 ① 관계사절의 수식을 받는 주어 Chickens가 복수이므로 복수동사 are로 고쳐야 한다. ② 전치사구의 수식을 받는 주어 the average weight가 단수이므로 단수동사 was로 고쳐야 한다.

2 ① comes ③ releases

해석 화석 연료의 에너지는 고대 식물이 오래 전에 햇빛을 받아 생산한 에너지에서 나오는 것이다. 이러한 연료에 저장된 에너지는 연소될 때 방출되며, 그것은 대기 중으로 이산화탄소도 방출한다.

해설 ① 주어 The energy가 단수이므로 단수동사 comes로 고쳐야 한다. ③ 계속적 용법의 주격 관계대명사 which의 선행사는 앞 절의 The energy이므로 단수동사 releases로 고쳐야 한다.

3 ① was ③ was

해석 노벨상을 수상한 생물학자 Peter Medawar는 과학에 쏟은 그의 시간 중 약 5분의 4 정도가 헛되었다고 말하면서, "거의 모든 과학적 연구가 성과를 내지 못한다."고 애석해하며 덧붙여 말했다. 상황이 악화되고 있을 때 이 모든 사람들을 계속하게 했던 것은 자신들의 주제에 대한 그들의 열정이었다.

해설 ① 「분수+of+단수명사」는 단수 취급하므로 단수동사 was로 고쳐야 한다. ③ 관계대명사 what절 주어는 단수 취급하므로 단수동사 was로 고쳐야 한다.

1 ⑤   2 ②   3 ③

1 ⑤

지문 해석

(A) 현대 개인들은 흔히 현재 '페어플레이'라는 스포츠 개념과 연관되어 있는 가치들이 항상 존재해 왔고 운동선수들에 의해 지켜질 것으로 기대되어 왔다는 것을 당연하게 여긴다. 그러나 이것은 잘못된 믿음이다. (B) 스포츠에 대한 고대 그리스인들의 이해의 중심에는 페어플레이가 아닌 명예와 영광이라는 가치가 있었다고 지적되어 왔다. (C) 흔히 진정한 스포츠 정신을 대변한다고 하는 그리스의 경기는 오늘날 우리가 그 단어를 이해하는 의미에서의 '공정성'에 대한 강조를 포함하지 않았다. 예를 들어, 현대 레슬링에서는 각각의 경기가 '공정'하다는 것을 확실히 하기 위해, 격투자는 체중의 비슷함에 근거하여 서로 대전한다. 고대 그리스에서는 그렇지 않았다. 사실은 '페어플레이'는 상당히 근래에 발전한 현대적인 개념으로 우리가 적절한 사회적 행동을 어떻게 보는가에 있어 빠르게 필수적인 부분이 되었다.

어법 분석

(A) 수동태로 쓸 수 없는 동사
(B) 수 일치(도치)
(C) 전치사+관계대명사

정답 해설

(A) ... the values [**that** are currently associated with the
    주어 └─────┘ 주격 관계대명사절

sporting concept of "fair play"] have always **existed** and
(have) └─── 동사1 ───┘

been expected to be upheld by athletes.
동사2

▶ exist는 자동사로 수동태를 만들 수 없으므로 existed가 적절하다.

(B) ... [**central** to the ancient Greeks' understanding of
    주격보어(형용사구)

sports] were the values of honor and glory, not fair play.
동사   주어

▶ 보어에 해당되는 형용사구 central to ~ of sports가 문두에 위치하여 주어와 동사가 도치되었다. 복수명사 the values가 핵심 주어이므로 복수동사 were가 적절하다.

(C) ..., did not involve an emphasis on "fairness" in the
    동사

sense [in which we understand that word today].
└── 관계사절 주어   동사   목적어

▶ 관계사 다음에 완전한 절이 이어지므로 관계사절 내에서 선행사는 부사의 역할을 해야 하므로 전치사와 함께 쓰인 in which가 적절하다.

2 ②

지문 해석

① 인간은 점점 확장되는 도구 세트를 이용하기 시작했다는 점에서 유일무이할 뿐만 아니라 외부 에너지원을 이용하는 복잡한 형태를 만들어 낸 지구상 유일한 종이다. ② 이것은 근본적인 새로운 발전이었는데 거대한 역사에서 (그 발전과 같은) 전례가 없었다. 이러한 능력은 인간이 불을 통제하기 시작했던 150만 년 전에서 50만 년 전 사이에 처음으로 생겨났을지도 모른다. ③ 적어도 5만 년 전부터 기류 및 수류에 저장된 에너지의 일부가 운항에 사용되었고, 그리고 훨씬 후에, 최초의 기계에 동력을 제공하는 데에도 사용되었다. ④ 1만 년 전 즈음에, 인간은 식물을 경작하고 동물을 길들여서 이런 중요한 물질 및 에너지 흐름을 통제하는 법을 배웠다. 곧 인간은 동물의 근력을 이용하는 법도 배우게 되었다. ⑤ 약 250년 전에는, 많은 다양한 종류의 기계에 동력을 공급하는 데 화석 연료가 대규모로 사용되기 시작하였고, 그렇게 함으로써 오늘날 우리에게 익숙한 사실상 무한한 양의 인공적인 복잡성을 만들어 내었다.

어법 분석

① 주격보어(형용사)　　　　② 전치사+관계대명사
③ 「부정대명사+of+명사」 수 일치　　④ 병렬
⑤ 분사구문

정답 해설

② This was a fundamental new development, which(→ for
　　　　　　　　　　　　　　　　선행사　　　　　계속적 용법의 관계대명사
which) there were no precedents in big history.

▶ 관계사 뒤에 완전한 절이 이어지고, 선행사가 관계사절 내에서 전치사를 필요로 하므로 for which로 고쳐야 한다.

오답 해설

① Not only are humans unique in the sense that they
　　부정어　동사　주어　　주격보어　　　~라는 점에서
began to use an everwidening tool set, ...

▶ 부정어가 문두에 나오면서 주어와 동사가 도치된 형태로 주격보어 자리에 형용사 unique가 쓰인 것은 적절하다.

③ From at least 50,000 years ago, some of the energy
　　　　　　　　　　　　　　　　　　주어
[**stored** in air and water flows] was used for navigation ....
　　과거분사구　　　　　　　　　　동사

▶ 「some of+단수명사」는 단수 취급하므로 단수동사 was가 쓰인 것은 적절하다.

④ Around 10,000 years ago, humans learned to cultivate
　　　　　　　　　　　　　　　　　　동사　　목적어1
plants and (to) tame animals and thus (to) control ....
　　　목적어2　　　　　　　　목적어3

▶ 등위접속사 and로 동사 learned의 목적어인 to부정사구가 병렬로 연결된 구조로 동사 앞의 to가 생략된 것이므로 tame이 쓰인 것은 적절하다.

⑤ About 250 years ago, fossil fuels began to be used on
　　　　　　　　　　　　주어　　　　동사
a large scale [for powering machines of many different
　　　　　　전치사구(동사를 수식하는 부사구)
kinds], thereby [**creating** the virtually unlimited amounts of
　　　　　　분사구문(결과)
artificial complexity ...].

▶ 주절 내용의 결과로 일어나는 일을 나타내는 분사구문으로 분사구문의 의미상 주어인 앞 문장의 내용과 분사가 능동의 관계이므로 creating이 쓰인 것은 적절하다.

3 ③

지문 해석

(A) 버려진 산업 현장에 있는 중금속 함량이 높은 유해물질을 처리하기 위해 지렁이를 사용할 수 있다는 가능성에 대한 연구가 남아메리카에서 시행되어 왔다. 연구자들은 보통의 지렁이로 알려진 '에이제니아 페티다' 종이 이런 장소들에서 높은 금속 성분을 함유하고 있는 위험한 고체와 액체를 다룰 때 효과적인 도구로 사용될 수 있는 가능성을 갖고 있다고 믿고 있다. (B) 그들의 연구의 한 부분에서는, 이 벌레들에 의해 만들어진 퇴비가 높은 농도의 니켈, 크롬, 납을 함유한 오염된 폐수를 정화하는 데 효과적인 흡수성 물질로서의 역할을 했다. (C) 다른 부분에서는, 비소와 수은의 교정을 위해 다양한 매립지 토양에 직접 적용되었는데, 2주 후에 비소는 42%에서 72%가, 수은은 7.5%에서 30.2%가 제거되었다. 지렁이는 복잡하고 비용이 많이 드는 전통적인 산업 정화 방법에 대한 저렴하고 효과적인 생물 치료 대안을 대표할 수 있다.

어법 분석

(A) 수 일치
(B) 형용사
(C) 수동태

정답 해설

(A) Research [into the viability of using earthworms to
　　　　주어　↑└───　전치사구
process hazardous material {with an elevated heavy metal
　to부정사 부사적 용법(목적)
content (at abandoned industrial sites)}] has been
　　　　　　　　　　　　　　　　　　　동사
conducted in South America.

▶ into the viability ~ industrial sites의 전치사구의 수식을 받는 주어 Research가 단수이므로 단수동사 has가 적절하다.

(B) ..., compost [**that** had been produced by these worms]
　　　　　　　주어　↑└───　주격 관계대명사절
worked as an effective absorbent substrate for cleaning
　동사
contaminated wastewater [**containing** high levels of nickel,
　　　　　　　　　　　　　　↑└───　현재분사구
chromium, and lead].

▶ 뒤의 명사(levels)를 수식하여 '높은'의 의미가 되어야 하므로 형용사 high가 적절하다. high는 부사로도 쓰여 '높게'의 의미를 나타내며 highly는 부사로 '매우'의 의미를 나타낸다.

> (C) ..., 42 to 72% of the arsenic and 7.5 to 30.2% of the ___주어___
>
> mercury **had been removed**.

▶ 주어가 제거되는 대상이므로 수동태 had been removed가 적절하다.

빈출 어법

p. 26

1 ③, ⑤　　2 the streets of the city lies a bunker　　3 of Shakespeare's plays have been adapted into movies　　4 that a person develops at an early age influence learning throughout life　　5 (1) was → were (2) have → has　　6 Many of the leaders that(whom) I know in the media industry are　　7 ①

1 ③, ⑤
해석 ① 밤하늘에서 우리가 보는 별들은 모두 우리가 생각하는 것보다 훨씬 멀리 떨어져 있다.
② 현재 전 세계 전력의 20% 이상이 재생 가능한 원천에서 나온다.
③ 이들 국가가 필요한 것은 강하고 안정적인 리더십이다.
④ 매일 한 사람이 필요로 하는 칼로리 수는 다양한 요인에 달려 있다.
⑤ 각각의 애니메이션 영화들은 새로운 사운드트랙과 함께 나온다.
해설 ③ 선행사를 포함하는 관계대명사 what이 이끄는 절이 주어이고 단수 취급하므로 are를 단수동사 is로 고쳐야 한다.
⑤ 「each of+복수명사」는 단수 취급하므로 come을 단수동사 comes로 고쳐야 한다.

2 the streets of the city lies a bunker
해설 장소를 나타내는 부사구가 문두에 위치하므로 주어(a bunker)와 동사(lies)를 도치시킨다.

3 of Shakespeare's plays have been adapted into movies
해설 주어는 Many of Shakespeare's plays이며, 「many of+복수명사」는 복수 취급한다. 주어가 '각색하다(adapt)'라는 행위의 대상이고 과거부터 현재까지 '각색되어 왔다'는 의미이므로 동사는 현재완료 수동태로 쓴다.

4 that a person develops at an early age influence learning throughout life
해설 that이 이끄는 관계대명사절이 주어 The study habits를 수식하는데 주어가 복수이므로 복수동사 influence를 쓴다.

5 (1) was → were (2) have → has
해석 그리스인들은 네 가지 기본 원소 즉, 흙, 공기, 불, 물이 있다는 견해를 고수했다. 이 네 가지 원소에 대한 생각은 2천 년 이상 동안 유럽에서 철학, 과학, 의학의 초석이 되어 왔다.
해설 (A) there는 유도부사이고 that절의 주어는 four basic

elements로 복수이므로 was는 복수동사 were로 고쳐야 한다.
(B) 주어 This idea가 단수이므로 have는 단수동사 has로 고쳐야 한다.

6 - 7

지문 해석

내가 미디어 업계에서 알고 있는 지도자 중 다수가 지적이다. 그러나 그들은 단기간의 이익 추구라는 하나의 목적만을 가진 것으로 보이는 기업의 리더들이다. 그러나 나는 미디어 산업이 다른 산업들과 다르게 행동해야 한다고 생각한다. 그들은 우리의 공중파와 디지털 주파수를 자유롭게 사용한다. 그들은 또한 우리 아이들의 마음에 거의 아무런 제한 없이 접근한다. 이것들은 대단히 귀중한 자산이다. 그것을 사용할 권리는 공공의 이익을 증진시키기 위해 중대하고 오래 지속되는 책임을 수반해야 한다.

6 Many of the leaders that(whom) I know in the media industry are
해설 주어인 Many of the leaders를 '내가 미디어 업계에서 알고 있는'이라는 의미의 목적격 관계대명사절이 수식하는 구조이다. 선행사가 사람이므로 목적격 관계대명사는 that 또는 whom으로 쓸 수 있으며, 「many of+복수명사」가 주어일 때 복수 취급하므로 복수동사 are를 쓴다.

7 ①
해설 ① that이 이끄는 주격 관계대명사절이 복수명사 leaders of companies를 수식하고 있으므로 복수형 appear로 고쳐야 한다.
② 동사 believe의 목적어 역할을 하는 명사절이 와야 하므로 접속사 that이 쓰인 것은 적절하다.
③ 명사 use를 수식할 수 있는 것은 형용사이므로 free가 쓰인 것은 적절하다.
④ 문맥상 '제한을 받지 않는'이라는 의미가 되어야 하므로 수동의 의미를 가지는 과거분사 unlimited가 쓰인 것은 적절하다.
⑤ 문맥상 priceless assets를 나타내므로 them이 쓰인 것은 적절하다.

CHAPTER 03
관계사

핵심 문법 정리   pp. 28-29

1 다른 사람에게 봉사하는 일을 하는 사람들은 더 행복한 경향이 있다.
2 그녀는 내가 매우 사랑하고 존경하는 멋진 사람이다.
3 너의 성격과 매우 비슷한 사람을 만나본 적이 있니?
4 알래스카만은 두 바다가 만나지만 섞이지 않는 곳이다.
5 그녀는 우리에게 우리의 생산량을 증가시킬 수 있었던 방법을 이야기해 주었다.
6 그녀는 여러 대회에서 우승했고, 그로 인해 그녀는 파리에서 공부할 수 있었다.
7 Ray는 10대부터 글을 쓰기 시작했고, 그때 학교에서 문학 동아리에 가입했다.

어법 출제 POINT   pp. 28-29

1 what	2 that	3 what	4 that
5 them	6 whom	7 which	8 where
9 in which	10 whoever	11 Whatever	12 how

1 what
해석 게임에서 플레이어들은 전개되는 것을 통제하는 특유의 능력을 가지고 있다.

2 that
해석 나를 가장 화나게 하는 것은 사람들이 모든 것을 아는 척할 때이다.

3 what
해석 많은 사람들은 과거의 실패를 토대로 미래에 일어날 것을 예측한다.

4 that
해석 우리는 비만이 많은 만성 질환의 주요 요인이라는 것을 안다.

5 them
해석 그들은 네 편의 영화에서 같이 작업했는데, 그 작품 모두가 비평가들의 극찬을 받았다.

6 whom
해석 두 명의 연사를 모셨는데, 두 사람 모두 아동 인권에 관한 유명한 전문가들이다.

7 which
해석 아시아에는 당신이 방문해야 할 놀라운 여행지들이 있다.

8 where
해석 그는 가장 가까운 이웃이 수 마일 떨어진 거리에 있는 텍사스의 작은 마을로 이사했다.

9 in which
해석 당신이 운동할 환경 조건에 맞는 옷을 선택하라.

10 whoever
해석 이 호텔은 일주일이나 그 이상의 기간 동안 방을 예약하는 사람이면 누구에게든지 할인을 제공하고 있다.

11 Whatever
해석 좋은 일이든 나쁜 일이든 무슨 일이 일어나더라도 적절한 태도는 차이를 만들어 낸다.

12 how
해석 당신의 행복 지수는 당신이 긍정적인 일들을 얼마나 자주 경험하느냐에 달려 있다.

어법 적용 연습   pp. 30-31

A 1 where   2 that   3 them   4 whoever
   5 through which
B 1 what   2 when(at which)   3 which   4 ○   5 that
   6 ○ / where   7 however / ○   8 when / ○
   9 ○ / what
C 1 ① where ② which   2 ① which ③ which(that)
   3 ② However ③ which

A

1 where
해석 비언어적 의사소통은 발화가 불가능하거나 적절하지 못한 상황에서 유용할 수 있다.
해설 관계사 뒤에 완전한 절이 이어지므로 관계부사 where가 적절하다.

2 that
해석 자신들이 그리는 모델이나 풍경 대신에 사진을 이용했던 인상파 화가들이 있었다.
해설 관계사 앞에 painting의 목적어인 선행사가 있으므로 목적격 관계대명사 that이 적절하다.

3 them
해석 우리는 수많은 변호사와 법률 자문 기관에 연락했지만, 그들 중 누구도 우리를 돕는 것에 동의하지 않았다.
해설 두 문장이 접속사(but)로 연결되어 있으므로 none of 뒤에는 대명사 them이 적절하다.

4 whoever
해석 당신이 원하는 사람은 누구와도 데이터를 공유할 수 있을 것이며, 그 외에는 누구도 접근할 수 없을 것이다.
해설 문맥상 '~하는 누구든지'라는 의미의 복합관계대명사 whoever가 적절하다.

5 through which
해석 경쟁적인 스포츠나 게임은 그것을 통해 공격적인 성향이 발산되는 배출구를 제공한다.
해설 문맥상 관계대명사가 전치사 through의 목적어가 되어야 하므로 through which가 적절하다.

B

1 what
> 해석 18세기 유럽에서 가톨릭 교회는 출판될 수 있는 것을 엄격히 통제했다.
> 해설 관계사 앞에 선행사가 없으므로 선행사를 포함한 관계대명사 what으로 고쳐야 한다.

2 when(at which)
> 해석 팔아야 할 적절한 시점을 만들어주는, 주가가 최고점을 찍는 정확한 순간은 아무도 알지 못한다.
> 해설 관계사 뒤에 완전한 절이 이어지고, 시간을 나타내는 선행사가 앞에 있으므로 관계부사 when 또는 at which로 고쳐야 한다.

3 which
> 해석 이러한 텍스트 기반 질문들은 학생들에게 다시 읽기의 목적을 제공하는데, 그것은 복잡한 텍스트를 이해하는 데 있어 매우 중요하다.
> 해설 관계사 앞에 콤마가 있으면 앞 문장이나 선행사를 부연 설명하는 계속적 용법의 관계사절이다. 관계사절 내에 주어가 없고 선행사가 rereading이므로 관계대명사 which로 고쳐야 한다. that이나 what은 계속적 용법으로 쓰지 않는다.

4 ○
> 해석 지방은 여러 종류의 지방산으로 구성되는데 그중 일부는 소량으로 건강에 필수적이다.
> 해설 some of 다음에는 (대)명사나 관계대명사가 올 수 있는데, 두 개의 절이 접속사 없이 연결되어 있으므로 관계대명사 which가 쓰인 것은 맞다.

5 that
> 해석 기후 과학자들은 이산화탄소 농도 증가가 전 세계적 기온 상승의 주된 원인이 된다고 주장한다.
> 해설 동사 뒤에 완전한 절이 오고, 동사 insist의 목적어 역할을 해야 하므로 명사절을 이끄는 접속사 that으로 고쳐야 한다.

6 ○ / where
> 해석 태국은 2018년에 12명의 유소년 축구 선수들과 그들의 코치가 갇혔던 동굴을 다시 개방했다. 현재 방문객들은 입구 너머로 들어가는 것이 허용되지 않는데, 그곳에서도 동굴 입구를 들여다볼 수 있다.
> 해설 관계사 뒤에 완전한 절이 오고 장소를 나타내는 선행사가 앞에 있으므로 관계부사 where가 쓰인 것은 맞다. / 관계사 앞에 콤마가 있는 계속적 용법의 관계사절이며, 관계사 뒤에 완전한 절이 오고 장소를 나타내는 선행사가 앞에 있으므로 관계부사 where로 고쳐야 한다.

7 however / ○
> 해석 어떤 부모들은 그들이 아무리 노력해도 10대 자녀들에게 거의 영향을 주지 못한다고 걱정한다. 하지만 증거에 따르면 10대들의 가정생활은 그들의 발달에 강력한 영향력을 행사한다고 한다.
> 해설 문맥상 '아무리 ~할지라도'의 의미가 되어야 하므로 양보의 부사절을 이끄는 복합관계부사 however로 고쳐야 한다. / 동사 suggests의 목적어 역할을 해야 하므로 명사절을 이끄는 접속사 that이 쓰인 것은 맞다.

8 when / ○
> 해석 이것은 우리가 한정된 도구들을 가졌던 과거 구석기 시대에는 훌륭한 전략이었다. 그것은 우리가 굶지 않기 위해 막대기나 돌(우리가 가졌을지도 모르는 유일한 도구)을 획득하고 나무에서 과일을 떨어뜨리는 방법을 알아내는 데 도움을 주었다.
> 해설 관계사 앞에 콤마가 있는 계속적 용법의 관계사절이며 관계사 뒤에 완전한 절이 오고 시간을 나타내는 선행사가 앞에 있으므로 관계부사 when으로 고쳐야 한다. / 「how+to부정사」를 써서 '~하는 방법'의 의미를 나타내므로 how가 쓰인 것은 맞다.

9 ○ / what
> 해석 사업을 시작하는 이유가 무엇이든지 간에 여러 가지 잠재된 위험 요소들이 있다. 사업을 하는 주요 목적은 돈을 버는 것이라는 점을 인식하라. 이것이 사업과 취미를 구분시켜 주는 것이다.
> 해설 양보의 부사절을 이끄는 복합관계대명사가 쓰여 '~하는 것은 무엇이든지'의 의미를 나타내므로 Whatever가 쓰인 것은 맞다. / 문장의 보어 역할을 하는 명사절을 이끌면서 앞에 선행사가 없으므로 선행사를 포함하는 관계대명사 what으로 고쳐야 한다.

C

1 ① where ② which
> 해석 박테리아는 여러 질병을 유발할 수 있기 때문에 우리는 계속적으로 손을 씻고 세균이 번식할 수 있는 장소를 닦는다. 하지만 우리의 몸은 수조 개의 박테리아가 살고 있는 곳이며, 그것들 중 많은 수가 우리의 내장에 살면서 우리가 먹는 음식물을 소화시킬 수 있도록 해 준다.
> 해설 ① 관계사 뒤에 완전한 절이 오고 선행사가 장소를 나타내므로 관계부사 where로 고쳐야 한다. ② 두 개의 절이 접속사 없이 연결되어 있으므로 관계대명사 which로 고쳐야 한다.

2 ① which ③ which(that)
> 해석 우리는 식물의 변화를 가속화하기 위해 유전자 변형을 이용할 수 있는데, 그것은 자연적으로 발생할 때 훨씬 오래 걸린다. 이는 특정 질병에 대한 저항력과 같이 자연 상태에서는 존재하지 않는 바람직한 특징을 가진 식물을 개발할 수 있게 해 준다.
> 해설 ① 관계사 앞에 콤마가 있고 앞 문장의 내용을 부연 설명하고 있으므로 계속적 용법의 관계대명사 which로 고쳐야 한다. ③ 관계사절 안에 주어가 없고 앞에 선행사(traits)가 있으므로 관계대명사 which나 that으로 고쳐야 한다.

3 ② However ③ which
> 해석 소수 집단의 개인들은 다수 집단의 개인들과 자주 마주치게 되는데, 각각의 마주침은 특정한 반응을 유발할지도 모른다. 이러한 영향력이 아무리 작을지라도 그것들의 빈번함이 총체적 스트레스를 증가시킬 수도 있으며 이는 소수 집단들의 건강상 불이익의 일부를 설명할 것이다.
> 해설 ② 부사절의 역할을 하고, 문맥상 '아무리 ~하더라도'의 의미를 나타내야 하므로 복합관계부사 However로 고쳐야 한다. ③ 관계사 앞에 콤마가 있고 앞 문장의 내용을 부연 설명하고 있으므로 계속적 용법의 관계대명사 which로 고쳐야 한다.

어법 실전 Test

pp. 32-33

1 ② 2 ④ 3 ②

1 ②

지문 해석

크게 확대되고 무지개 빛깔의 띠가 둘러진 그림자의 일종인 브로켄의 요괴는 산에 서 있는 사람에 의해 낮은 고도의 구름에 드리워진다. ① 그것은 처음 발견된 산의 이름을 따서 명명되었다. 사실 그것은 착시 현상이다. ② 구름의 안개는 보는 사람의 깊이 감각을 바꾸어 예상보다 그림자를 더 크고 멀어 보이게 한다. 브로켄의 요괴는 특정한 조건에서만 볼 수 있다. ③ 태양이 사람 바로 뒤에 있어야 하고, 공기 중에 많은 물방울이 부유해야 한다. 태양광은 이 물방울들을 관통하여 반대편에서 반사되어 나와 다시 태양쪽으로 향한다. ④ 태양을 향해 되돌아오는 이 태양광은 스스로 간섭하여 어둠과 밝음의 원형 지대를 만들고 회절이라는 현상을 일으킨다. ⑤ 이것이 그림자의 가장자리에 무지개 빛깔이 나타나게 하는 원인이다.

어법 분석

① 전치사+관계대명사 ② 병렬
③ 수량 형용사 ④ 현재분사
⑤ 관계대명사 what

정답 해설

② The mist of the cloud alters the viewer's depth perception,
　　　주어　　　　　동사　　　　　　　목적어
[making the shadow appear larger and more distantly
분사구문(= and this makes)　　형용사1　　　형용사2
(→ distant) than expected].　　└ 2형식 동사

▶ appear는 동사 make의 목적격보어로 쓰인 동사원형이다. 상태동사인 appear는 형용사를 보어로 취하는 동사로 larger와 more distant가 접속사 and로 병렬 연결되어야 하므로 형용사 distant로 고쳐야 한다.

오답 해설

① It is named after the mountain [on which it was first
주어　동사　　　　　　　선행사　　　　　관계대명사절
spotted].

▶ 관계대명사절 내에서 선행사는 on the mountain의 의미가 되어야 하므로 on which가 쓰인 것은 적절하다.

③ ..., and there must be many water droplets [suspended
　　　　　　　　　　　　　　　　　　　　　　　　└ 과거분사구
in the air].

▶ 셀 수 있는 명사 droplet를 수식하는 말로 수량 형용사 many가 쓰인 것은 적절하다.

④ This sunlight [coming back toward the sun] interferes
주어　　　　└ 현재분사구　　　　　　　동사
분사구문(= and it makes)
with itself, [making circular zones of darkness and
= this sunlight coming back toward the sun
brightness, ...].

▶ sunlight와 come은 능동 관계이므로 sunlight를 수식하는 현재분사 coming이 쓰인 것은 적절하다.

⑤ This is [what causes the rainbow colors to appear on
관계대명사절 └ 동사　　　　목적어　　　　목적격보어
the shadow's edges].

▶ be동사 뒤에 보어 역할을 하는 명사절이 와야 하므로 '~하는 것'의 의미인 선행사를 포함하는 관계대명사 what이 쓰인 것은 적절하다.

2 ④

지문 해석

개인용 음악 플레이어가 흔하고 사람들이 헤드폰으로 음악을 많이 듣는 것을 특히 고려할 때, 요즘 우리 중 그렇게나 많은 사람들이 녹음된 음악에 끌리는 이유가 있다. ① 녹음 엔지니어와 음악가는 우리 청각 환경의 중요한 특징들을 분간하도록 진화한 신경 회로를 이용함으로써 우리의 뇌를 자극하는 특수 효과를 만들어 내는 것을 배웠다. ② 이러한 특수 효과들은 원리상 3-D 아트, 모션 픽처, 또는 착시와 비슷하지만, 그것들 중에 어느 것도 우리의 뇌가 그것들을 인식하기 위한 특수한 방법을 진화시킬 만큼 충분히 오랫동안 우리 주변에 존재하지는 않았다. ③ 오히려 3-D 아트, 모션 픽처, 그리고 착시는 다른 것들을 성취하기 위해 자리 잡고 있는 인식 체계를 이용한다. ④ 그것들이 이러한 신경 회로를 새로운 방식으로 사용하기 때문에, 우리는 그것들이 특히 흥미롭다고 여긴다. ⑤ 동일한 것이 현대의 녹음된 음악이 만들어지는 방법에도 적용된다.

어법 분석

① to부정사(부사적 용법) ② 부정대명사+of+관계대명사
③ 수 일치 ④ 현재분사
⑤ 관계부사

정답 해설

④ [Because they use these neural circuits in novel ways],
접속사(~ 때문에)
we find them especially interested(→ interesting).
주어 동사 목적어　　　　　　　목적격보어

▶ 목적어 them은 앞 문장의 3-D art, motion pictures, visual illusions를 가리키는 것으로 감정을 일으키는 주체이므로 현재분사 interesting으로 고쳐야 한다.

오답 해설

① ... by exploiting neural circuits [that evolved to discern
선행사　　　└ 주격 관계대명사절 └ to부정사
　　　　　　　　　　　　　　　　　　　　　부사적 용법
important features of our auditory environment].

▶ 동사 evolved에 대해 부연 설명을 하면서 부사 역할을 할 수 있어야 하므로 부사적 용법의 to부정사 to discern이 쓰인 것은 적절하다.

② These special effects are similar (in principle) to 3-D art,
<u>선행사</u>
motion pictures, or visual illusions, [none of **which** have
<u>부정대명사+of+관계대명사</u>
been around long ...].

▶ 관계대명사의 계속적 용법으로 none of 다음에는 「접속사+대명사」의 역할을 할 수 있는 주격 관계대명사가 와야 하므로 which가 쓰인 것은 적절하다.

③ Rather, 3-D art, motion pictures, and visual illusions
leverage perceptual systems [**that are** in place to accomplish
<u>선행사</u>　<u>주격 관계대명사절</u>
other things].

▶ 선행사가 복수명사이므로 주격 관계대명사절의 동사로 are가 쓰인 것은 적절하다.

⑤ The same is true of the way [**that** modern recordings are
<u>선행사</u>　<u>관계부사절</u>
made].

▶ 관계사 뒤에 완전한 절이 이어지고 선행사가 the way로 방법을 나타내므로 관계부사 that이 쓰인 것은 적절하다.

3 ②

지문 해석

새로운 지식을 발견할 때 인간은 주관적으로 행동하기 쉽고, 그 발견을 '내 것'이라고 간주하여 개인 소유권이라는 생각에 의해 강한 영향을 받을 수 있다. (A) 그들이 자신의 발견에 대해 편견 없이 있으려고 아무리 열심히 노력해도, 그러한 연구자들은 오해와 자기기만에 매우 취약하다. 이 때문에, 새로운 발견은 모두 원형 과학에 지나지 않는다는 관점을 채택하는 것이 분별 있다. (B) 이 원형 과학이라는 꼬리표를 떼고 그들의 발견이 진정한 과학으로 받아들여지도록 하기 위해서 연구자들은 연구의 신뢰성을 확립하기 위해 다른 과학자들에게 눈을 돌린다. 이 과정은 '나의 발견'을 '모든 이의 발견'으로 바꿀 수 있는 능력을 가진다. (C) 이러한 신뢰도 과정을 건너뛰기로 선택한 연구자들은 전혀 발견을 하지 않는 연구자들만큼이나 과학계에 기여하는 것이 없다.

어법 분석

(A) 복합관계부사
(B) 동사 자리
(C) 수 일치

정답 해설

(A) **However** hard they strive to remain unbiased in regard
　　　　　<u>주어</u>　<u>동사</u>　　<u>목적어</u>　　<u>~에 대해</u>
to their own discoveries, ...

▶ 복합관계사 뒤에 형용사 hard가 나오고 뒤에 완전한 절이 이어지므로 '아

무리 ~하더라도'의 양보의 부사절을 이끄는 복합관계부사 However가 적절하다.

(B) To shed this proto-science label and ..., researchers **turn**
　　<u>to부정사 부사적 용법(목적)</u>　　　　　　　<u>주어</u>　　<u>동사</u>
to other scientists to establish the credibility of the work.
　　　　　　　　<u>to부정사 부사적 용법(목적)</u>

▶ 문장의 동사가 필요하므로 turn이 적절하다.

(C) Researchers [**who** choose to bypass this credibility
　　<u>주어</u>　↑　<u>주격 관계대명사절</u>
process] are contributing nothing more ....
　　　　　<u>동사</u>

▶ 주어 Researchers가 관계대명사 who가 이끄는 절의 수식을 받아 길어진 형태로 복수이므로 복수동사 are가 적절하다.

빈출 어법
<page number="p. 34"></page>

1 ③, ④　2 some of which were very important
3 Whichever you choose between online and offline
courses　4 a place which(that) tourists wish to visit
again　5 which　6 the reason why it is difficult to make
causal statements　7 ③

1 ③, ④

해석 ① 나는 그 문제를 해결하기 위해 내가 해야 하는 것을 알아내려고 노력했다.
② 그녀는 사무실 근처에서 희귀한 책들을 파는 몇몇 서점을 발견했다.
③ 그들이 이야기하고 있는 주제는 내가 주의해서 듣게 만들었다.
④ 나는 2010년에 대학에서 그를 처음 만났는데, 그때는 내가 막 대학에 복학했을 때였다.
⑤ 나이와 성별에 상관없이, 이 제품을 누가 쓰더라도 그것에 만족할 것이다.

해설 ③ 관계사절 내의 전치사(about)의 목적어가 없고, 선행사 The subject가 있으므로 what을 that이나 which로 고쳐야 한다.
④ 두 문장 사이에 콤마(,)가 있으므로 계속적 용법의 관계부사 when을 쓰거나 「접속사+부사」를 써서 and then으로 고칠 수 있다. and when과 같이 접속사와 관계부사를 동시에 쓸 수는 없다.

2 some of which were very important

해설 I didn't get a few emails because of a server error, and some of them were very important.를 관계사를 이용하여 한 문장으로 만들 때 접속사 and를 지우고, 대명사 them을 관계대명사 which로 바꿀 수 있다.

3 Whichever you choose between online and offline courses

해설 '어떤 것을 ~하든지'의 의미가 되어야 하므로 복합관계대명사 whichever를 써야 한다.

4 a place which(that) tourists wish to visit again

해설 관계사 뒤에 목적어가 없는 불완전한 절이 이어지므로 관계대명사 which나 that으로 쓸 수 있다.

5 which

해석 (A) 사람들이 '유연성'이라고 부르는 이 과정은 노인들보다 젊은 사람들에게서 더 능동적이다.
(B) 해양 오염은 화학 물질과 쓰레기의 조합인데, 그것들 중 대부분은 육지에 있는 사람들로부터 온다.

해설 (A) 관계대명사의 계속적 용법으로 which가 적절하다.
(B) 두 문장이 접속사 없이 콤마(,)로 연결되어 있으므로 계속적 용법의 관계사가 필요한데, 선행사가 a combination이므로 관계대명사 which가 적절하다.

6 - 7

지문 해석

상관관계의 관찰로부터 우리는 한 변인이 제 2의 변인과 관련이 있다고 결론을 내린다. 하지만 관련이 있다고 하더라도 어떤 행동도 다른 행동을 직접적으로 일으킬 수는 없다. 그들의 연구는 인과관계의 진술을 하는 것이 왜 어려운지에 대한 이유를 보여 준다. 그들은 오토바이 사고를 연구하면서, 사고의 횟수를 나이와 같은 다른 변인에 연관시키려고 시도했다. 그들은 가장 좋은 예측 변인은 운전자가 한 문신의 수라는 것을 알게 되었다. 그것은 문신이 사고를 일으킨다는 의미가 아니다. 제 3의 변인은 아마도 위험에 대한 선호도일 것이다. 위험을 기꺼이 무릅쓰려는 사람은 문신 새기기를 좋아하고, 또한 오토바이를 탈 가능성이 더 높다.

6 the reason why it is difficult to make causal statements

해설 이유를 나타내는 선행사 the reason과 관계부사 why를 함께 사용하여 문장을 완성한다.

7 ③

해설 ① 뒤에 완전한 절이 이어지므로 명사절을 이끄는 접속사 that으로 고쳐야 한다.
② there는 유도부사이고, 주어는 a relationship이므로 단수동사 is로 고쳐야 한다.
③ tattoos를 선행사로 하는 목적격 관계대명사 that이나 which로 고쳐야 한다.
④ 뒤에 완전한 절이 이어지므로 명사절을 이끄는 접속사 that으로 고쳐야 한다.
⑤ 등위접속사 and로 앞의 동사 likes와 병렬로 연결되므로 takes로 고쳐야 한다.

CHAPTER 04
접속사

핵심 문법 정리   pp. 36-37

1 사람들은 버스를 잡기 위해 뛰고 있었지만 그들은 너무 늦었다.
2 항생제는 박테리아를 없애거나 그것들이 자라는 것을 막는다.
3 그가 나에게 거짓말을 했다는 것은 명백했다.
4 나는 그 앱이 제대로 작동하는지 확인하고 싶다.
5 가장 큰 문제는 그 호텔에 엘리베이터가 없다는 것이다.
6 그는 형편이 안 돼서 기본적인 치료를 받았다.
7 나는 너무 피곤해서 하루를 좀처럼 버텨낼 수가 없었다.

어법 출제 POINT   pp. 36-37

1 during	2 because	3 even if	4 whether
5 that	6 whether	7 that	8 that
9 that	10 in case	11 as if	12 now that

1 during

해석 운동하는 동안 편안함을 제공하기 위해 의복이 비쌀 필요는 없다.

2 because

해석 수술 시간이 다가오고 있었기 때문에 나는 점점 불안해졌다.

3 even if

해석 우리가 정기적으로 차를 점검받고 안전하게 운전을 하더라도 사고는 일어난다.

4 whether

해석 한 문화가 다른 문화보다 우월한지 아닌지 결정하는 것은 어렵다.

5 that

해석 그는 그의 가족이 등록금을 낼 수 있을 거라고는 결코 생각하지 못했다.

6 whether

해석 우리는 이것이 우리에게 올바른 결정인지 아닌지에 대해서 상당히 불안했다.

7 that

해석 그 도로는 너무 경사가 져서 차는 내가 원하는 것보다 빨리 가고 있었다.

8 that

해석 Thompson 씨는 그녀가 그 책의 저자라는 사실을 숨기기를 원한다.

9 that

해석 그가 전임으로 그림을 그리기 위해 직장을 그만둔 것이 바로 1년 전 오늘이었다.

10 in case

해석 당신은 제품에 만족하지 않을 경우에 대비하여 영수증을 요구해야 한다.

11 as if

해석 그 소식을 들었을 때, 나는 마치 심장이 멈춘 것 같은 기분을 느꼈다.

12 now that

해석 아프리카 여행 경보가 해제되면서 외국인 관광객의 수가 늘고 있다.

어법 적용 연습

pp. 38-39

A 1 whether   2 While   3 despite   4 that   5 that

B 1 ○   2 that   3 but (also)   4 because   5 ○
6 that / ○   7 ○ / Although(Though, Even though, Even if)   8 ○ / whether(if)   9 In order to / ○

C 1 ① is   ③ that   2 ② so   ③ as if
3 ① if   ② because of(due to, owing to)

A

1 whether

해석 비만이 유전에 의한 것인지 개인의 식습관과 운동 습관에 의한 것인지에 대한 논쟁은 계속 진행 중이다.

해설 if와 whether는 둘 다 '~인지 아닌지'라는 의미의 명사절을 이끄는 접속사지만 전치사의 목적어 자리에는 whether가 적절하다.

2 While

해석 우리가 저녁을 먹고 있는 도중에 비상 상황을 알리는 사이렌 소리가 울리기 시작했다.

해설 during과 while은 둘 다 '~ 동안'의 의미를 나타내지만 뒤에 「주어+동사」 형태의 절이 이어지므로 접속사 While이 적절하다.

3 despite

해석 편파적 발언을 막기 위한 조치들이 취해져 왔다는 사실에도 불구하고 그것은 여전히 심각한 문제이다.

해설 despite와 although는 둘 다 '~에도 불구하고'의 의미를 나타내지만 뒤에 명사 the fact가 이어지므로 전치사 despite가 적절하다. that 이하는 the fact의 내용을 부연 설명하는 동격의 that절이다.

4 that

해석 우리가 10시간 늦게 출발하게 된다는 비행편 변경을 통보받은 것을 제외하면 모든 것이 훌륭했다.

해설 except for와 except that은 둘 다 '~을 제외하고'의 의미를 나타내지만 뒤에 「주어+동사」 형태의 절이 이어지므로 접속어구 except that이 적절하다. except for 뒤에는 명사(구)가 온다.

5 that

해석 우리는 작년에 축제가 비 때문에 취소되어 실망했으므로 이번에는 좋은 날씨이기를 바라고 있다.

해설 감정을 나타내는 형용사 뒤에 「주어+동사」 형태의 절이 이어지므로 접속사 that이 적절하다.

B

1 ○

해석 하나의 항생제에 대한 저항이 있을 경우를 대비하여 감염을 치료하기 위해 때때로 다중 항생제가 이용된다.

해설 문맥상 '~하는 경우에 대비하여'라는 의미의 접속어구 in case가 쓰인 것은 맞다.

2 that

해석 Bahati가 마침내 "네가 행하는 선한 일은 네게로 돌아온다!"는 그 가난한 노인의 말의 의미를 깨달은 것은 바로 그때였다.

해설 문장의 부사(then)를 강조하기 위해 「it ~ that ...」 강조 구문이 쓰인 문장이므로 that으로 고쳐야 한다.

3 but (also)

해석 사람들은 그들이 하루를 어떻게 시작하는지가 그날뿐만 아니라 삶의 모든 측면에도 영향을 미친다는 점을 깨달아야 할 필요가 있다.

해설 문맥상 「not only A but (also) B」 구문을 써서 'A뿐만 아니라 B도'의 의미를 나타내야 하므로 but (also)로 고쳐야 한다.

4 because

해석 오스트레일리아는 높은 농도의 탄소 오염 물질을 배출하고 있는데, 이는 여전히 석탄 화력 발전에 크게 의존하고 있기 때문이다.

해설 「주어+동사」 형태의 절이 뒤에 이어지므로 접속사 because로 고쳐야 한다.

5 ○

해석 관객의 피드백은 종종 청중들이 화자의 생각을 이해하는지, 흥미가 있는지, 그리고 받아들일 준비가 되었는지를 나타낸다.

해설 불확실한 사실을 이끄는 명사절이므로 '~인지 아닌지'의 의미를 나타내는 접속사 whether가 쓰인 것은 맞다.

6 that / ○

해석 최근 우리의 늘어난 수명의 비결은 유전학이나 자연 선택 때문이 아니라 전반적인 생활 수준의 끊임없는 개선 덕분이라고 밝혀진다.

해설 확인된 사실을 이끄는 명사절이므로 that으로 고쳐야 한다. / 이유를 나타내는 명사구 앞이므로 due to가 쓰인 것은 맞다.

7 ○ / Although(Though, Even though, Even if)

해석 이제 채용 절차의 두 번째 단계를 통과했으므로 최종 단계에서 파워포인트 발표를 하게 될 것이다. 미리 준비할 시간이 주어졌음에도 불구하고 대부분의 후보자들은 이 단계에서 탈락한다.

해설 문맥상 '~이니까'의 의미로 연결되어야 하므로 Now that이 쓰인 것은 맞다. / 뒤에 「주어+동사」 형태의 절이 이어지므로 Although나 Though, Even though, Even if로 고쳐야 한다.

8 ○ / whether(if)

해석 때때로 당신은 사과를 할 때 끈기를 보여 주어야 한다. 어떤 사람들은 정신적으로 용서했음에도 불구하고 당신에게 화가 나 있다. 이것은 그들이 당신이 정말 사과를 하는지 아닌지 확신하지 못하기 때문이다.

해설 문맥상 '~에도 불구하고'라고 연결하는 것이 자연스럽고, 뒤에 절이 이어지므로 접속사 even if가 쓰인 것은 맞다. / 뒤에 or not과 함께 '~인지 아닌지'의 불확실한 사실을 이끄는 명사절이므로 접속사 whether(if)로 고쳐야 한다.

9 In order to / ○

해석 당신의 사용자 이름을 기억하기 위해 웹사이트는 그것을 당신의 컴퓨터에 저장된 쿠키에 저장해야 한다. 당신이 '내 사용자 이름 기억하기'를 클릭하면, 당신이 그 사이트를 방문할 때마다 사용자 이름이 자동적으로 입력될 것이다.

해설 In order to(that)은 '~하기 위해서'라는 의미를 나타내는데 뒤에 동사원형이 이어지므로 In order to로 고쳐야 한다. in order that 다음에는 「주어+동사」 형태의 절이 와야 한다. / 문맥상 '~할 때마다'의 의미인 every time이 쓰인 것은 맞다.

C

1 ① is ③ that

해설 인구 증가와 급상승한 번영 수준으로 인해 산림 개간의 압력이 커질 것으로 예상된다. 그러나 식량 안보와 삼림 보존은 잠재적으로 조정될 수 있다는 징후들이 있다.

해설 ① 주어 The pressure가 단수이므로 is로 고쳐야 한다. ③ signs의 내용을 부연 설명해 주고 있으므로 동격의 접속사 that으로 고쳐야 한다.

2 ② so ③ as if

해설 과거에는 바다의 어떤 부분은 너무 깊어서 아무것도 살 수 없다고 믿어졌다. 그러나 최근 몇 년 동안 심해 탐사에서는 이 깊이에서 다양한 종류의 이상한 생물들이 번성하고 있으며, 그 중 많은 생물들이 마치 등불처럼 빛나고 있다는 것을 보여 주었다.

해설 ② 「so(such) ~ that ....」 구문으로 so 뒤에는 형용사가 오고 such 뒤에는 「형용사+명사」가 와야 하므로 형용사 deep으로 보아 so로 고쳐야 한다. ③ 문맥상 '마치 ~인 것처럼'의 의미로 연결되어야 하므로 as if로 고쳐야 한다.

3 ① if ② because of(due to, owing to)

해설 당신의 체납이 만기일 이전에 발생한 납세자의 사망으로 인해 납부가 30일 이내로 늦어진 것이라는 조건이라면 체납에 대한 벌금이 부과되지 않을 것입니다.

해설 ① 문맥상 '~라면'을 의미하는 조건의 부사절이 연결되는 것이 적절하므로 접속사 if로 고쳐야 한다. ② the death ~ the due date는 명사구이므로 전치사 because of(due to, owing to)로 고쳐야 한다.

어법 실전 Test

pp. 40~41

1 ⑤ 2 ④ 3 ②

1 ⑤

지문 해석

① 운동 영양학이 매우 새로운 학문 분야이긴 하지만, 선수들의 운동 기량을 향상시킬 수 있는 음식에 관한 충고는 늘 존재해 왔다. ② 고대 그리스의 한 운동선수는 컨디션을 향상하기 위해 말린 무화과를 먹었다고 전해진다. 1908년 올림픽에서 마라톤 선수들은 기량을 향상시키기 위하여 코냑을 마셨다는 보고가 있다. ③ 십 대 달리기 천재인 Mary Decker는 1970년대에 스포츠계를 놀라게 했는데, 그녀는 경주 전날 밤 스파게티 한 접시를 먹었다고 이야기했다. ④ 그러한 관행은 그것의 실제적인 이점 혹은 자신의 운동 분야에서 탁월한 개인들에 의해 인식된 이점 때문에 운동선수들에게 권고될 수도 있다. ⑤ 분명 마라톤 중에 술을 마시는 것과 같은 이러한 관행 중

일부는 더 이상 추천되지 않지만, 경기 전날 밤의 고(高)탄수화물 식사와 같은 다른 관행은 세월의 검증을 견뎌냈다.

어법 분석

① 과거분사 ② 완료부정사
③ 접속사 that ④ 전치사
⑤ 수 일치

정답 해설

⑤ ..., but others, [such as a high-carbohydrate meal the
　　　　주어　　　　　　　　　　　　　　전치사구
night before a competition,] has(→ have) stood the test of
　　　　　　　　　　　　　　　　　　　동사
time.

▶ 주어는 others이고, such as ~ competition은 others를 추가 설명해 주는 삽입구이므로 복수동사 have로 고쳐야 한다.

오답 해설

① ..., there have always been recommendations [made
　　　　　　　　 └──동사──┘　　　　　주어　　　　 ↑ 　과거
to athletes about foods {that could enhance athletic　분사구
　　　　　　　　　　　　 ↑└──┘ 주격 관계대명사절
performance}].

▶ 앞의 명사 recommendations는 '권고되는' 것으로 분사와 수동의 관계이므로 과거분사 made가 쓰인 것은 적절하다.

② One ancient Greek athlete is reported to have eaten
　　　　　주어　　　　　　　　　 동사
dried figs [to enhance training].
　　　　　　 to부정사 부사적 용법(목적)

▶ to부정사가 동사 is reported의 시제보다 먼저 일어난 일을 나타내고 있으므로 완료부정사가 쓰인 것은 적절하다.

③ ... when she reported [that she ate a plate of spaghetti
　　 접속사 주어　동사　　목적어(명사절)
noodles the night before a race].

▶ reported의 목적어가 필요하고 뒤에 완전한 절이 이어지므로 명사절을 이끄는 접속사 that이 쓰인 것은 적절하다.

④ Such practices may be suggested to athletes because
　　　　　　　　　　　　　　　　　　　　　　전치사
of their real or perceived benefits [by individuals ...].
　　　명사구　　　　　　　　　　　　　전치사구

▶ 뒤에 their real or perceived benefits의 명사구가 이어지므로 전치사 because of가 쓰인 것은 적절하다.

2 ④

새로운 환경에 적응하는 것은 많은 시간과 에너지의 소모를 필요로 하는 도전적인 과정이 될 수 있다. ① 최적 학습이 이루어지는 상황에서, 이러한 적응은 재미있고 어쩌면 흥미진진한 일일 수도 있다. ② 일단 우리가 그 최적점을 넘어서 진행하게 되면, 그 경험은 스트레스가 될 가능성이 있다. ③ 현대 사회에서 우리의 멀티태스킹 능력을 자랑하는 것이 유행이 되었지만, 기술 변화가 대개 너무 빠르게 일어나서 개인에 의해 처리될 수 있는 변화의 수에 한계가 있기 때문에 따라잡기가 불가능하게 된다. ④ 한 매체에서 다음 매체로 빠르게 이동하는 동안 너무 많은 기술 혁신 탐색을 시도하는 것은 극도의 피로로 이어질 수 있는 일종의 인지 과부하를 만들어 낸다. ⑤ 곧 닥칠 과부하를 감지하면, 일부 사람들은 변화를 완전히 피하는 쪽을 택하여 이것이 그들이 경험하고 있는 불안감을 줄여 주는 결과를 가져오길 바란다.

어법 분석

① 관계부사   ② 접속사
③ 접속사 that   ④ 수 일치
⑤ 분사구문

정답 해설

④ [**Attempting** to navigate too many technological
주어(동명사구)   to부정사 명사적 용법(Attempting의 목적어)
innovations {**while** jumping from one medium to the next}]
    〈시간〉의 부사절
create(→ **creates**) a type of cognitive overload ....
동사

▶ Attempting to ~ the next는 동명사구 주어로 단수 취급하므로 단수동사 creates로 고쳐야 한다.

오답 해설

① In situations [**where** optimal learning occurs], this
선행사 ↰ 관계부사절(= in which)
adaptation can be an interesting, ...
주어   동사

▶ 선행사가 추상적인 의미의 장소를 나타내고 관계사 뒤에 완전한 절이 이어지므로 관계부사 where가 쓰인 것은 적절하다.

② **Once** we proceed beyond that optimal point, the
접속사(일단 ~하면)
experience is likely to become stressful.
주어   동사   보어

▶ 주어와 동사를 갖춘 절이 이어지므로 접속사 Once가 쓰인 것은 적절하다.

③ ..., technological change often occurs **so** rapidly **that**
주어   동사   so+형용사/부사+that:
it becomes impossible to keep up with, ... 너무 ~해서 …하다
가주어   진주어

▶ so는 rapidly를 수식해서 '너무 빠르게 (일어나서)'라는 원인이 되고 '그래서 따라잡기가 불가능하게 된다'라는 결과가 나오므로 「so ~ that ...」 구문의 that이 쓰인 것은 적절하다.

⑤ [**Sensing** an impending overload], some people opt to
분사구문(= As they sense)   주어   동사
avoid change altogether, ...

▶ 주절의 주어인 some people을 생략된 주어로 하는 분사구문으로 능동의 의미를 나타내는 현재분사 Sensing이 쓰인 것은 적절하다.

3 ②

(A) 천연 살충제가 합성 제품에 대한 보다 안전하거나 환경 친화적인 대안이라고 가정하는 것이 합리적인 것처럼 보일 수도 있지만, 명백한 진실은 그것들이 여전히 어떤 경우에는 훨씬 더 위험할 수 있는 독성물질이라는 것이다. 니코틴을 예로 들어보면 그것은 곤충에 대한 방어물로서 특정 식물들에서 생산되는 천연 물질이다. (B) 수세기 동안, 이러한 식물들에서 추출된 니코틴은 농부들이 진딧물, 총채벌레, 잎응애를 박멸하는 데 사용해 왔다. 하지만, 니코틴은 이러한 해충들에게만 위협이 되지 않는다. 심지어 상대적으로 적은 양으로도, 사실상 모든 살아있는 생물에게 심각한 건강상의 위험이 된다. (C) 이 정보는 제품의 라벨에 '천연의'라는 단어가 존재한다고 해서 생명체나 환경에 안전하고 건강하다는 것을 보장하지는 않는다는 것을 상기시켜 주는 역할을 해야 한다. 천연 살충제의 경우, 어떤 제품이라도 사용 전에 반드시 철저하게 조사하도록 하라.

어법 분석

(A) 접속사 that(명사절)
(B) 현재완료 시제
(C) 접속사 that(동격)

정답 해설

(A) ..., the indisputable truth is [**that** they are still toxic
주어   동사 보어(명사절)
substances {**that** can be, in some cases, even more
선행사 ↰ 주격 관계대명사절
dangerous}].

▶ 주어 '명백한 진실(the indisputable truth)'을 보충 설명하는 보어절을 이끄는 접속사가 필요하므로 확인된 사실에 대한 내용을 이끄는 접속사 that이 적절하다. whether는 '~인지 아닌지'의 의미로 뒤에는 불확실한 사실이 나온다.

(B) For centuries, nicotine [**extracted** from these plants]
주어 ↰ 과거분사구
has been used by farmers to exterminate aphids, ...
동사   to부정사 부사적 용법(목적)

▶ 문맥과 For centuries라는 부사구로 보아 과거부터 현재까지 계속해서 쓰이고 있다는 의미를 나타내므로 현재완료 has been이 적절하다.

(C) This information should serve as a reminder [that the
  └─ 동격 ─┘
presence of the word "natural" on any product's label does
  주어   동사
not assure ...].

▶ that 이하는 a reminder의 내용을 부연 설명하는 동격의 that절이다.

₩ⁿ 빈출 어법

1 ②, ⑤   2 that he and Jane would get married next
summer   3 whether she could take part in the speech
contest   4 that he had never met Kelly before that
night   5 (A) Because → Because of(Owing to, Due to)
(B) such → so   6 her desire was so strong that she took
steps   7 ①

---

1 ②, ⑤
해석 ① 그날 밤 최고 경영자가 구속되었다는 소식이 시장에 영향을
미쳤다.
② Mike가 대스타가 될 것인지 아닌지는 확실하지 않았다.
③ John은 팔이 매우 길기 때문에 너보다 농구를 더 잘 할지도 모른다.
④ 그녀는 너무 용감해서 혼자서 전 세계를 여행하는 것을 두려워하지
않았다.
⑤ 아들은 집에 있을 때 할 일이 없다고 말하고 있다.
해설 ② 대스타가 될 것인지의 여부가 확실하지 않으므로 that을
whether로 고쳐야 한다. 주어 자리이므로 if로 바꿔 쓸 수 없다.
⑤ at home 앞에 「주어+be동사」 he is가 생략된 것이므로 during
을 while로 고쳐야 한다.

2 that he and Jane would get married next summer
해설 결혼을 한다는 것은 '사실'이므로 that절로 목적어를 표현하는 것
이 적절하다.

3 whether she could take part in the speech contest
해설 참여할 수 있을지의 '여부'이므로 whether절로 표현하는 것이
적절하다.

4 that he had never met Kelly before that night
해설 만난 적이 없다는 '사실'을 입증하는 것이므로 that절로 표현하는
것이 적절하다.

5 (A) Because → Because of(Owing to, Due to)
(B) such → so
해석 (A) Jake는 호기심 때문에 늘 먼저 문제에 대한 해결책을 찾는다.
(B) Lisa는 너무나 관대해서 재단에 2천 달러를 기부하기로 결정했다.
해설 (A) because는 접속사이므로 뒤에 「주어+동사」가 와야 하는
데, 명사 curiosity만 있으므로 Because of나 Owing to, Due to
로 고쳐야 한다.
(B) such 뒤에는 명사, so 뒤에는 형용사가 이어지므로 형용사 generous
앞의 such는 so로 고쳐야 한다.

---

6 – 7

지문 해석

Mary Cassatt는 부유한 가정에서 태어난 다섯 명의 아이들 중 넷째였다.
그녀의 가족은 화가가 되기로 한 그녀의 결정에 찬성하지 않았지만, 그녀의
바람은 매우 강해서 그녀는 예술을 자신의 직업으로 만들기 위해 단계들을
밟았다. 그녀는 Edgar Degas의 작품을 동경했고 파리에서 그를 만날 수
있었는데, 이는 그녀에게 큰 영감을 주었다. 비록 그녀 자신의 아이는 없었
지만, 그녀는 아이들을 사랑했고 종종 아이들의 초상화를 그렸다. Cassatt
는 70세에 시력을 잃었고 말년에는 그림을 그릴 수 없었다.

6 her desire was so strong that she took steps
해설 take steps는 '단계를 밟다'의 의미이며, '너무 ~해서 …하다'
를 의미하는 「so ~ that …」 구문을 이용하여 영작할 수 있다.

7 ①
해설 (A) 관계사 앞에 접속사가 없으므로 접속사와 대명사의 역할을
함께 하는 계속적 용법의 관계대명사 which가 적절하다.
(B) 관계사 뒤에 「주어+동사」의 완전한 절이 이어지므로 접속사 Though
가 적절하다.
(C) the later years of her life는 명사구이므로 전치사 during이 적
절하다.

정답 및 해설 **19**

CHAPTER 05
대명사

핵심 문법 정리 pp. 44-45

1 그는 거울에 비친 자신을 절대 보지 않았다.
2 그 인터뷰 자체는 매우 흥미로웠다.
3 내 이메일의 거의 대부분이 최근에 알 수 없는 이유로 사라졌다.
4 혁신과 창의성은 다르지만 두 가지 다 사업 성공을 위해 필수적이다.

어법 출제 POINT pp. 44-45

1 it	2 it	3 ours	4 itself	5 them
6 that	7 those	8 it	9 one	10 ones
11 it	12 it	13 it		

1 it
해석 학생들이 그것을 생산적으로 이용할 수 있도록 사전 지식을 활성화하게 도와주어라.

2 it
해석 바람이 너무 강해서 마을의 몇몇 집들의 지붕을 날려 버렸다.

3 ours
해석 다른 휴대용 스피커들에 비해 우리 것이 가장 작고 가볍다.

4 itself
해석 그 치료는 바이러스가 자가 복제하는 것을 예방함으로써 작용한다.

5 them
해석 그 마을 사람들은 가방을 디자인해서 그것들을 시장에 판다.

6 that
해석 윗집의 구조는 아랫집의 구조와 비슷하다.

7 those
해석 알버트 아인슈타인의 뇌 구성은 대부분의 사람들의 뇌 구성과 다르다.

8 it
해석 그는 그 남자에게 이름을 물었고, 수표를 쓴 다음 그것을 그의 손에 쥐어 주었다.

9 one
해석 당신이 ID가 없다면, 장치를 설치할 때 새 ID를 만들 수 있다.

10 ones
해석 지난 세기에 걸쳐 몇몇 새로운 기술들이 등장했고 오래된 기술들을 몰아냈다.

11 it
해석 당신의 노력에도 불구하고 특별한 도움을 필요로 하는 동물들을 돌보는 것은 우리의 능력 밖이다.

12 it
해석 더딘 변화의 속도 역시 나쁜 버릇을 고치는 것을 쉽게 해준다.

13 it
해석 그 젊은 감독은 그녀의 영화가 오스카상 후보에 오른 것이 놀랍다고 생각했다.

어법 적용 연습 pp. 46-47

A 1 it 2 that 3 their 4 It 5 ones
B 1 it 2 them 3 ○ 4 those 5 themselves
   6 ○ / its 7 our / ○ 8 ○ / their 9 yourself / it
C 1 ① those ② them 2 ① it ③ them 3 ② one ③ it

A

1 it
해석 공동체의 한 사람이 전염병에 걸리면 그는 면역력이 없는 다른 사람들에게 그 병을 전파시킬 수 있다.
해설 앞에 나온 an infectious disease를 가리키는 대명사를 써야 하므로 단수형 it이 적절하다.

2 that
해석 그녀는 딸의 교육도 아들의 교육만큼 중요하다고 여겼던 깨어 있는 부모님을 만나는 행운을 가졌다.
해설 앞에 나온 명사 the education의 반복을 피하기 위한 대명사를 써야 하므로 단수형 that이 적절하다.

3 their
해석 알려진 것은 새로운 것으로 변모하는데 어떤 절차는 본래의 가치를 잃거나 다른 절차로 흡수되기 때문이다.
해설 앞에 나온 명사 some procedures를 대신하는 소유격 대명사가 필요하므로 복수형 their가 적절하다.

4 It
해석 담수와 해양 서식지 둘 다에서 멸종 위기에 처한 어종이 많다는 것은 놀랍지 않다.
해설 that절이 문장의 진주어이므로 주어 자리에는 가주어 It을 쓰는 것이 적절하다.

5 ones
해석 그녀는 대규모 및 소규모 학급 둘 다에서 발생하는 부정행위에 대한 자료를 모아서 그것을 분석한다.
해설 앞에 나온 명사 classes와 같은 종류의 대상을 가리키는 말이므로 복수형 ones가 적절하다.

B

1 it
해석 나의 음악 선생님은 내가 나만의 곡을 써서 그 곡을 공연하고 싶어 하는 것이 당연하다고 생각했다.
해설 5형식 동사 thouhgt의 목적어가 that절로 길어질 때 목적어 자리에는 가목적어 it이 와야 하므로 it으로 고쳐야 한다.

20   Supreme 수능 어법 〈실전〉

2 them

해석 1970년대에 미국은 농부들에게 직접 비용을 지불하여 그들에게 옥수수를 경작하도록 장려했다.

해설 앞에 나온 명사 farmers를 대신하는 목적격 대명사를 써야 하며 동사 encouraged의 주어(the U.S.)와 목적어(farmers)가 다르므로 them으로 고쳐야 한다.

3 ○

해석 그 워크샵은 새로운 습관을 만들고 개인의 성취를 막는 오래된 습관을 버리는 데에 초점을 맞추었다.

해설 앞에 나온 명사 habits와 같은 종류의 대상을 가리키는 말이므로 복수형 ones가 쓰인 것은 맞다.

4 those

해석 스페인어와 영어를 모두 사용했던 사람들의 뇌는 한 가지 언어를 사용하는 사람들의 뇌보다 더 민첩하고 순발력이 있었다.

해설 앞에 나온 명사 brains의 반복을 피하기 위한 대명사를 써야 하므로 복수형 those로 고쳐야 한다.

5 themselves

해석 '황색 저널리즘'은 때때로 자신들을 사적인 인물로 여기는 공인에 대한 소문의 형태를 취했다.

해설 앞에 나온 명사 public figures를 가리키는 대명사를 써야 하며 동사 considered의 주어와 목적어가 일치하므로 재귀대명사 themselves로 고쳐야 한다.

6 ○ / its

해석 언어는 뇌기능에 있어 필수적인 구성 요소이지만, 그것은 뇌 그 자체와 마찬가지로 언어가 우리의 신경망에 어떻게 그런 놀라운 작용을 하는지를 알아내고자 하는 과학자들에게 미스터리로 남아 있다.

해설 앞에 나온 명사 the brain을 강조하기 위해 사용된 재귀대명사로 무생물 단수이므로 itself가 쓰인 것은 맞다. / 앞에 나온 명사 language를 가리키는 대명사이고, 문맥상 소유격이 와야 하므로 its로 고쳐야 한다.

7 our / ○

해석 네안데르탈인은 우리와 가장 근접한 동족으로 여겨지지만, 그들의 몸집은 우리보다 훨씬 단단했다. 이는 그들이 살았던 추운 환경 때문이라고 여겨진다.

해설 명사 앞에는 소유격이 와야 하므로 our로 고쳐야 한다. / our bodies를 대신하는 소유대명사 ours가 쓰인 것은 맞다.

8 ○ / their

해석 당대 대부분의 극작가들처럼 셰익스피어가 늘 혼자 작품을 쓰지는 않았다고 흔히 여겨지며, 그의 희곡 중 다수가 협업을 하거나 최초의 창작 후에 개작되었다고 여겨진다.

해설 that절이 문장의 진주어이므로 주어 자리에 가주어 It이 쓰인 것은 맞다. / 앞에 나온 명사 his plays를 대신하는 소유격 대명사가 필요하므로 복수형 their로 고쳐야 한다.

9 yourself / it

해석 당신이 부상을 입을 때마다 감염을 막기 위해 상처 부위를 깨끗이 하는 것이 필수적이다. 액체 비누로 상처 부위를 씻어야 하며 주변 부위 역시 반드시 깨끗이 해야 한다.

해설 동사 injure의 주어와 목적어가 일치하므로 재귀대명사 yourself로 고쳐야 한다. / 앞에 나온 명사 the wound를 가리키는 대명사를 써야 하므로 단수형 it으로 고쳐야 한다.

C

1 ① those ② them

해석 표범무늬상어는 표범에게서 발견되는 것과 유사한 흑갈색 무늬 때문에 이 이름을 갖게 되었다. 다른 상어들과 마찬가지로 암컷 표범무늬상어는 알을 낳고 나서 그들의 몸 안에서 그것들을 부화시킨다. 그들은 정상 출산이 이루어질 때까지 12개월 동안 새끼들을 품는다.

해설 ① 앞에 나온 명사 dark brown markings의 반복을 피하기 위해 사용된 대명사이고, 복수형이므로 those로 고쳐야 한다. ② 주어(female leopard sharks)와 목적어(eggs)가 서로 다른 대상을 가리키므로 목적격 대명사 them으로 고쳐야 한다.

2 ① it ③ them

해석 웹사이트는 쿠키를 사용하는데 그것들은 방문자들이 사이트를 이용하는 것을 더 쉽게 하기 때문이다. 암호, 선호도, 그 외 정보를 저장함으로써 이것이 가능하다. 대부분의 브라우저는 자동으로 쿠키를 허용하지만 사용자들은 이 기능을 비활성거나 쿠키가 사용될 때 사용자들에게 알림이 가게 할 수 있다.

해설 ① 5형식 동사 make의 목적어가 to부정사구로 길어질 때 목적어 자리에는 가목적어를 사용하므로 it으로 고쳐야 한다. ③ 사역동사인 have가 쓰인 문장으로 '사용자들에게 알리다'라는 뜻이 되어야 하므로 앞에 나온 명사 users를 가리키는 목적격 대명사 them으로 고쳐야 한다.

3 ② one ③ it

해석 모든 이들에게는 자신이 듣고 싶은 꿈의 강좌가 있고 그것을 추구하고 싶은 꿈의 대학이 있다. 하지만 당신이 둘 중 하나를 선택해야 한다면 어떻게 할 것인가? 이 결정은 결국 당신의 직업과 미래의 기회들에 영향을 미칠 것이기 때문에 의심할 여지없이 중요하다.

해설 ② 앞에 나온 명사 a dream course와 a dream college 중에서 같은 종류의 불특정한 하나를 가리키는 대명사가 와야 하므로 one으로 고쳐야 한다. ③ 앞에 나온 this decision을 가리키는 대명사로 주어 자리에 쓸 수 있는 it으로 고쳐야 한다.

어법 실전 Test

pp. 48-49

1 ③   2 ⑤   3 ①

1 ③

지문 해석

신기술 확산은 일반적으로 예측 가능한 단계들의 순서로 발생한다. ① 처음에 소비자들은 미디어를 통해 또는 신기술의 사용을 직접 관찰함으로써 그것에 대해 배운다. ② 예를 들어, 그들은 새로운 전자 기기에 관한 온라인 기사를 읽거나 같은 반 친구가 새 전자 기기를 사용하는 것을 볼 수도 있다. 이후 그들은 장단점을 따져 본다. 기기의 가격이 적절한가? ③ 그것으로 그들이 이미 소유하고 있는 기기로 할 수 없었던 일들을 할 수 있는가? 마지막으로, 만약 그들이 그것을 써 보고 싶다고 결정하면, 그들은 구매를 할 것이다. ④ 일단 기기를 소유하면 소비자는 기기의 가치를 계속 평가하여, 궁극적으로 자신들의 기기 사용을 승인, 거부 또는 수정한다. 결국, 그들은 그것이 그들의 일상 생활에 유용한 혁신을 제공하지 않는다는 것을 알게 되어 그것을 구입했던 것을 후회하게 될 수도 있다. ⑤ 즉, 소비자는 기대한 결과에 기반하여 어떤 신기술을 추구할 것인가를 선택하고 나서 그것이 그 기대치를 달성했는지 여부를 확인한다.

어법 분석

① 소유격 대명사　　　　　　② 부정대명사 one
③ 관계대명사　　　　　　　④ 병렬
⑤ 의문사+to부정사

정답 해설

③ Can they do things with it [when(→ that(which)) they
　선행사 ↑━━━━━━━━ 목적격 관계대명사절
couldn't do with devices {they already own}]?
　　　　　　　　　　　　↑ 목적격 관계대명사절(관계대명사 생략)

▶ 관계사 뒤에 목적어가 없는 불완전한 절이 이어지므로 things를 선행사로 하는 관계대명사 that이나 which로 고쳐야 한다.

오답 해설

① Initially, consumers learn about the new technology
　　　　　주어　　 동사　　　　　　↓
[through the media or by observing its use firsthand].
전치사구

▶ the new technology를 가리키는 대명사의 소유격을 나타내므로 its가 쓰인 것은 적절하다.

② For example, they may read an online article about a new
　　　　　　　주어　동사1
electronic device or see a classmate using one.
　　　　　　　동사2　　목적어　　목적격보어

▶ 앞에 나온 명사 a new electronic device를 대신하는 말로 같은 종류의 대상을 가리키므로 one이 쓰인 것은 적절하다.

④ ..., consumers continue to assess its value, [eventually
　　　　　　　continue to-v: 계속해서 ~하다　　분사구문
accepting, rejecting, or modifying their use of it].
分사1　　　分사2　　　 분사3

▶ 분사구문에서 accepting, rejecting, modifying은 접속사 or로 병렬 연결되어 their use of it을 목적어로 취하므로 현재분사 modifying이 쓰인 것은 적절하다.

⑤ ..., consumers select [which new technology to pursue
　　　　　　　주어　　　동사　　목적어(의문사+to부정사)
based on expected outcomes] ....
~에 기반하여

▶ 의문사 which와 to부정사가 함께 쓰여 '어떤 것을 ~할지'라는 의미를 가지며 동사 select의 목적어 역할을 할 수 있으므로 to pursue가 쓰인 것은 적절하다.

2 ⑤

지문 해석

① 모든 것을 당신 스스로 생산하려고 노력하는 것은 당신이 고비용 공급자가 되는 많은 것들을 생산하기 위해 당신의 시간과 자원을 사용하고 있다는 것을 의미한다. 이것은 더 낮은 생산과 수입으로 해석될 수 있다. ② 예를 들면, 비록 대부분의 의사가 자료 기록과 진료 예약을 잡는 데 능숙할지라도, 이러한 서비스를 수행하기 위해 누군가를 고용하는 것은 일반적으로 그들에게 이익이 된다. 기록을 하기 위해 의사가 사용하는 시간은 그들이 환자를 진료하면서 보낼 수 있었던 시간이다. ③ 그들이 환자와 보내게 되는 시간은 큰 가치를 가지기 때문에 의사들에게 자료 기록을 하는 기회비용은 높을 것이다. ④ 따라서 의사는 자료를 기록하고 그것을 관리하기 위해 누군가 다른 사람을 고용하는 것이 이득이라는 것을 거의 항상 알게 될 것이다. ⑤ 더군다나 의사가 의료 서비스의 제공을 전문으로 하고, 자료 기록에 있어 비교우위를 가지고 있는 사람을 고용하면, 그렇게 하지 않으면 얻을 수 있는 것보다 그 비용은 더 낮아질 것이고 공동의 결과물이 더 커질 것이다.

어법 분석

① 전치사+관계대명사　　　② 가주어 it
③ 과거분사　　　　　　　④ 형용사 목적격보어
⑤ 병렬

정답 해설

⑤ Moreover, when the doctor specializes in the provision
　　　　　　　　　 주어　　 동사1
of physician services and hiring(→ hires) someone ....
　　　　　　　　　　　　　동사2

▶ 동사 specializes가 접속사 and로 병렬 연결되어 있으므로 hires로 고쳐야 한다.

오답 해설

① ... you are using your time and resources to produce
　　　주어　　동사　　　　　　　　　　　to부정사 부사적 용법(목적)
many things [for which you are a high-cost provider].
　선행사 ↑ (= for many things)

▶ 관계사 다음에 완전한 절이 이어지고 선행사 many things를 의미하는 which는 전치사와 함께 쓰여야 하므로 for which가 쓰인 것은 적절하다.

② ..., it is generally in their interest to hire someone to
　　　가주어　　　　　　　　　　　　　　진주어(to부정사구)
perform these services.
to부정사 부사적 용법(목적)

▶ 문장의 주어인 to부정사구가 길어 동사 뒤에 왔으므로 주어 자리에 가주어 it이 쓰인 것은 적절하다.

③ Because the time [spent with their patients] is worth a
　　　　　　　　　 (which is)　과거분사구
lot, ...

▶ the time은 '(누군가에 의해) 소비되는' 것이므로 수동의 의미를 나타내는 과거분사 spent가 쓰인 것은 적절하다.

④ Thus, doctors will almost always find **it** advantageous
　　　　　　　　　　　　　　　　　　 동사　가목적어　목적격보어

[to hire someone else to keep and manage their records].
　진목적어(to부정사구)　　　　to부정사 부사적 용법(목적)

▶ 동사 find가 쓰인 5형식 문장으로 목적격보어로는 명사나 형용사가 와야 하므로 형용사 advantageous가 쓰인 것은 적절하다.

(C) This final stage involves widespread intermarriage,
　　　　　　　　　　　　　　　　　　　　　　　선행사

[**through which** the biological distinctions {between the
　전치사+관계대명사(계속적 용법)　　　　주어　　　　　전치사구

two groups} are gradually declined].
　　　　　　　└──── 동사 ────┘

▶ 관계사 뒤에 이어지는 문장이 완전한 절이고 선행사가 관계사절 내에서 through widespread intermarriage의 의미가 되어야 하므로 「전치사+관계대명사」 형태인 through which가 적절하다.

---

3 ①

지문 해석

동화란 뚜렷한 민족 유산을 가진 개인이나 소수 집단이 지배 문화에 흡수됨으로써 사회의 다른 구성원들과 사회적으로 구별할 수 없게 되는 과정을 말한다. (A) 예를 들어 하와이에서는 수많은 아시아 태평양 소수 민족들이 자발적으로 자신들을 하와이 주류 사회에 동화시켰다. 이러한 유형의 동화는 일반적으로 순차적 진행으로 발생하는 세 가지 뚜렷한 형태를 취한다. (B) 그 첫 단계는 문화적 동화인데, 그 단계에서 소수 집단은 언어, 가치관, 행동 등을 포함한 자신의 문화적 특징들을 점차 포기하고 지배 집단의 그것들을 받아들인다. 다음으로 사회적 동화가 오는데, 소수 집단의 구성원들이 교회와 마을 조합과 같은 주류 집단의 사회 기관에 가입하기 시작한다. 마지막으로 물리적인 통합이 있다. (C) 이 최종 단계에는 광범위한 다른 민족 간의 결혼이 포함되는데, 그로 인해 두 집단 간의 생물학적 구분이 점차적으로 감소한다.

어법 분석

(A) 재귀대명사
(B) 대명사
(C) 전치사+관계대명사

정답 해설

(A) In Hawaii, for example, numerous Asian and Pacific
　　　　　　　　　　　　　　　　 주어

minorities have voluntarily assimilated themselves into
　　　　　　└──── 동사 ────┘　　　　　목적어

mainstream Hawaiian society.

▶ assimilate는 타동사로 목적어가 필요한데, 목적어가 의미하는 대상이 주어(numerous Asian and Pacific minorities)와 동일하므로 재귀대명사 themselves가 적절하다.

(B) ..., during which the minority group gradually surrenders
　　　　　　　　　　　　　　　주어　　　　　　　　 동사

its own cultural features, [including language, values, and
　목적어　　　　　　　　　　　　　　전치사구

behaviors], [**while accepting** those of the dominant group].
　　　　　　　분사구문(~하면서)

▶ 앞에 나온 cultural features의 반복을 피하기 위한 복수형 대명사로 those가 적절하다.

---

mel 빈출 어법
p. 50

1 ②　2 you need to ask yourself about your needs and budget　3 contrast with those of other children　4 made it clear that it would change its business structure by next year　5 (A) (사업) 모델을 먼저 그려 보지 않고 제대로 이해하는 것 (B) (사업) 모델　6 you should compare yourself to is you　7 ④

1 ②

　해석 ① 그녀는 작은 아파트를 둘러보며 자신의 물건들을 찾았다.
　② 그는 배터리가 필요하다는 것을 깨닫고 가게에 가서 하나 샀다.
　③ 시험 당일에 학생들이 불안을 느끼는 것은 매우 자연스러운 일이다.
　④ 저자는 예술을 감상하는 새로운 방법의 발견을 가능케 했다.
　⑤ 물의 끓는점이 암모니아의 그것보다 높은 이유는 무엇인가?
　해설 ① which가 이끄는 관계사절이 사물인 things를 수식하고 있으므로 her는 소유대명사 hers로 고쳐야 한다.
　③ to부정사구가 진주어로 쓰인 문장이므로 That을 가주어 역할을 할 수 있는 It으로 고쳐야 한다.
　④ 문장의 목적어인 to부정사가 길어 목적격보어 뒤에 왔으므로 목적어 자리의 its를 가목적어 it으로 고쳐야 한다.
　⑤ 앞에 나온 the boiling point의 반복을 피하기 위한 대명사이므로 it은 that으로 고쳐야 한다.

2 you need to ask yourself about your needs and budget
　해설 주격, 소유격, 목적격 등 맥락에 따라 you의 격을 달리해야 한다. 특히 주절에서는 주어와 목적어가 같은 대상(you)을 가리키므로 목적어 자리에 재귀대명사를 쓴다.

3 contrast with those of other children
　해설 contrast with는 '~와 대조를 보이다'라는 의미이고, 대명사 those는 앞선 stories를 대신할 수 있다.

4 made it clear that it would change its business structure by next year
　해설 목적어가 긴 문장으로 동사 made 뒤에 가목적어 it과 목적격보어인 형용사 clear를 쓰고 그 뒤에 진목적어 that절을 쓴다.

5 (A) (사업) 모델을 먼저 그려 보지 않고 제대로 이해하는 것
　(B) (사업) 모델

해석 사업 모델이 복잡하고 여러 개의 구성 요소와 상호 연결로 이루어져 있다는 사실 때문에, 모델을 먼저 그려 보지 않고 그것을 제대로 이해하기가 매우 어렵다.

해설 (A) it은 가주어이고 진주어는 to부정사구(to properly ~ out)이므로, it이 가리키는 것은 진주어의 내용이다.

(B) 대명사 it은 앞에 나온 명사 a model을 가리킨다.

6 - 7

지문 해석

나는 일을 시작했을 때, 각 조직의 지도자들에 대한 통계를 보여 주는 조직의 연례 보고서를 고대했다. 메일로 그것을 받자마자, 나의 순위를 찾고 나의 진행 상황을 다른 지도자들의 진행 상황과 비교하곤 했다. 약 5년 후, 나는 그렇게 하는 것이 얼마나 해로운지 깨달았다. 자신을 다른 사람과 비교하는 것은 불필요하게 집중을 방해하는 것일 뿐이다. 여러분 자신과 비교해야 하는 유일한 사람은 여러분뿐이다. 여러분의 임무는 어제의 여러분보다 오늘 더 나아지는 것이다.

6 you should compare yourself to is you

해설 관계대명사가 생략된 목적격 관계대명사절이 The only person을 수식하도록 하고, 관계대명사절의 주어와 목적어가 같은 대상(you)을 가리키므로 목적어 자리에 재귀대명사를 쓴다.

7 ④

해설 ① 단수명사 the organization의 소유격을 나타내므로 its가 쓰인 것은 적절하다.
② it은 앞선 the annual report를 받으므로 단수대명사 it이 쓰인 것은 적절하다.
③ 가주어 it에 대해 진주어 역할을 하는 to부정사구 to do가 쓰인 것은 적절하다.
④ other는 단독으로 쓰여 '다른 사람들'이라는 의미를 나타낼 수 없으므로 복수형 others로 고쳐야 한다.
⑤ 어제와 오늘의 독자(you)를 비교하므로 you가 쓰인 것은 적절하다.

CHAPTER 06

형용사/부사/비교

핵심 문법 정리

1 전문적인 의사소통은 직장에서 중요하다.
2 그 선수는 경기에서 잘해서 유명해졌다.
3 보관된 모든 환자 기록은 완전히 기밀이다.
4 다행히도, 비행기가 활주로에서 미끄러졌을 때 아무도 다치지 않았다.
5 건강만큼 중요한 것은 없다고들 종종 말한다.
6 운동은 약물만큼 효과적으로 혈압을 낮출 수 있다.
7 직경이 370피트인 그 호수는 축구장보다 더 크다.
8 어린아이들은 대개 성인들보다 더 예민하다.
9 손을 씻는 것은 세균의 전파를 예방하는 가장 효과적인 방법이다.
10 검은 오팔은 모든 오팔 중에서 가장 귀하고 원하는 것이다.
11 모차르트는 역사상 가장 위대한 음악가 중 한 명으로 기억된다.

어법 출제 POINT
pp. 52-53

1 totally	2 seriously	3 silent	4 sleeping
5 alive	6 hard	7 nearly	8 far
9 by far	10 more	11 as	12 much

1 totally
해석 오늘날 우리의 삶은 300년 전 사람들의 삶과 완전히 다르다.

2 seriously
해석 온라인 증오 범죄는 대면 학대만큼 심각하게 다루어져야 한다.

3 silent
해석 우리는 더 이상 기후 변화 문제에 대해 침묵해서는 안 된다.

4 sleeping
해석 많은 부모들에게 자고 있는 아기보다 더 평화로운 것은 없다.

5 alive
해석 공룡들이 아직 살아 있다면, 지구의 삶은 완전히 다를 것이다.

6 hard
해석 비행기가 심하게 흔들리자 나는 아무것도 통제할 수 없다는 느낌이 들면서 몸이 움직이지 않는다.

7 nearly
해석 그 회사는 거의 10년 동안 그 프로젝트를 진행해 왔다.

8 far
해석 그 기금은 석 달 만에 그들 중 누가 예상했던 것보다도 훨씬 더 많이 모금되었다.

9 by far
해석 태양에서 다섯 번째 선상에 있는 목성은 태양계에서 가장 큰 행성이다.

10 more

해석 백신을 접종하는 사람들이 많아질수록 질병이 퍼질 가능성이 줄어든다.

11 as

해석 우호적인 태도를 유지하면서 너의 의견을 가능한 한 명확하게 말하는 것이 최선이다.

12 much

해석 그 영화는 로맨스에 대한 것이라기보다는 한 음악가에 대한 것이었다.

어법 적용 연습

pp. 54-55

A 1 vividly 2 equally 3 high 4 Most 5 late
B 1 the more likely 2 ○ 3 much 4 fallen 5 as
  6 hard / furious 7 ○ / global 8 obviously / ○
  9 dangerous / than
C 1 ① live ② professionally 2 ② the biggest ③ lonely
  3 ② far(even, still, a lot, much) ③ silently

A

1 vividly

해석 은퇴한 장교인 Fernando 씨는 제2차 세계 대전을 바로 어제 일어났던 일처럼 생생하게 기억할 수 있었다.

해설 「as+원급+as」 구문으로 동사 remember를 수식하는 말이 와야 하므로 부사 vividly가 적절하다.

2 equally

해석 빠른 판단력은 직장에서만 관련된 것이 아니라 인간 관계에서도 똑같이 적용할 수 있다.

해설 형용사 applicable을 앞에서 수식하는 말이 와야 하므로 부사 equally가 적절하다.

3 high

해석 우기 동안에는 기온이 높게 유지되고 강한 열대성 폭우 형태로 강우가 온다.

해설 2형식 동사 remain의 보어 자리에는 형용사가 와야 하므로 high가 적절하다. highly는 '매우, 꽤'라는 의미의 부사이다.

4 Most

해석 대부분의 플라스틱은 자외선에 노출되면 점점 더 작은 조각으로 분해된다.

해설 명사 plastics를 수식하는 말이 와야 하므로 형용사 Most가 적절하다. almost는 '거의'라는 의미의 부사이다.

5 late

해석 배달 트럭 운전수가 브레이크를 너무 늦게 그리고 너무 세게 밟아서 심각한 사고를 냈다.

해설 동사 braked를 수식하고, '늦게'라는 의미를 나타내는 부사가 와야 하므로 late가 적절하다. lately는 '최근에'라는 의미의 부사이다.

B

1 the more likely

해석 당신이 소셜 미디어에서 더욱 활발할수록 사람들이 당신을 알아보고 당신의 사업을 지원할 가능성이 더 높아진다.

해설 「the+비교급, the+비교급」 구문이 쓰인 문장으로 비교급 앞에 the를 써서 the more likely로 고쳐야 한다.

2 ○

해석 많은 사람들이 대중교통을 이용하고 있지만 네덜란드에서는 자전거를 타는 것이 가장 대중적인 형태의 교통수단이다.

해설 최상급 앞에서 강조하는 말로 by far가 쓰인 것은 맞다.

3 much

해석 우리는 여러분이 가능한 한 많이 재활용하는 것을 권장하지만 할 수 있는 최선의 방법은 더 적은 쓰레기를 배출하는 것이다.

해설 「as+원급+as possible」 구문이 쓰인 문장으로 부사의 원급을 써야 하므로 much로 고쳐야 한다.

4 fallen

해석 한 남자가 뒷마당에서 쓰러진 나무 밑에 갇혔다가 구조되었다.

해설 명사 tree를 수식하는 한정 용법 형용사가 와야 하므로 fallen으로 고쳐야 한다.

5 as

해석 해양 동물들은 육지에 서식하는 동물들보다 기후 변화가 유발하는 서식지 손실에 두 배 더 취약하다.

해설 「배수사+as+원급+as」 구문이 쓰인 문장으로 비교 대상 앞에 오는 말을 as로 고쳐야 한다.

6 hard / furious

해석 아버지는 "네가 화가 날 때마다, 저 낡은 울타리에 가능한 한 세게 못을 박아라."라고 말했다. 그 울타리는 매우 단단했다. 그럼에도 불구하고, 그 소년은 너무 화가 나서 바로 그 첫 날에 37개의 못을 박았다.

해설 「as+원급+as+주어+can」 구문으로 동사 drive를 수식하는 부사가 와야 하므로 '세게, 강하게'의 의미인 hard로 고쳐야 한다. hardly는 '거의 ~않는'이라는 의미의 부사이다. / be동사의 보어로 형용사가 와야 하므로 furious로 고쳐야 한다.

7 ○ / global

해석 가장 최근의 날씨 데이터 분석은 전 세계적 기후 변화에 의한 기온 상승으로 인해 지금 호주의 여름이 겨울보다 더 훨씬 길어졌다는 것을 보여 준다.

해설 비교급을 강조하는 말로 even이 쓰인 것은 맞다. / 명사를 앞에서 수식하는 말이 와야 하므로 형용사 global로 고쳐야 한다.

8 obviously / ○

해석 대공황은 미국의 많은 지역에 그랬던 것만큼 Maine 주 해안 지역에는 두드러지게 영향을 미치지 않았는데, 그 해안 지역은 이미 경제적으로 너무 침체되어 있어서 더 이상 떨어질 곳이 없었기 때문이었다.

해설 「as+원급+as」 구문으로 동사 impact를 수식하는 부사가 와야 하므로 obviously로 고쳐야 한다. / 형용사 depressed를 수식하는 말이 와야 하므로 부사 economically가 쓰인 것은 맞다.

9 dangerous / than

해석 고대에는 일식이 일어나는 동안 야외에 있는 것이 위험하다고 여겨졌다. 하지만 부분 일식은 태양을 응시하지 않는 한 하루 중 다른 어떤 때와 마찬가지로 위험하지 않다.

해설 5형식 동사 consider의 수동태 문장이므로 동사의 목적격보어 역할을 할 수 있는 형용사 dangerous로 고쳐야 한다. / 「no more A than B」 구문을 써서 'B가 아닌 것과 같이 A도 아니다'라는 의미로 쓰인 문장이므로 than으로 고쳐야 한다.

C

1 ① live ② professionally

해석 살아 있는 동물을 운송하는 것은 특정 요건들에 대한 특별한 주의를 필요로 합니다. 우리의 전문적으로 훈련된 인력들은 동물 운송에 대한 경험이 있으며 수송 대상에 대해 각별한 주의를 기울일 것입니다.

해설 ① 명사 앞에서 수식할 수 있는 한정 용법 형용사 live로 고쳐야 한다. ② 형용사 trained를 수식하는 말이 와야 하므로 부사 professionally로 고쳐야 한다.

2 ② the biggest ③ lonely

해석 최근 인구 통계의 변화는 점점 더 많은 가족들이 고령의 친족들을 보호 시설에 두는 결과를 가져오고 있다. 이러한 노인들이 직면하는 가장 큰 문제 중 하나는 외로운 삶을 살게 될 가능성이다.

해설 ② '가장 ~한 것 중 하나'라는 의미의 「one of+the+최상급+복수명사」 구문으로 the biggest로 고쳐야 한다. ③ 명사 life를 앞에서 수식하고 '외로운'의 의미가 되어야 하므로 형용사 lonely로 고쳐야 한다.

3 ② far(even, still, a lot, much) ③ silently

해석 어떻게 들리는지 들어 보기 위해서 여러분 자신의 에세이를 크게 읽는 것은 도움이 될 수 있고, 때로는 다른 누군가가 그것을 읽는 것을 듣는 것이 훨씬 더 이로울 수 있다. 어느 방법이든 조용히 편집하면 알아채지 못할지도 모르는 것들을 듣는 데 도움이 될 것이다.

해설 ② by far는 최상급을 강조할 때 쓰는 말이므로 비교급을 강조하려면 far, even, still, a lot, much 등으로 고쳐야 한다. ③ 동사 edit를 수식하는 말이 와야 하므로 부사 silently로 고쳐야 한다.

어법 실전 Test

1 ④ 2 ③ 3 ①

1 ④

지문 해석

건축은 일반적으로 기존 상황에 대한 반응으로써 구상되고, 디자인되고, 실현된다. ① 이러한 상황들은 근본적으로 순전히 기능적이거나, 사회적, 정치적, 경제적 상황을 다양한 정도로 반영하기도 한다. ② 어떤 경우든, 기존 상황이 훨씬 덜 만족스럽고, 새로운 상황이 바람직할 것이라고 여겨진다. ③ 모든 디자인 과정의 첫 번째 단계는 문제 상황을 인식하고 그에 대한 해결책을 찾아내려는 결정이다. 디자인은 결국 의도적인 노력이다. ④ 디자이너는 우선 문제가 있는 기존 상황을 기록하고, 분석되어야 할 관련 자료를 수집해야 한다. ⑤ 이것이 디자인 과정의 가장 중요한 단계인데, 해결책의 본질은 문제가 어떻게 정의되는가와 관련 있기 때문이다.

26   Supreme 수능 어법 〈실전〉

어법 분석

① 부사   ② 비교급 강조
③ to부정사   ④ 병렬
⑤ 수동태

정답 해설

④ A designer must first document the existing conditions
주어 ———동사1———
of a problem and collecting(→ collect) relevant data to be
동사2
analyzed.

▶ 동사 (must) document가 접속사 and로 병렬 연결되어 있으므로 collect로 고쳐야 한다.

오답 해설

① These conditions may be **purely** functional in nature, ...
부사   형용사

▶ 형용사를 앞에서 수식하므로 부사 purely가 쓰인 것은 적절하다.

② ..., **it** is assumed [**that** the existing set of conditions is
가주어 it   진주어1(명사절)
much less satisfactory] and [**that** a new set of conditions
비교급   진주어2(명사절)
would be desirable].

▶ 비교급의 의미를 강조할 때는 much, a lot, even, still, far 등을 써야 하므로 비교급 앞에 much가 쓰인 것은 적절하다.

③ The initial phase of any design process is the recognition
주어   동사   보어1
of a problematic condition and the decision to find a solution
to it.   보어2

▶ 「the decision to-v」는 '~하려는 결정'이라는 의미로 to부정사 to find가 쓰인 것은 적절하다.

⑤ ... **since** the nature of a solution is related to [**how** a
접속사(~때문에)   간접의문문
problem **is defined**].   (의문사+주어+동사)

▶ 전치사 to의 목적어로 쓰인 간접의문문에서 주어 a problem은 '정의되는' 것으로 동작의 대상이므로 수동태 is defined가 쓰인 것은 적절하다.

2 ③

지문 해석

고대 이집트 조각상들의 수집품을 보면 한 가지 사실이 바로 눈에 띄는데 그들 중 매우 많은 것들이 코가 없어졌다는 것이다. ① 이것을 수천 년에 걸쳐 발생하는 피할 수 없는 마모와 해짐의 결과로 보는 것이 논리적으로 보일 수

있다. ② 그러나 손상이 매우 일관된 패턴으로 발견된다는 사실은 그것이 의도적인 행위였을 수 있다는 것을 시사한다. ③ 고대 이집트에서는 인간 형태의 조각상이 위대한 힘을 담는 그릇이라고 여겨졌는데, 이는 신의 본질이나 더 이상 살아 있지 않은 인간의 영혼이 그것들에 들어가서 살 수 있다고 믿어졌기 때문이다. ④ 그러므로, 조각상을 파괴하는 행위는 그들을 '비활성화'하고 그들의 힘을 없애려는 의식이었다고 추정되는데, 이것은 코가 없으면 그 조각상이 더 이상 '호흡'할 수 없다는 논리이다. ⑤ 예를 들어, 도굴꾼이 값비싼 물건들을 훔치는 데 주로 관심이 많았을지라도, 그 겁먹은 범죄자는 무덤의 죽은 주인이 자신의 닮은 모습이 손상되지 않으면 복수할지도 모른다고 걱정하기도 했다.

어법 분석

① 형용사　　　　　　　② 조동사+have+p.p.
③ 형용사　　　　　　　④ 접속사 that
⑤ 가정법 과거

정답 해설

③ ... it was believed [**that** the essence of a god or the soul of
　　　가주어　　　　　　　　진주어(명사절)
a human {**who** was no longer live(→ alive)} could enter ...].
　　　　 주격 관계대명사절

▶ 관계사절 내에서 be동사의 보어 역할을 해야 하므로 서술 용법 형용사 alive로 고쳐야 한다. live는 명사를 수식하는 한정 용법으로만 사용할 수 있는 형용사이다.

오답 해설

① It may seem **logical** [to attribute this to inevitable wear
　가주어　 동사　 보어　　진주어　　attribute A to B: A를 B의
and tear {**occurring** over millennia}].　　　　　　결과로 보다
　　　　　　 현재분사구

▶ 2형식 동사 seem 다음에는 보어 역할을 할 수 있는 형용사가 필요하므로 logical이 쓰인 것은 적절하다.

② However, the fact [**that** the damage is found {in such a
　　　　　　　주어 └동격┘　 주어　　 동사　 전치사구
consistent pattern}] suggests [**that** it **may have been** an
　　　　　　　　　　　 동사　　목적어(명사절)
intentional act].

▶ may have p.p.는 '~였을지도 모른다'라는 과거에 대한 (불확실한) 추측을 나타내므로 문맥상 may have been이 쓰인 것은 적절하다.

④ ..., it is suspected [**that** the vandalism of statues was
　　　　　가주어　　　　　　진주어
a ritual {**intended** to "deactivate" them and remove their
 (which was) 과거분사구
power}], [the logic being {**that** without a nose, the statue
　　　　　분사구문(= and the logic is that) – 분사구문의 주어가 주절의
could no longer "breathe."}]　　　　주어와 다르므로 따로 표시

▶ 분사구문에서 be동사의 보어 역할을 해야 하므로 명사절을 이끄는 that이 쓰인 것은 적절하다.

⑤ ..., the scared criminal was also worried [**that** the tomb's
　　　　　　주어　　　　　└─ 동사 ─┘　　　　　명사절
deceased occupant **might take** revenge {**if** his or her
　　　　　　　　 조동사(과거형)+동사원형
rendered likeness wasn't damaged}].
　　　　　 동사(과거형)

▶ 조건절에 「if+주어+동사의 과거형」이 쓰였으므로 주절의 형태는 「주어+조동사의 과거형+동사원형」의 현재 사실의 반대를 가정하는 가정법 과거가 되어야 하므로 might take가 쓰인 것은 적절하다.

---

3 ①

지문 해석

① 연구에 따르면 아침 식사는 이전에 생각했던 것보다 우리의 전반적인 건강에 있어 훨씬 더 큰 역할을 한다. 한 연구에서, 16명의 사람들이 3일 동안 저칼로리의 아침 식사, 고칼로리의 저녁 식사와 그 반대를 번갈아 했다. ② 신체가 얼마나 효율적으로 음식을 대사하는지를 측정하는 식이성 열생산이 배고픔의 정도, 혈당 수치, 단 것에 대한 욕구와 함께 추적되었다. ③ 결과는 아침 식사를 먹는 것은 아무리 많은 칼로리를 함유하고 있다 하더라도 저녁 식사로 먹은 같은 음식에 의해 만들어지는 것보다 2배 높은 정도의 식이성 열생산을 만들어 낸다는 것을 보여 주었다. 이것은 우리의 신진대사가 아침에 더 활발하다는 것을 나타낸다. ④ 게다가, 더 풍성한 아침 식사를 먹는 사람들은 식욕, 특히 단 것에 대한 식욕이 더 적고 저녁에 덜 먹는 경향이 있다. ⑤ 아침 식사는 인슐린과 혈당 수치를 낮추는 데도 관련이 있기 때문에, 당뇨병이 있는 사람들이 저녁 식사보다는 아침 식사에 집중하는 것이 적절하다.

어법 분석

① 비교급 강조　　　　　　② 수 일치
③ 「배수사+as ~ as」 비교급　④ 병렬
⑤ 전치사+의미상의 주어

정답 해설

① Research shows [**that** breakfast plays a **very**(→ **much**)
　　 주어　　 동사　　　목적어(명사절)
larger role in our overall health than previously thought].
　 ↑　　　　　　　　　　　　　　　　　　(it was)

▶ very는 비교급을 강조할 수 없으므로 비교급을 수식[강조]할 수 있는 부사 much, still, far 등으로 고쳐야 한다.

오답 해설

② Diet-induced thermogenesis, [**which** measures {how
　　　　　　주어　　　　　　　 주격 관계대명사절
efficiently the body metabolizes food}], was tracked, ...
 간접의문문(명사절 – 목적어 역할)　　　　　 동사

▶ 주어 Diet-induced thermogenesis는 단수명사이므로 단수동사 was가 쓰인 것은 적절하다.

③ ..., creates levels of diet-induced thermogenesis [**that**
  <u>동사</u>   <u>과거분사구</u>   주격 관계대명사절

are **twice as high as** those {**produced** by the same meal
  배수사+as+원급+as = levels of diet-induced thermogenesis
  : ~보다 −배 더 …한

...}].

▶ high는 형용사나 부사로 쓰여 '높은, 높게'의 의미를 나타내는데 이 문장에서는 주격보어로 쓰였으므로 '높은'의 의미를 나타내는 형용사 high가 쓰인 것은 적절하다.

④ ..., people [**who** eat richer breakfasts] have less of an
  <u>주어</u> <u>주격 관계대명사절</u>   동사1

appetite, specifically for sweets, and tend to eat less ....
                                          동사2

▶ 두 개의 동사가 접속사 and로 병렬 연결되어 있으므로 tend가 쓰인 것은 적절하다.

⑤ ..., it makes sense **for** people with diabetes to focus on
  가주어 동사   의미상 주어   진주어

breakfast rather than dinner.

▶ 진주어인 to부정사를 대신하는 가주어 it이 쓰인 문장으로 to부정사의 행위 주체와 문장의 주어가 달라 의미상의 주어를 써야 하므로 people with diabetes 앞에 for가 쓰인 것은 적절하다.

빈출 어법

p. 58

1 ①, ③ 2 hardly hear the teacher from my seat 3 was highly recommended(was recommended highly) by many critics all over the world 4 people practice a new skill, the faster they'll improve it 5 far 6 bad habits are extremely hard to break 7 ⑤

1 ①, ③

해석 ① 나는 오늘 아침 늦게 일어나서 택시를 타고 급하게 출근해야 했다.
② 지구 온난화 때문에 지구의 해수면이 예상했던 것보다 훨씬 빠르게 상승하고 있다.
③ 그는 어제 나의 이웃으로 이사를 와서 그의 집은 이제 매우 가깝다.
④ 사람들은 그를 직접 돕고 싶어하지만, 나는 가장 좋은 해결책은 그를 내버려두는 것이라고 생각한다.
⑤ 대부분의 여성들에게 하루에 여섯 티스푼을 넘지 않는 양의 설탕이 권장된다.

해설 ① lately는 '최근에, 얼마 전에'를 뜻하고 '늦게'를 뜻하는 부사는 late이므로 lately를 late로 고쳐야 한다.
③ nearly는 '거의'를 뜻하는 부사이고 '가까운'을 뜻하는 형용사는 near이므로 nearly를 near로 고쳐야 한다.

2 hardly hear the teacher from my seat

해설 '거의 ~아니다, 거의 ~할 수가 없다'의 의미로 사용되는 부사는 hardly이다.

3 was highly recommended(was recommended highly) by many critics all over the world

해설 '매우'의 의미로 사용되는 부사는 highly이다.

4 people practice a new skill, the faster they'll improve it

해설 「the+비교급, the+비교급」 구문을 사용한다.

5 far

해설 (A) 그녀는 자신의 수영 실력을 과신하면서 해변에서 멀리 헤엄쳐 갔다.
(B) 우리가 이룬 성공에 대한 노력의 역할은 우리가 생각했던 것보다 훨씬 더 크다.

해설 far는 부사로서 '멀리'의 의미로 사용되기도 하고, 비교급을 강조하는 '훨씬'의 의미로 사용되기도 한다.

6 – 7

지문 해석

인간은 도덕성을 가지고 있고 동물은 그렇지 않다는 믿음은 매우 오래된 가정이라서 그것은 습관적 사고라고 불릴 수 있고, 나쁜 습관은 고치기가 극도로 어렵다. 많은 사람들이 그 생각에 동의했는데, 동물들이 도덕적 행동을 할 것이라는 가능성의 복잡한 결과들을 다루는 것보다 동물에게서 도덕성을 부정하는 것이 더 쉽기 때문이다. 동물들이 누구인가에 대한 부정은 동물들의 인지적, 감정적 능력에 대한 잘못된 고정관념을 유지하는 것을 편의대로 허용한다. 주요한 패러다임의 전환이 분명히 필요하다. 이것은 습관적 사고의 안일한 수용이 동물들이 어떻게 이해되고 다루어지는지에 대해 강한 영향을 미치기 때문이다.

6 bad habits are extremely hard to break

해설 '어려운, 힘든'을 뜻하는 형용사 hard를 사용해야 한다.

7 ⑤

해설 ① 뒤에 나오는 명사 assumption을 수식하는 말로 형용사 longstanding이 쓰인 것은 적절하다.
② it이 가주어이고 진주어로 to부정사 to deny가 쓰인 것은 적절하다.
③ 전치사 for의 목적어로 동명사 maintaining이 쓰인 것은 적절하다.
④ Clearly가 문장 전체를 수식하므로 부사 Clearly가 쓰인 것은 적절하다.
⑤ 뒤에 나오는 명사 influence를 수식하는 형용사가 와야 하므로 strongly는 strong으로 고쳐야 한다.

CHAPTER 07
동명사/to부정사

핵심 문법 정리

1 식기세척기를 설치하는 것은 특별한 도구나 기술이 필요하지 않다.
2 그 부부는 TV의 정치 토론을 시청하는 것을 즐긴다.
3 경영진과 고용인 양측 모두 최저 임금을 올리지 않는 것에 동의했다.
4 자원봉사의 가장 좋은 점은 도움이 필요한 동물들에게 거처를 마련해 주는 것이다.
5 자신의 무지를 아는 것이 지식의 핵심이다.
6 나는 새로운 사업을 아무런 사전 준비 없이 시작하고 싶지 않다.
7 그는 졸업생들이 장기적인 목표를 세우도록 격려했다.
8 우리는 자원봉사자와 단체를 연결하는 웹 사이트를 개발했다.
9 당신은 행사 시작 최소 30분 전까지는 도착해야 한다.
10 배우들은 무대에서 실수하지 않기 위해 리허설을 했다.
11 너는 이 자전거의 가격을 듣게 되면 놀랄 것이다.
12 그 노인은 잠에서 깨어 어망 안에 물고기 여러 마리를 발견했다.
13 당신의 시간을 너무 많이 뺏어서 죄송합니다.

어법 출제 POINT

pp. 60-61

1 to discuss	2 smoking	3 seeing
4 to inform	5 living	6 carry
7 seeing	8 for	9 of
10 coming	11 be used	12 have invented
13 being chosen		

1 to discuss
해석 우리는 우리의 문제를 다른 사람들과 의논해야 할 필요가 있는 사회적 동물이다.

2 smoking
해석 흡연자들은 수술 전 적어도 몇 주 동안은 금연해야 한다.

3 seeing
해석 나는 전에 어디에선가 비슷한 그림을 본 것을 어렴풋이 기억한다.

4 to inform
해석 우리는 귀하의 요청을 완수할 수 없다는 것을 알려 드리게 되어 유감입니다.

5 living
해석 나는 직장을 그만두고 기분 전환으로 두어 달 해외에서 살아 보기로 결심했다.

6 carry
해석 전화가 도입되기 전까지는 메시지를 전달하기 위해 비둘기가 이용되었다.

7 seeing
해석 우리는 당신이 새로운 부서에서 훌륭한 성과를 보여 주기를 고대합니다.

8 for
해석 때때로 어떤 사람은 그 약의 효과를 느끼는 것이 더 오래 걸린다.

9 of
해석 나는 당신이 말을 하는 중간에 내가 끼어든 것이 무례했다는 것을 안다.

10 coming
해석 그가 돌아온다는 생각은 마을 사람들에게 묘한 감정을 주었다.

11 be used
해석 약 250년 전, 화석 연료는 기계에 동력을 제공하기 위한 용도로 사용되기 시작했다.

12 have invented
해석 중국인들이 거의 3,000년 전에 아이스크림을 개발했다고 전해진다.

13 being chosen
해석 나는 반장이 인기 투표에 의해 선출된다는 생각을 지지한다.

어법 적용 연습

pp. 62-63

A
1 to design 2 of 3 going 4 having
5 be bothered

B
1 dealing 2 ○ 3 to be used 4 ○
5 having shared 6 ○ / seeing 7 being eaten
/ be / ○ 8 ○ / to replace 9 for / ○

C
1 ① recycling ③ to put 2 ① to do ③ high
3 ② to go ③ doing

A

1 to design
해석 당신이 큰 음악 소리가 십 대들의 집중력에 미치는 영향을 조사하기 위한 실험을 설계하기를 계획했다고 상상해 보라.
해설 plan은 목적어로 to부정사를 취하는 동사이므로 to design이 적절하다.

2 of
해석 손님들이 젖은 신발에서 갈아 신을 수 있도록 집주인이 슬리퍼를 준비한 것은 정말 사려 깊었다.
해설 사람의 성격을 나타내는 형용사 thoughtful과 함께 쓰였으므로 to부정사의 의미상의 주어는 「of+목적격」이 되어야 하므로 of가 적절하다.

3 going
해석 건강 보험이 없는 대부분의 사람들은 비용을 지불할 능력이 되지 않아서 연례 검진이나 건강 진단 검사를 받으러 가는 것을 미룬다.
해설 postpone은 목적어로 동명사를 취하는 동사이므로 going이 적절하다.

4 having

해석 집 근처에 주차하는 것에 비용을 지불해야 하는 것을 반대하는 거주민들에 의해 그 의견은 거부되었다.

해설 object 다음의 to는 전치사이므로 뒤에는 목적어 역할을 하는 동명사 having이 적절하다.

5 be bothered

해석 당신이 관대하다고 느껴지는 순간들이 있지만, 그저 방해받고 싶지 않은 다른 순간들도 있다.

해설 주어 you가 문맥상 '방해받다'는 행위의 대상이므로 수동태 be bothered가 적절하다.

B

1 dealing

해석 삶의 고통스러운 일들을 처리하는 것과 관련하여 우리의 '투쟁 혹은 도피 반응'이 종종 나타난다.

해설 When it comes to의 to는 전치사이므로 동명사 dealing으로 고쳐야 한다.

2 ○

해석 그들은 자신들의 사회적 관계망을 형성하는 데 지원과 도움을 받게 되는 자원봉사 프로그램에 참여하는 것으로부터 혜택을 받을지도 모른다.

해설 전치사의 목적어로는 명사나 동명사가 와야 하며, 문맥상 '~에 참여하다'의 의미인 be involved in의 표현이 되어야 하므로 동명사 being involved가 쓰인 것은 맞다.

3 to be used

해석 당신이 면허증을 분실한다면, 즉시 교체하는 것으로 그것이 범죄자에 의해 이용되는 기회를 줄일 것이다.

해설 to부정사의 의미상의 주어(for it)인 your license는 문맥상 '이용되다'의 의미가 되어야 하므로 수동태 to be used로 고쳐야 한다.

4 ○

해석 너도 모르게 네가 먹는 음식이 변형되었을 가능성에 대해 어떻게 생각하니?

해설 전치사 without의 목적어로 동명사가 와야 하므로 being이 쓰인 것은 맞다. being 앞의 you는 동명사의 의미상의 주어로 쓰인 목적격 인칭대명사이다.

5 having shared

해석 약 20퍼센트의 사람들이 대중적인 사회 관계망 사이트에 우연히게든 고의적이든 가짜 뉴스 이야기를 공유했다고 인정한다.

해설 admit 다음의 to는 전치사이므로 목적어로 동명사가 와야 하며, 가짜 뉴스를 공유한 시점이 문장의 동사 admit보다 앞선 시점이므로 완료시제 having shared로 고쳐야 한다.

6 ○ / seeing

해석 고래 관람 투어 동안, 많은 승객들은 그들이 살아 있는 고래들에 아주 가까이 있다는 것은 놀라운 경험이었다고 전한다. 바로 가까이에서 거대한 고래를 보았던 것을 잊는 사람은 거의 없다.

해설 them은 to부정사 to be의 의미상의 주어로 「for+목적격」 형태로 써야 하므로 for가 쓰인 것은 맞다. / 문맥상 '(과거에) 보았던 것을 잊다'의 의미가 되어야 하므로 forget의 목적어는 동명사 seeing으로 고쳐야 한다.

7 being eaten / be / ○

해석 잡아먹히지 않기 위해서 어떤 거미들은 개미인 척한다. 곤충을 먹는 대부분의 동물들은 개미보다 거미를 선호하기 때문에 개미처럼 보이는 것은 거미에게 효과적인 생존 전략이다.

해설 avoid는 목적어로 동명사를 취하는 동사이고, 주어인 some spiders가 문맥상 '먹히다'라는 수동의 의미가 되어야 하므로 being eaten으로 고쳐야 한다. / pretend는 목적어로 to부정사를 취하는 동사이므로 be로 고쳐야 한다. / 동명사구가 주어로 쓰인 문장으로 appearing이 쓰인 것은 맞다.

8 ○ / to replace

해석 관리자의 전통적인 역할은 조직을 위한 결정을 내리는 것이었다. 하지만 AI가 관리자를 대체하고 의사 결정 과정을 장악할 수 있을 만큼 똑똑해지면 어떻게 될까?

해설 to make는 to부정사의 명사적 용법으로 주격보어 역할을 하므로 to make가 쓰인 것은 맞다. / 주어인 AI가 문맥상 '(관리자를) 대체하다'라는 능동의 의미가 되어야 하므로 to replace로 고쳐야 한다.

9 for / ○

해석 이러한 특수 효과들은 원리상 3-D 아트, 모션 픽처, 또는 착시와 비슷하지만, 그것들 중에 어느 것도 우리의 뇌가 그것들을 인식하기 위한 특별한 메커니즘을 진화시킬 만큼 오랫동안 주변에 존재하지 않았다.

해설 our brains가 to부정사의 의미상의 주어로 「for+목적격」 형태로 써야 하므로 to를 for로 고쳐야 한다. / 문맥상 주절의 시제보다 앞선 시제가 되어야 하므로 to부정사의 완료시제 to have evolved가 쓰인 것은 맞다.

C

1 ① recycling ③ to put

해석 사람들은 종이를 재활용하는 것에 익숙해져 있지만, 어떤 종이는 쓰레기에 속한다. 예를 들어, 내부가 플라스틱으로 된 종이컵은 너무 까다로워서 재활용하지 못하고, 사용한 종이 타월도 마찬가지다. 그것들을 재활용 쓰레기통에 넣지 않도록 노력하라.

해설 ① get used to(~에 익숙하다)의 to는 전치사이므로 동명사 recycling으로 고쳐야 한다. ③ 문맥상 '~하지 않도록 노력하다'의 의미가 되어야 하므로 not 뒤에는 to부정사 to put으로 고쳐야 한다.

2 ① to do ③ high

해석 한번은 그가 나에게 잔디를 깎으라고 말했고, 나는 앞뜰만 하기로 했고 뒤뜰을 하는 것은 미뤘다. 그런데 그러고 나서 며칠 동안 비가 내렸고 뒤뜰의 잔디가 너무 길게 자라서 나는 그것을 낫으로 베어 내야만 했다.

해설 ① decide는 목적어로 to부정사를 취하며 to부정사의 시제가 본동사 시제와 같으므로 to do로 고쳐야 한다. ③ became의 보어 역할을 해야 하므로 형용사 high로 고쳐야 한다.

3 ② to go ③ doing

해석 당신의 일에 대해 열정을 유지하는 방법을 아는 것은 중요하다. 거의 달라짐이 없는 일을 하고 있다면 권태로움과 무관심의 시기를 거치는 것은 당연하다. 그러나 당신이 더 빨리 그 일들을 할수록 당신이 즐기는 것을 하는 것으로 더 빨리 돌아갈 수 있음을 자신에게 그냥 상기시키면 된다.

해설 ② It은 문장의 가주어로 to부정사구가 진주어인 문장이 되도록 to go로 고쳐야 한다. ③ get back to(~로 돌아가다)의 to는 전치사이므로 동명사 doing으로 고쳐야 한다.

어법 실전 Test

pp. 64-65

1 ① 2 ① 3 ④

1 ①

지문 해석

불교 방식의 마음 챙김을 서양 심리학에 적용하는 것은 원래 매사추세츠 대학교 의료 센터의 Jon Kabat-Zinn의 연구에서 비롯됐다. ① 그는 처음에 만성 통증 환자들을 치료하는 힘든 일을 맡고 있었는데, 그들 중 다수는 전통적인 통증 관리 요법에는 잘 반응하지 않았었다. ② 여러 가지 면에서, 그러한 치료는 완전히 역설적인 것으로 보이는데, 즉 사람들이 통증에 대해 더 많이 의식하도록 도와줌으로써 통증을 다루는 법을 그들에게 가르쳐 주는 것이다! ③ 그러나 그 핵심은 통증과의 싸움, 즉 통증에 대한 그들의 인식을 사실상 연장시키는 노력에 동반되는 끊임없는 긴장감을 사람들이 놓을 수 있도록 도와주는 것이다. ④ 마음 챙김 명상은 이러한 사람 중 많은 이들이 행복감을 높이고 더 나은 삶의 질을 경험하도록 했다. 어떻게 그럴 수 있었을까? ⑤ 왜냐하면 그러한 명상은 우리가 불쾌한 생각이나 기분을 무시하거나 억누르려고 하면 그때는 우리가 결국 그것들의 강도를 더 증가시킬 뿐이라는 원리에 바탕을 두고 있기 때문이다.

어법 분석

① 부정대명사+of+관계대명사   ② 형용사
③ 수 일치   ④ 병렬
⑤ 동명사

정답 해설

① He initially took on the difficult task of treating chronic-pain patients, [many of them(→ whom) had not responded well to traditional pain-management therapy].

▶ 관계대명사의 계속적 용법으로 many of 다음에는 대명사 대신에 「접속사+대명사」의 역할을 할 수 있는 관계대명사가 와야 한다. 선행사가 사람을 뜻하는 chronic-pain patients이므로 목적격 관계대명사 whom으로 고쳐야 한다.

오답 해설

② In many ways, such treatment seems completely paradoxical — ....

▶ seem은 2형식 동사이므로 주격보어로 형용사 paradoxical이 쓰인 것은 적절하다.

③ However, the key is to help people let go of the constant tension [that accompanies their fighting of pain], ...

▶ 단수명사 the constant tension을 선행사로 하는 주격 관계대명사절

내의 동사이므로 단수동사 accompanies가 쓰인 것은 적절하다.

④ Mindfulness meditation allowed many of these people to increase their sense of well-being and to experience a better quality of life.

▶ 동사 allow는 to부정사를 목적격보어로 취하는 5형식 동사로 두 개의 목적격보어 to부정사구가 접속사 and로 연결된 병렬 구조이므로 to experience가 쓰인 것은 적절하다.

⑤ ..., then we only end up increasing their intensity.
end up v-ing: 결국 ～하게 되다

▶ 「end up v-ing」는 '결국 ～하게 되다'라는 의미의 동명사 관용 어구이므로 동명사 increasing이 쓰인 것은 적절하다.

2 ①

지문 해석

정치에서 레임덕은 아직 권력을 가지고 있지만 곧 퇴임할 정치인을 말한다. ① 이 용어는 18세기로 거슬러 올라가는데, 당시 증권 거래상들은 빚을 갚지 못한 사람이나 회사를 묘사하기 위해 이것을 사용했던 것으로 알려져 있다. ② 그 생각은 실제로 절름발이 오리가 포식자의 손쉬운 먹잇감인 것과 마찬가지로 레임덕 채무자는 채권자에게 휘둘릴 거라는 것이었다. ③ 약 100년 후가 되어서야 그 용어가 정치적 임기 말에 이른 정치인들에게 적용되었다. ④ 이 사용은 문제의 정치인이 조급하게 권력을 잃었고 더 이상 변화를 일으킬 능력이 없음을 시사하기 때문에 모욕적인 것으로 여겨진다. ⑤ 사람들은 레임덕 정치인들이 선호하는 법을 통과시키는 것은 의미가 없다고 믿는데, 이는 그들을 대신하게 될 사람들이 일단 권력을 잡으면 그러한 변화들을 간단히 되돌릴 수 있는 능력을 가질 것이기 때문이다.

어법 분석

① 완료부정사   ② 접속사 that
③ 수동태   ④ 현재분사
⑤ 목적격 관계대명사

정답 해설

① ..., when stock exchange traders are known to use
관계부사(계속적 용법)   be known to-v: ～라고 알려져 있다
(→ to have used) it to describe people or companies ....
to부정사 부사적 용법(목적)

▶ '알려져 있는' 현재의 시점보다 '사용한' 시점이 더 이전의 일이므로 완료부정사 to have used로 고쳐야 한다.

② The idea was [**that** actual lame ducks are easy prey for
　　주어　　동사　　　　　보어(명사절)
predators; {similarly, lame-duck debtors would be at the
　　　　　　　　　　　　　　주어　　　　　　동사
mercy of their creditors}].

▶ be동사의 보어 역할을 하는 명사절이 와야 하고 뒤에 완전한 절이 이어지
므로 명사절을 이끄는 접속사 that이 쓰인 것은 적절하다.

③ **It wasn't until** about 100 years later **that** the term **was**
It is not until ~ that ...: ~가 되어서야 …하게 되다(강조)
applied to politicians [**who** had reached ...].
　　　　　　　　　　　　　　주격 관계대명사절

▶ 주어인 the term이 '적용되었다'는 수동의 의미가 되어야 하므로 was
applied가 쓰인 것은 적절하다.

④ This usage is considered **insulting** [**because** it suggests
　　주어　　　　　동사　　　보어　　　　　　　주어　　동사
(that)
{the politician in question has prematurely lost his or her
　　　　　　주어　　　　　　　　　　동사1
power and is no longer capable ...}].
　　　　　동사2

▶ 주어인 This usage의 성격을 나타내므로 '모욕적인'의 의미인 현재분사
insulting이 쓰인 것은 적절하다.

⑤ People believe [there is no point in passing laws {that
　　주어　　동사　(that)　　　　　　　　　　　　　　(who are)
lame-duck politicians favor}], [**as** those {due to replace
　　　　　　주어　　　　　　동사　　접속사
them} will have the ability ...].
　　　　　　　　　(왜냐하면)

▶ 관계사절 내에 동사 favor의 목적어가 없으므로 선행사 laws를 수식하
는 목적격 관계대명사 that이 쓰인 것은 적절하다.

(A) 동사+to부정사
(B) 관계대명사 what
(C) 접속사

(A) ... cognitive impairments [**that** make **it** difficult {for
　　　　　　　　　　　　　　　　　　가목적어
people} to remember **to undertake** essential daily tasks].
의미상 주어　　　　진목적어

▶ remember의 목적어가 to부정사일 때는 '~할 것을 기억하다'의 의미이
고, 동명사일 때는 '~했던 것을 기억하다'의 의미인데, 문맥상 매일 해야
할 일을 잊는다는 의미가 되어야 하므로 to undertake가 적절하다.

(B) ..., people with dementia have typically used their
　　　　　　주어　　　　　　　　　　　동사
mobile phones [to remind them of **what** they need to do]; ....
　　　　　　　to부정사 부사적 용법(목적)　전치사 of의 목적어

▶ 관계사 앞에 선행사가 없고 뒤에 목적어가 없는 불완전한 절이 이어지므
로 선행사를 포함한 관계대명사 what이 적절하다.

　　　　　　　　　　　　　　　　　　　목적어(to부정사 명사적 용법)
(C) ..., industry specialists have begun to investigate
　　　　　　　주어　　　　　　동사
[**whether** mobile phones should be abandoned as a tool
접속사(~인지 아닌지)
for dementia sufferers ...].

▶ 문맥상 휴대 전화가 '포기되어야 하는지의 여부를 조사하다'라는 의미가
되어야 하므로 불확실한 내용을 포함한 절을 이끄는 접속사 whether가
적절하다.

3 ④

세계보건기구(WHO)에 따르면 전 세계적으로 약 5,000만 명의 사람들이
치매를 앓고 있고 매년 거의 1,000만 명에 가까운 새로운 환자가 발생하고
있다고 한다. (A) 치매는 사람들이 필수적인 일상적인 과업을 수행하는 것
을 기억하기 어렵게 하는 인지 장애를 초래한다. (B) 최근 몇 년 동안, 치매
환자들은 보통 그들이 해야 할 일을 상기시키기 위해 휴대 전화를 사용해 왔
다. 하지만, 많은 치매 환자들은 휴대 전화를 다루기에 너무 복잡해 하고, 그
러한 휴대용 장치는 쉽게 분실되거나 둔 장소를 잊게 된다. (C) 이를 해결하
기 위해 업계 전문가들은 치매 환자를 위한 도구로 휴대 전화를 포기해야 하
는지에 대한 조사와 그들의 생활 개선을 위한 대체 기술 방안의 개발을 추진
하기 시작했다. 여기에는 그들의 가정에서 개인 위치를 추적하고 다양한 기
존의 가정용 전자 기기를 통해 알림이 전달될 수 있도록 해 주는 열 감지 장
치로부터의 정보를 처리하는 알고리즘 과정이 포함될 수 있다.

ʍʕﾚ 빈출 어법　　　　　　　　　　　　　p. 66

1 ①, ⑤　　**2** look forward to visiting your college　　**3** cruel
of Ron to leave his sick mother　　**4** to have visited New
York several times　　**5** (A) 명령했던 것을 잊었다　(B) 알리게 되
어 유감이다　　**6** a good way to find information about the
foods which(that) you eat　　**7** ④

1 ①, ⑤
해석 ① 그들이 정부의 제안을 받아들이기는 상당히 어려웠다.
② 유엔은 핵무기 제재에 대한 투표를 연기해야 했다.
③ Wendy는 동료에게 팀의 계획에 대해 물어보려고 걸음을 멈추었다.
④ 대규모의 보수 공사가 지난달에 끝나기로 되어 있었다.
⑤ Larry는 비상시에 장비를 사용하는 능력을 기를 필요가 있었다.

해설 ① 사람의 성질/감정/성격을 나타내는 형용사가 올 때에는 to부정사의 의미상의 주어를 「of+목적격」으로 쓰고, 그 외의 경우에는 「for+목적격」으로 써야 하므로 of them을 for them으로 고쳐야 한다.
⑤ need는 목적어로 to부정사를 취하는 동사이므로 improving을 to improve로 고쳐야 한다.

2 look forward to visiting your college
해설 look forward to ~는 '~하는 것을 고대하다'의 의미이고, to는 전치사이므로 동명사 visiting으로 써야 한다.

3 cruel of Ron to leave his sick mother
해설 cruel은 사람의 성격을 나타내는 형용사이므로 to부정사의 의미상의 주어는 「of+목적격」이 되어야 한다.

4 to have visited New York several times
해설 동사 seems의 시제는 현재이지만, 뉴욕을 방문했던 것은 과거이므로 to부정사의 완료시제 to have visited를 써야 한다.

5 (A) 명령했던 것을 잊었다 (B) 알리게 되어 유감이다
해석 (A) 나는 Jim에게 오래된 책을 치우라고 명령했던 것을 잊었다.
(B) 저는 저의 결혼식이 취소되었다는 것을 알려드리게 되어 유감입니다.
해설 (A) 「forget+동명사」는 '~했던 것을 잊어버리다'의 의미이다.
(B) 「regret+to부정사」는 '~하게 되어 유감이다'의 의미이다.

6 - 7

지문 해석

오늘날 많은 제조된 제품들은 너무 많은 화학 물질과 인공 성분을 포함하고 있어서 안에 무엇이 들어 있는지 정확히 알기가 때때로 어렵다. 다행히 지금은 식품 라벨이 붙어 있다. 식품 라벨은 당신이 먹는 음식에 대한 정보를 찾는 한 가지 좋은 방법이다. 음식의 라벨은 책에서 찾을 수 있는 목차와 같다. 식품 라벨의 주요 목적은 당신이 구매하고 있는 음식 안에 무엇이 들어있는지 알려 주는 것이다.

6 a good way to find information about the foods which (that) you eat
해설 형용사적 용법의 to부정사를 활용하여 a good way를 수식하는 어구를 쓸 수 있다. '당신이 먹는 음식'은 목적격 관계대명사를 활용하여 쓸 수 있는데, 목적격 관계대명사는 생략 가능하다.

7 ④
해설 (A) '너무 ~해서 …하다'는 의미의 「so ~ that …」 구문이 쓰인 문장이므로 that이 적절하다.
(B) 앞의 the table of contents를 수동의 의미로 수식하는 말이므로, '(책에서) 발견되는'의 의미인 과거분사 found가 적절하다.
(C) 주어인 The main purpose를 설명하는 보어 역할로 '알려 주는 것'이 의미상 적절하므로, 명사적 용법의 to부정사 to inform이 적절하다.

CHAPTER 08
분사/분사구문

핵심 문법 정리

1 성장하는 아이들은 칼슘이 필요하다.
2 표지판에 적혀 있는 규칙을 따르라.
3 그녀는 우리를 향해 뛰어 왔다.
4 그는 눈을 의사에게 진찰받았다.
5 그 소식을 들었을 때 그녀는 울기 시작했다.
6 무엇을 해야 할지 몰라서 그는 거기에 그냥 서 있었다.
7 왼쪽으로 돌면 애완동물 용품점을 보게 될 것이다.
8 빗소리를 들으면서 그녀는 차를 마셨다.
9 기계가 고장 나서 우리는 정비사를 불렀다.
10 고등학교를 졸업한 후에 그녀는 패션모델로 데뷔했다.

어법 출제 POINT
pp. 68-69

1 looking / require	2 starts / preferred
3 broken	4 waiting
5 taken	6 surprising
7 relaxed	8 taking
9 Surrounded	10 tied
11 Being left	12 Having returned

1 looking / require
해석 아기들을 돌보는 직원들은 특별한 인성을 필요로 한다.

2 starts / preferred
해석 구직은 개인의 직무 기술과 선호하는 직장 환경을 알아보는 것으로 시작된다.

3 broken
해석 구조대는 깨진 창문을 통해 그 집에 들어갈 수 있었다.

4 waiting
해석 아침 교통 혼잡 시간에 버스를 기다리는 사람들이 길게 줄을 서 있었다.

5 taken
해석 우리는 에펠탑을 배경으로 사진을 찍었다.

6 surprising
해석 체중 감량 후 놀라운 변화 중 하나는 잠을 더 잘 잘 수 있다는 것이다.

7 relaxed
해석 음악이 너무 좋아서 그것을 듣는 동안 모두 매우 편안해 보였다.

8 taking
해석 한 학생은 끝까지 더 쉬운 길을 택하면서 장애물들을 피하는 것을 선택했다.

9 Surrounded

해석 경호원들에 둘러싸여서 그 가수는 공항을 빠져나갔다.

10 tied

해석 Janet은 머리카락을 한 묶음으로 묶은 채로 가족을 위해 저녁을 요리하느라 바빴다.

11 Being left

해석 어둠 속에 홀로 남겨졌을 때, 그녀는 겁을 먹고 울음을 터뜨렸다.

12 Having returned

해석 프랑스로 돌아온 후, Fourier는 열전도에 관한 연구를 시작했다.

어법 적용 연습

A **1** growing **2** drained **3** Working **4** covered
5 worried
B **1** ○ **2** getting **3** (Being) Scattered **4** follow
5 allowed **6** ○ / based **7** sitting / ○
8 ○ / attached **9** amazing / ○
C **1** ① tend ② confirming **2** ② boring ③ interesting
3 ① named ② (Being) Asked

A

1 growing

해석 당신은 Winston지를 미국에서 가장 빠르게 성장하는 잡지로 만드는 모든 훌륭한 이야기들을 접하게 될 것이다.

해설 명사 magazine과 분사가 능동의 관계이므로 현재분사 growing이 적절하다.

2 drained

해석 오랜 시간 동안 치매에 걸린 어머니를 돌보는 것은 Dorothy를 완전히 지치게 만들었다.

해설 목적어 Dorothy와 목적격보어의 관계가 수동이므로 과거분사 drained가 적절하다.

3 Working

해석 인쇄소에서 일하면서 그는 미술에 관심을 갖게 되었고 신선하고 새로운 방식으로 풍경화를 그리기 시작했다.

해설 분사구문의 주어 he와 분사가 능동의 관계이므로 현재분사 Working이 적절하다.

4 covered

해석 SA 재단의 장학생들은 수업료와 숙소를 포함한 모든 경비를 지원받아 해외에서 공부할 수 있다.

해설 분사의 의미상 주어 all their expenses와 분사가 수동의 관계이므로 과거분사 covered가 적절하다.

5 worried

해석 지구의 미래에 대해 걱정된다면 저희의 지역 환경 단체에 연락하거나 저희 웹 사이트를 방문해 주세요.

해설 주어가 감정을 느끼는 대상이므로 과거분사 worried가 적절하다.

B

1 ○

해석 얼음이 나를 지지하기에 충분히 두껍다는 것을 확인한 후에 나는 강아지들과 함께 강을 건너가기 시작했다.

해설 강을 건너가기 시작한 주절의 시점보다 앞선 일을 나타내므로 완료 분사구문이 쓰인 것은 맞다.

2 getting

해석 빙하, 바람, 그리고 흐르는 물은 이 암석 조각들을 운반하도록 돕고, 그 작은 여행자들(암석 조각들)은 이동하면서 점점 더 작아진다.

해설 분사의 의미상 주어 the tiny travelers와 분사가 능동의 관계이므로 현재분사 getting으로 고쳐야 한다.

3 (Being) Scattered

해석 산산조각으로 전 세계에 흩뿌려진 베를린 장벽은 한때 서 있었던 곳에서 완전히 사라져버렸다.

해설 분사구문의 주어 the Berlin Wall이 의미상 '흩어진' 것이 되어야 하므로 수동 분사구문 Being scattered 또는 Being이 생략된 Scattered로 고쳐야 한다.

4 follow

해석 단순히 추측을 하는 대신에 과학자들은 그들의 가설이 옳은지 틀린지를 증명하도록 고안된 시스템을 따른다.

해설 문장의 본동사가 필요하므로 follow로 고쳐야 한다.

5 allowed

해석 최근 몇 년 동안 해안에서 떨어진 곳에 위치한 버려진 섬에 발을 들이도록 허락된 유일한 사람들은 몇몇 과학자들뿐이었다.

해설 수식을 받는 명사 people과 분사가 수동의 관계이므로 과거분사 allowed로 고쳐야 한다.

6 ○ / based

해석 AI 로봇과 일반 로봇의 기본적인 차이점은 AI 로봇이 센서의 데이터를 바탕으로 환경에 적응할 뿐만 아니라 결정을 내리고 학습하는 능력이다.

해설 learn은 앞의 to부정사에 병렬로 연결되었으므로 동사원형이 쓰인 것은 맞다. / 수식을 받는 명사 environment와 분사가 수동의 관계이므로 과거분사 based로 고쳐야 한다.

7 sitting / ○

해석 우리 고등학교 졸업식이 체육관에서 열렸는데, 체육관은 300개의 의자가 들어갈 만큼 충분히 크지 않았기 때문에 일부는 의자에 앉은 채로, 일부는 바닥에 앉은 채로 있었다.

해설 분사의 의미상 주어인 some of us와 분사가 능동의 관계이므로 현재분사 sitting으로 고쳐야 한다. / '~하기에 충분히 …한'의 의미로 「형용사+enough+to부정사」의 형태가 쓰인 것은 맞다.

8 ○ / attached

해석 새로운 것을 시도하는 데 전혀 두려워하지 않는 것에 자부심을 느끼며, 프리다 칼로는 끔찍한 사고에서 회복하는 동안 자화상을 그릴 수 있도록 그녀의 침대 위에 거울을 붙였다.

해설 분사구문의 주어 Frida Kahlo와 분사가 능동의 관계이므로 현재분사 Priding이 쓰인 것은 맞다. / 목적어 a mirror와 목적격보어의 관계가 수동이므로 과거분사 attached로 고쳐야 한다.

9 amazing / ○

해석 어려운 상황에서 놀라운 행동을 수행하면서 역경을 견뎌 내는 영

34 Supreme 수능 어법 〈실전〉

웅들이 있다. 하지만 또 다른 영웅들은 조용히 다른 사람들의 삶에 큰 변화를 만들면서 눈에 띄지 않은 채로 자신들의 일을 행한다.

해설 수식을 받는 deeds가 감정을 일으키는 주체이므로 현재분사 amazing으로 고쳐야 한다. / 동시상황을 나타내는 분사구문으로 분사구문의 주어 other heroes와 분사가 능동의 관계이므로 현재분사 making이 쓰인 것은 맞다.

C

1 ① tend ② confirming

해석 부모는 아들의 울음보다 딸의 울음에 더 빨리 반응하는 경향이 있다고 드러났다. 부모가 아이들에게 반응하는 방식이 유전적 기질을 조장하거나 억제할 수 있다는 것을 확인하는 많은 양의 데이터도 있다.

해설 ① that절 내의 동사가 필요하므로 tend로 고쳐야 한다. ② 문장의 동사는 is이고, data와 분사와의 관계가 능동이므로 현재분사 confirming으로 고쳐야 한다.

2 ② boring ③ interesting

해석 만약 당신이 듣고 있는 것에 대하여 스스로에게 질문하는 것에 계속적으로 몰두한다면, 당신은 지루하게 하는 강사조차도 좀 더 흥미롭다고 생각하게 되는데, 왜냐하면 그 흥미의 대부분이 강사가 제공하고 있는 것보다 당신이 만들어 내는 것으로부터 올 것이기 때문이다.

해설 ② 수식을 받는 명사 lecturers가 감정을 일으키는 주체이므로 현재분사 boring으로 고쳐야 한다. ③ 주어 lecturers가 감정을 일으키는 주체이므로 현재분사 interesting으로 고쳐야 한다.

3 ① named ② (Being) Asked

해석 Canada Today는 최근 Natasha Black을 뉴스 앵커로 임명했다. 과거에 연구원과 기술자로 일한 후에 그 직업을 얻게 된 것에 대한 그녀의 감정에 대해 질문을 받았을 때 Black은 그것이 엄청난 기회라고 말했다.

해설 ① 문장의 본동사가 필요하므로 전체 시제에 맞게 named로 고쳐야 한다. ② 분사구문의 주어인 Black이 질문을 '받은' 것이 되어야 하므로 수동 분사구문 (Being) Asked로 고쳐야 한다.

어법 실전 Test

pp. 72~73

1 ③   2 ③   3 ⑤

1 ③

지문 해석

맥락주의에 따르면, 모든 사람들을 위해 가능한 최선의 결정을 내리려고 노력하는 사람들은 논쟁의 여지없이 도덕적이라고 말할 수 있다. ① 다른 사람을 보호하기 위해 정직하지 않은 행동을 하는 것은 도덕적인 행동으로 간주되는 반면, 거짓말하기를 거부하는 것이 타인에게 해를 끼칠 때에도 그렇게 하는 것은 부도덕한 것으로 간주된다. ② 우리가 직면하고 있는 각각의 상황을 둘러싼 사정이 각기 다르기 때문에, 사람들이 항상 가능한 최선의 결정을 내리려는 것에 대해 도덕적으로 비난하는 것은 부당할 것이다. ③ 그와는 반대로, 형식주의와 대부분의 상대주의 형태는 더 나은 대안이 존재하지 않을 때 바람직하지 않은 행동의 필요성을 인정하긴 하지만, 이러한 행동은 여전히 도덕적으로 용납될 수 없다고 주장한다. '잘못된 일을 해야 한다고 해도

그것이 옳은 일이 될 수 없다'고 설명되어 왔다. ④ 잘못을 저질렀으면, 우리는 죄책감을 경험하고 우리가 초래한 어떤 도덕적 또는 사회적 결과도 받아들여야 한다. ⑤ 이는 그러한 사람이 무고하고 도덕적으로 칭찬받을 만하다는 맥락주의의 신념과 극명하게 대조를 이룬다.

어법 분석

① 수 일치   ② 형용사
③ 동사 자리   ④ 완료 분사구문
⑤ 접속사 that

정답 해설

③ Formalism and most forms of relativism, on the contrary,
　　　　　　　주어
[**while acknowledging** the need for undesirable behavior
분사구문(~이긴 하지만)
{**when** better alternatives don't exist}], contending(→ contend)
〈시간〉의 부사절　　　　　　　　　　　　　　　동사
[**that** these actions are still morally unacceptable].
목적어(명사절)

▶ 주어는 Formalism ~ relativism이고 문장의 동사가 필요하므로 contend로 고쳐야 한다.

오답 해설

① **Acting** dishonestly [in the interest of protecting others]
주어(동명사구)　　　～을 위하여(부사구)
is considered a moral act; ....
동사

▶ 문장의 주어가 동명사구이므로 단수동사 is가 쓰인 것은 적절하다.

② ..., **it** would be unjust [**to condemn** people morally for
가주어　　　　　　　　진주어(to부정사구)
always seeking to make the best decision **possible**].

▶ 명사 the best decision을 뒤에서 수식하는 형태로 형용사 possible이 쓰인 것은 적절하다.

④ [**Having done** wrong], we should experience feelings of
완료 분사구문　　　　주어　　동사1　　　목적어
(= If we did wrong)
guilt and accept [**whatever** moral or civil consequences we
동사2　복합 관계형용사가 이끄는 명사절(목적어)
incur].

▶ 주절의 시점보다 먼저 일어난 일을 나타내고 있으므로 완료 분사구문 Having done이 쓰인 것은 적절하다.

⑤ This stands in sharp contrast to contextualism's
belief [**that** such a person is both innocent and morally
└동격┘　　　주어　　　동사　　　보어
commendable].

▶ that 이하가 완전한 절로 contextualism's belief의 내용을 설명하고 있으므로 동격의 that이 쓰인 것은 적절하다.

2 ③

우리가 시간에 대해 생각할 때 무엇이 떠오르는가? 몇몇 초기의 시계들이 발명됐던 고대 중국의 기원전 4천 년으로 돌아가 보자. ① 사원의 제자들에게 시간의 개념을 증명하기 위해 중국의 사제들은 시각을 나타내는 매듭이 있는 밧줄을 사원 천장에 매달곤 했다. ② 그들은 시간의 경과를 보여 주면서 밧줄이 균등하게 타도록 아래부터 그것에 불을 붙였다. 많은 사원이 그 당시에 불에 다 타버렸다. ③ 어떤 사람이 물 양동이로 만들어진 시계를 발명할 때까지 사제들은 분명히 그것이 썩 마음에 들지 않았다. ④ 그것은 시각을 나타내는 표시가 있고, 물로 가득 찬 커다란 양동이에 물이 일정한 속도로 흘러나가도록 구멍들을 뚫음으로써 작동했다. 그때 사원의 제자들은 얼마나 빠르게 그 양동이 물이 빠졌는지로 시간을 측정했다. ⑤ 그것은 확실히 밧줄을 태우는 것보다 훨씬 더 나았으나, 더 중요한 것은 그것이 시간이 한 번 지나가고 나면 절대로 되돌릴 수 없다는 점을 제자들에게 가르쳐 주었다는 것이다.

① to부정사(부사적 용법) ② 분사구문
③ 과거분사 ④ 형용사구
⑤ 접속사 that

③ ... until someone invented a clock [was made(→ made)
주어　　　　　　　동사　　목적어↑ 과거분사구
of water buckets].

▶ 앞의 until이 이끄는 절의 동사 invented가 있으므로 앞의 명사 a clock 을 뒤에서 수식하는 구조가 되어야 하므로 과거분사 made로 고쳐야 한다.

① [To demonstrate the idea of time to temple students],
　to부정사 부사적 용법(목적)
Chinese priests **used to** dangle a rope ....
주어　　　　동사(used to+동사원형: ~하곤 했다)

▶ 목적을 나타내는 부사적 용법의 to부정사구로 문장 전체를 수식하는 To demonstrate가 쓰인 것은 적절하다.

② They would light it with a flame from the bottom [so that
주어　　동사　　　　　　　　　　　　　　접속어구(~하도록)
it burnt evenly, {indicating the passage of time}].
주어 동사　　　분사구문(동시동작)

▶ that절의 동사(burnt)와 동시에 일어나는 일을 나타내는 분사구문으로 분사구문의 의미상 주어인 it(rope)이 시간의 경과를 보여 준다는 능동의 관계이므로 현재분사 indicating이 쓰인 것은 적절하다.

④ It worked by punching holes in a large bucket [full of
　　　　　　　　　　　　　　　　　　　　　　　↑
water], ...

▶ a large bucket을 뒤에서 수식하는 형용사구로 full이 쓰인 것은 적절하다.

⑤ ..., it taught the students [that once time was gone, it
　　　　동사　　간접목적어　　직접목적어(명사절)
could never be recovered].

▶ 동사 taught가 4형식 동사로 쓰여 직접목적어를 필요로 하므로 명사절을 이끄는 접속사 that이 쓰인 것은 적절하다.

3 ⑤

거의 모든 인간은 자신의 능력뿐만 아니라 자신의 운명을 통제할 수 있는 능력도 과대평가하는 뚜렷한 경향을 보인다. (A) 예를 들어, 대부분의 사고의 원인은 본인이 통제할 수 없는 것이라는 사실에도 불구하고, 사람들은 그들 자신을 사고에 연루될 가능성이 없는 예외적인 운전자라 생각하면서 잘못된 안전 의식을 가지고 운전한다. (B) 비슷한 방식으로, 프로젝트를 완수하는 데 얼마나 걸릴지 추정해 보라고 요청받았을 때, 대부분의 사람들은 자신에 대해 지나친 자신감을 보이고 예상치 못한 지연을 고려하지 못하면서 기간을 적게 잡는다. 이러한 종류의 낙관주의가 사람들이 자신의 삶에서 좋은 일이 일어날 가능성을 과대평가하고 부정적인 일이 일어날 가능성을 과소평가하는 이유다. (C) 그들은 비록 나쁜 일이 일어날 수 있고 종종 정말로 일어난다는 것을 이해하지만, 그 일들이 다른 사람에게 일어날 것이라는 그들의 기대는 흔들림 없이 확고하게 남아 있다.

(A) 재귀대명사
(B) 분사구문
(C) 강조의 동사 do

(A) ..., people drive with a false sense of security, [**considering**
　　　　　　주어　　동사　　　　　　　　　　　　　　　　분사구문(동시동작)
themselves exceptional drivers {unlikely to be involved in
　　　　　　　　　↑ 형용사구
an accident}], ...

▶ considering 이하는 people을 의미상의 주어로 하는 분사구문인데, 분사구문의 의미상의 주어와 목적어가 같은 대상을 가리키므로 재귀대명사 themselves가 적절하다.

(B) ..., [**when asked** to estimate {**how long** the completion
　　　　분사구문　　　　　　　　　목적어(간접의문문)
of a project will take}], most people underestimate the length
　　　　　　　　　　　　　　　　주어　　　동사
of time, ...

▶ when 이하는 most people을 의미상의 주어로 하는 분사구문으로, most people이 '요청을 받는' 수동의 관계이므로 과거분사 asked가 적절하다.

(C) [**Although** they understand {that <u>bad things</u> <u>can</u> and
　　~일지라도　　　　　　　　　　　　주어　　동사

often <u>do</u> happen}], their expectation remains ....
　　강조　동사

▶ 동사 happen을 강조하는 역할을 하며 주어 bad things가 복수이므로
do가 적절하다.

ᴹⁱⁿ 빈출 어법　　　　　　　　　p. 74

1 ④　　2 Being overwhelmed by the beauty of nature
3 Never having done anything like this before　4 Having
been taken in natural light　5 (A) with his legs crossed
(B) with her dog following her　6 one of the first things
lost in arguments　7 ②

1 ④
해석 ① 안전띠 착용은 법으로 <u>요구되는</u> 것이다.
② 불행히도 그는 <u>요구되는</u> 기준에 도달하지 못했다.
③ 새 위원회는 어제 회의에서 더 구체적인 정보를 <u>요구했다</u>.
④ 지원이 <u>필요한</u> 사람은 관리사무소에 연락해야 한다.
⑤ 모든 병사들은 명령에 따라 움직이도록 <u>요구되었다</u>.
해설 ① 안전띠 착용은 요구되는 대상이므로 수동태를 만드는 과거분사 required가 적절하다.
② 명사 standard와 수동의 관계이므로 과거분사 required가 적절하다.
③ 과거에 일어난 일이므로 동사의 과거형 required가 적절하다.
④ 수식을 받는 명사 Anyone과 능동의 관계이므로 현재분사 requiring이 적절하다.
⑤ 「be required+to부정사」는 '~하도록 요구되다'라는 의미이므로 과거분사 required가 적절하다.

2 Being overwhelmed by the beauty of nature
해설 분사구문의 의미상 주어와 분사가 수동의 관계이므로 Being overwhelmed로 쓰고 Being은 생략할 수 있다.

3 Never having done anything like this before
해설 부정의 의미를 나타내는 Never가 분사 앞에 위치하며, 분사구문의 시제가 주절의 시제보다 앞서므로 「having+p.p.」의 형태로 쓴다.

4 Having been taken in natural light
해설 분사구문의 시제가 주절의 시제보다 앞서므로 「having+p.p.」의 형태로 쓰며 분사구문의 의미상 주어인 this photo와 수동의 관계이므로 수동태를 사용하여 Having been taken으로 쓴다. Having been은 생략 가능하다.

5 (A) with his legs crossed　(B) with her dog following her
해설 (A) 그는 몸을 돌려 다리를 꼰 채로 소파에 앉았다.
(B) 그 소녀는 그녀의 개가 그녀를 따라오는 채로 걷고 있다.

해설 (A) 명사구 his legs와 동사 cross는 수동의 관계이므로 「with+명사(구)+과거분사」 구문에서 과거분사 crossed를 쓴다.
(B) 명사구 her dog와 동사 follow는 능동의 관계이므로 「with+명사(구)+현재분사」 구문에서 현재분사 following을 쓴다.

6 – 7
지문 해석
우리 모두는 성질은 논쟁에서 첫 번째로 잃는 것 중의 하나라는 점을 안다. 침착함을 유지해야 한다고 말하는 것은 쉽지만, 어떻게 해야 하는가? 기억해야 할 점은 때로는 논쟁에서 다른 사람이 당신을 짜증나게 하려고 한다는 것이다. 그들은 당신을 짜증나게 하기 위해 의도적으로 고안된 말을 하고 있는지도 모른다. 그들은 만약 자신들이 당신의 침착함을 잃게 한다면, 당신이 어리석게 들리는 말을 할 것이라는 것을 알고 있다. 당신은 그저 화를 낼 것이고 그러면 당신이 논쟁에서 이기는 것은 불가능할 것이다. 그러니 지지 마라.

6 one of the first things lost in arguments
해설 lose tempers가 '화를 내다, 이성을 잃다'라는 의미이므로 tempers가 주어임에 유의하여 수동 관계를 표현할 수 있도록 과거분사구 lost in arguments를 쓴다.

7 ②
해설 ① 주어가 The point to remember이고, that절은 보어이므로 being을 동사 is로 고친 것은 적절하다.
② 목적어 you가 감정을 느끼는 대상이므로 목적격보어는 annoying이 아니라 annoyed로 고쳐야 한다.
③ 주격 관계대명사절의 동사 design의 의미상 주어가 선행사 things이고, 의미상 수동의 관계이므로 수동태를 만드는 과거분사 designed로 고친 것은 적절하다.
④ 2형식 동사 sounds의 보어로는 형용사가 와야 하므로 형용사 foolish로 고친 것은 적절하다.
⑤ 가주어 it이 쓰인 구문에서 to부정사구는 진주어가 될 수 있으므로 winning을 to win으로 고친 것은 적절하다.

CHAPTER 09
주의할 구문(병렬/도치/강조/어순)

1 keeps
> 해석 운동은 당신에게 더 많은 에너지를 주고 지치지 않게 한다.

2 informative
> 해석 내가 본 다큐멘터리는 재미있을 뿐만 아니라 유익하기도 했다.

3 removing
> 해석 위험을 예방하는 것이 제거하는 것보다 항상 더 쉽다는 것을 여러분은 모두 알고 있다.

4 staying
> 해석 어떤 아이들은 집 안에 머무는 것보다 밖에서 노는 것을 선호한다.

5 has
> 해석 그 물리학자는 고소 공포증이 있어서 한 번도 비행기를 타 본 적이 없다.

6 stands
> 해석 고대 전쟁터 자리에 '바람의 요새'라 불리는 성이 서 있다.

7 was Tim
> 해석 건물의 배치가 매우 만족스러워서 Tim은 건축가에게 보너스를 지급했다.

8 Had
> 해석 더 일찍 일을 시작했더라면 그는 마감일을 지킬 수 있었을 텐데.

9 did
> 해석 그들 중 누구도 그 끔찍한 사고에 대해 언급하고 싶어하지 않았고, 나 역시 마찬가지였다.

10 that
> 해석 인류 역사상 가장 큰 혁명이 일어난 것은 바로 IT 산업에서이다.

11 did
> 해석 나 스스로 일어서는 것은 나에게 분명 변화를 주었지만 무한하고 끝없는 자신감을 주지는 않았다.

12 what we are
> 해석 과학은 우리가 무엇인지를 말해 주며, 그러한 지식은 가치를 넘어선다.

13 Why do you think
> 해석 너는 왜 그 영화가 그렇게 오랫동안 사람들에게 사랑받고 있다고 생각하니?

14 such
> 해석 도시 이동이 오늘날 왜 그렇게 논란이 많은 주제인지에 대한 많은 이유가 있다.

15 so
> 해석 상원 의원들은 때때로 한 나라를 폭파시키는 것과 같은 매우 심각한 문제에 대해 논쟁한다.

16 so popular
> 해석 그 온라인 만화는 무척 인기가 많아서 TV 시리즈로 만들어졌다.

17 too small
> 해석 미세 플라스틱은 너무 작아서 일반적으로 사용되는 여과 장치로는 걸러질 수 없다.

18 drop me off
> 해석 내일 버스 터미널에 나를 내려 줄 수 있니?

***cf.* look for it**
> 해석 나는 휴대 전화를 잃어버려서 점심을 먹었던 식당에 가서 직원에게 그것을 찾아 달라고 부탁할 것이다.

어법 적용 연습
pp. 78~79

A

1 feeling
> 해석 출혈뿐만 아니라 환자들은 종종 밤에 잠을 잘 못 자고 낮 동안에는 피로를 느끼는 것에 대해 호소한다.
> 해설 접속사 and로 about의 목적어가 대등하게 연결되므로 동명사 sleeping과 같은 형태인 동명사 feeling이 적절하다.

2 that
> 해석 며칠 전에 노예가 숲에서 도와주었던 바로 그 사자였다.
> 해설 문맥상 목적어 the same lion을 강조하는 「It was ~ that」 강조 구문이 되어야 하므로 that이 적절하다.

3 put it off
> 해석 그들의 태도는 '내년까지 미룰 수 있는데 왜 그것을 내일로 미루는가?'하는 것이다.
> 해설 「타동사+부사」로 이루어진 동사구의 목적어가 대명사일 때는 타동사와 부사 사이에 써야 하므로 put it off가 적절하다.

4 so

해설 사진을 찍는 것이 허용되지 않는다는 것을 알았지만 그 걸작이 너무 인상적이어서 나는 거의 사진을 찍을 뻔했다.

해설 뒤에 형용사가 있고, 문맥상 '너무 ~해서 …하다'의 의미를 나타내는 「so+형용사+that+주어+동사」 구문에 해당하므로 so가 적절하다.

5 is

해설 2020년은 쥐의 해일 뿐만 아니라 숫자 4의 해이기도 하다.

해설 부정어가 문두에 와서 주어와 동사가 도치된 구문으로 문장의 주어는 2020이므로 단수동사 is가 적절하다.

B

1 those

해설 우리의 총 고용 비용은 우리의 경쟁사들의 그것보다 훨씬 높아서 우리는 직원의 10퍼센트를 해고할 필요가 있다.

해설 앞의 명사 total employment costs를 대신하는 말이 와야 하므로 복수형 those로 고쳐야 한다.

2 Little did she imagine

해설 그녀는 1년 후 그들이 이 회사에서 함께 일하게 될 것이라고는 거의 상상하지 못했다.

해설 일반동사가 쓰인 과거시제 문장에서 부정어 little이 문두에 올 때, 조동사가 주어와 도치되고, 일반동사는 동사원형이 되므로 Little did she imagine으로 고쳐야 한다.

3 ○

해설 Angela는 네가 오디션에 합격해서 그 감독의 새로운 영화에서 연기할 기회를 갖게 되기를 정말 바란다.

해설 동사 hope를 강조하기 위한 동사로 주어가 3인칭 단수이므로 does가 쓰인 것은 맞다.

4 what waiting means

해설 기술이 발전함에 따라 대도시에 사는 사람들은 더 이상 기다리는 법, 또는 심지어 기다리는 것이 무엇을 의미하는지조차 모른다.

해설 know의 목적어 역할을 하는 의문사절이 되어야 하므로 「의문사+주어+동사」의 어순인 what waiting means로 고쳐야 한다.

5 such

해설 그들은 그녀가 어린 나이에도 불구하고 그런 놀랄 만한 아이디어를 생각해 낼 수 있었던 것에 놀랐다.

해설 「a(n)+형용사+명사」의 어순이 이어지므로 such로 고쳐야 한다.

6 so difficult / said

해설 Dave는 똑똑하고 재능이 있고 잘생겼다. 하지만 그는 매우 이기적이고 성질이 너무 까다로워서 누구도 그의 친구가 되고 싶어하지 않았다. 그는 자주 화를 내고 주변 사람들에게 상처를 주는 말을 했다.

해설 「so+형용사+that+주어+동사」 구문이 되어야 하므로 so difficult로 고쳐야 한다. / 등위접속사 and로 두 개의 동사가 병렬 연결되므로 앞서 나온 동사 got과 같은 과거시제인 said로 고쳐야 한다.

7 are / throw them away

해설 이 상자 안에는 작년부터의 당신의 연구 과제와 관련한 많은 문서들이 있으니 내가 그것들을 버리기 전에 살펴보시기 바랍니다.

해설 부사구가 문두에 와서 주어와 동사가 도치된 문장으로 주어 many documents가 복수이므로 복수동사 are로 고쳐야 한다. / 「타동사+부사」로 이루어진 동사구의 목적어가 대명사일 때 타동사와 부사 사이에 와야 하므로 throw them away로 고쳐야 한다.

8 ○ / what it is like

해설 우주에 대해 배우는 것부터 우주 비행의 시뮬레이션을 경험하는 것까지 여러분은 우리의 여름 우주 캠프에서 우주 비행사가 되는 것이 어떤 것인지를 알아낼 수 있다.

해설 「from A to B」 구문으로 learning과 같은 형태인 동명사 experiencing이 쓰인 것은 맞다. / find out의 목적어 역할을 하는 간접의문문이 되어야 하므로 「의문사+주어+동사」의 어순인 what it is like로 고쳐야 한다.

9 ○ / that

해설 사람들이 무작위로 무언가를 마주칠 때, 어떤 사람들은 그것에 만족할 것이고, 또 어떤 사람들은 만족하지 않을 것이다. 그것에 대한 우리의 반응을 결정하는 것은 바로 우리가 그 경험을 해석하는 방식이다.

해설 come across는 「자동사+전치사」로 이루어진 동사구이므로 대명사 something이 뒤에 쓰인 것은 맞다. / 「It is ~ that」 구문을 이용하여 주어 역할을 하는 의문사절 how we interpret the experience을 강조하는 문장이므로 that으로 고쳐야 한다.

C

1 ① Nor did I go ② started

해설 진료실을 나온 후에 나는 학교로 돌아가지 않았다. 나는 집으로 가지도 않았다. 부모님을 만나서 그들이 나에게 무슨 일이 일어났었는지를 묻기 시작하기 전에 나는 시간이 조금 필요했다. 그들은 모든 것을 알 때까지 만족하지 않을 것이었다.

해설 ① 일반동사가 쓰인 과거시제 문장에서 부정어가 문두에 올 때, 조동사가 주어와 도치되고 일반동사는 동사원형이 되므로 Nor did I go로 고쳐야 한다. ② 두 개의 과거시제 문장이 and로 병렬 연결되어 있으므로 started로 고쳐야 한다.

2 ① how family patterns changed ② change

해설 한 연구자는 가족의 유형이 어떻게 변했고, 무엇이 이러한 변화를 야기시켰는지 연구했다. 가족의 유형은 기대 수명의 증가, 더 많은 지리적 이동, 그리고 주거의 측면에서 늘어나는 압박으로 인해 정말 변했다.

해설 ① 의문사가 이끄는 명사절인 간접의문문의 어순은 「의문사+주어+동사」이므로 how family patterns changed로 고쳐야 한다. ② 동사를 강조할 때는 「do〔does/did〕+동사원형」의 형태로 쓰므로 change로 고쳐야 한다.

3 ① were entering ③ so did the length of people's lives

해설 고대인들은 그들이 한창때에 접어들면서 정말 단지 급사했을까, 아니면 일부는 얼굴의 주름을 볼 수 있을 정도로 충분히 오래 살았을까? 시간이 흐르면서 상황은 개선되었고 인간의 수명도 길어졌다고 보일 것이다. 하지만 그것은 그렇게 단순하지 않다.

해설 ① enter는 전치사가 필요하지 않은 타동사이므로 were entering으로 고쳐야 한다. ③ 「so+동사+주어」의 어순이 되어야 하므로 so did the length of people's lives로 고쳐야 한다. did는 앞의 improved를 대신하는 동사이다.

어법 실전 Test

1 ③   2 ⑤   3 ①

1 ③

지문 해석

여러분의 입 안에는 약 300여 개의 다른 종에 상당하는 10억 개 이상의 개별 박테리아가 있는 것으로 추정되어 왔다. (A) 사람 머리카락 너비의 500분의 1밖에 되지 않지만, 충치, 충치로 인한 구멍, 치주 질환을 포함하여 여러 구강 질환을 야기할 수 있기 때문에 순전히 그것들의 수만으로 구강 건강에 심각한 위협을 만들어 낸다. (B) 이것은 그것들이 여러분이 소비하는 음식과 음료에서 찾은 당분을 먹고 사는데, 성장하기 위해 그것들을 섭취한 후 폐기물을 남기기 때문인데, 우리는 그것을 치석이라고 부른다. 치석은 치아에 붙어 있는 일종의 생물막이다. (C) 박테리아는 자신을 그것에 달라붙게 하고, 시간이 지남에 따라 치아에 있는 에나멜 보호층을 마모시키고 충치로 인한 구멍이 형성되게 할 수 있는 산을 생산하기 시작한다. 또한 그들은 잇몸 조직을 관통하여 치은염이라고 알려진 질환을 유발할 수 있는 독성 물질들을 만든다. 다행스럽게도, 적절한 구강 위생과 건강한 식사는 박테리아가 여러분의 입 안에서 번식하여 충치를 발생시키는 것을 예방할 수 있다.

어법 분석

(A) 전치사
(B) 병렬
(C) 재귀대명사

정답 해설

(A) [Despite being only 1/500th the width of a human hair], 전치사구 / 명사구
their sheer numbers make them a serious threat to your 주어 / 동사 / 간접목적어 / 직접목적어
oral health ....

▶ 다음에 동명사구가 이어지므로 전치사 Despite가 적절하다.

(B) ... they feed on sugars [found in the food and beverages 과거분사구
(that) {you consume}], [ingesting them in order to grow and then 목적격 관계대명사절 / 분사구문 현재분사1
leaving behind waste], ... 현재분사2

▶ 분사구문에서 현재분사 ingesting이 접속사 and로 병렬 연결되어야 하므로 leaving이 적절하다.

(C) Bacteria attach themselves to it and over time begin attach A to B: A를 B에 붙이다
to produce acids ....

▶ bacteria는 복수명사이고 동사의 주어와 목적어가 동일한 대상을 가리키므로 재귀대명사 themselves가 적절하다.

2 ⑤

지문 해석

현재의 순간은 특별하게 느껴진다. 그것은 실재한다. 여러분이 얼마나 많이 과거를 기억하거나 미래를 예상할지라도, 여러분은 현재에 살고 있다. ① 물론, 여러분이 그 문장을 읽었던 그 순간은 더 이상 일어나지 않는다. 이 순간은 일어나고 있다. ② 다시 말해서, 현재가 지속적으로 그 자체를 갱신하고 있다는 의미에서 시간은 흐르는 것처럼 느껴진다. ③ 우리는 미래가 그것이 현재가 될 때까지 열려 있고 과거는 고정되어 있다는 깊은 직관력을 가지고 있다. 시간이 흐르면서, 고정된 과거, 당면한 현재 그리고 열린 미래라는 이 구조가 시간 안에서 앞으로 흘러간다. ④ 그러나 이러한 사고방식이 자연스러울지라도, 여러분은 이것이 과학에 반영된 것은 발견하지 못할 것이다. 물리학의 방정식들은 어떤 사건들이 바로 지금 발생하고 있는지 우리에게 말해 주지 않는데, 그것들은 '당신의 현재 위치' 표시가 없는 지도와 같다. ⑤ 현재 순간은 그것들 안에 존재하지 않으며, 그러므로 시간의 흐름도 그렇지 않다.

어법 분석

① 전치사+관계대명사   ② 재귀대명사
③ 병렬   ④ 형용사 자리
⑤ 대동사

정답 해설

⑤ The present moment does not exist in them, and (=)
therefore neither do(→ does) the flow of time. neither+동사+주어

▶ 부정문의 내용에 대해 '~도 그렇지 않다'는 의미를 나타낼 때는 neither를 쓰며, 주어와 동사는 도치된다. 대신하는 동사가 exist로 현재시제이고 주어가 단수이므로 대동사 does로 고쳐야 한다.

오답 해설

① Of course, the moment [during which you read that 선행사 (= during the moment)
sentence] is no longer happening. 더 이상 ~않는

▶ which는 the moment를 나타내고 관계사 뒤에 완전한 절이 이어지므로 during which가 쓰인 것은 적절하다.

② In other words, it feels [as though time flows], [in the 접속어구(마치 ~처럼) / ~라는 점에서
sense that the present is constantly updating itself]. 주어 / 동사 / 목적어(= the present)

▶ 동사의 주어와 목적어가 가리키는 대상이 일치하므로 재귀대명사 itself가 쓰인 것은 적절하다.

③ We have a deep intuition [that the future is open until it (=) 동격의 접속사 that1
becomes present] and [that the past is fixed]. 동격의 접속사 that2

▶ a deep intuition의 내용을 설명하는 동격의 that절 두 개가 접속사

40 Supreme 수능 어법 〈실전〉

and로 병렬로 연결되었으므로 that이 쓰인 것은 적절하다.

④ Yet [as **natural** as this way of thinking is], you will not
　　as+형용사(보어)+as　　주어　　동사
5형식 동사
find it reflected in science.
　　목적어　목적격보어

▶ 「(as)+형용사/부사+as+주어+동사」의 양보의 부사절 도치 구문이다. 여기서 be동사의 보어가 도치되어 앞에 쓰인 문장이므로 형용사 natural이 쓰인 것은 적절하다. 부사는 보어로 쓸 수 없다.

3 ①

① 일부 사람들은 가난한 사람들은 그들이 능력이 부족하기 때문에 가난한 것이라고 믿지만, 프린스턴의 심리학자인 Eldar Shafir는 그들을 능력이 부족하게 만드는 것은 사실 가난이라고 주장해 왔다. ② 이것은 결핍이 행동에 영향을 미친다는 생각을 기반으로 한다. ③ 예를 들어, 인도의 사탕수수 농부들의 행동을 연구했을 때, 그 교수는 그들이 경제적으로 어려움을 겪고 있던 때인 수확 전 기간과 비교해 볼 때, 수확에 대한 보상을 받은 후에 더 나은 결정을 내렸다는 것을 알게 되었다. ④ 그 교수에 따르면, 이런 종류의 결핍은 사람들을 한 가지 일에 너무 집중하게 만들 수 있어서, 그들로 하여금 그들의 삶에서 다른 것들을 소홀하게 만든다. ⑤ 가난한 사람들의 경우, 돈의 부족에 지나치게 집중하는 것은 그들이 아이들의 숙제를 봐주거나 제시간에 약을 먹는 것과 같은 일상적인 일을 위해 남겨 놓은 마음의 공간을 거의 갖고 있지 않다는 것을 의미한다. 이러한 사람들은 그들의 결핍이 완화된다면 다른 어떤 사람들만큼의 능력을 갖게 될 것이다.

어법 분석

① It is(was) ～ that 강조 구문　② 접속사 that
③ 관계부사　④ to부정사 목적격보어
⑤ 병렬

정답 해설

① ..., Princeton psychologist Eldar Shafir has suggested
목적어(명사절)　　　　　주어　　　　　　　　　동사
[**that it**'s actually poverty **what**(→ **that**) makes them less
└── it ～ that 강조 구문: 주어 강조 ──┘
capable].

▶ 문맥상 주어 poverty를 강조하는 「it is ～ that」 강조 구문이 쓰인 문장이므로 접속사 that으로 고쳐야 한다.

오답 해설

② This is based on the idea [that scarcity influences
　　　　　　　　　　　└ 동격 ┘　주어　　　동사
behavior].

▶ the idea의 내용을 설명하는 동격의 절을 이끄는 접속사 that이 쓰인 것은 적절하다.

③ ..., as compared to the period before the harvest, [**when**
　　　　　　　　　　선행사　　　　　　　　　　관계부사절
they were struggling financially].
주어　　동사

▶ 시간을 나타내는 the period before the harvest를 선행사로 하면서 관계사 뒤에 완전한 절이 이어지므로 관계부사 when이 쓰인 것은 적절하다.

④ ..., can make people focus too much on one thing,
　　　　　make+목적어+목적격보어(동사원형)
causing them **to neglect** other things in their lives.
cause+목적어+목적격보어(to-v): ～로 하여금 …하게 하다

▶ cause는 목적격보어로 to부정사를 취하는 동사이므로 to neglect가 쓰인 것은 적절하다.

⑤ ... they have little mental space [**left** for everyday tasks,
　　　　　　　　　　　↑　　　　　과거분사구
{**such as** overseeing children's homework [or] taking
　　　　　동명사1　　　　　　　　　　　　동명사2
medicine on time}].

▶ 전치사 such as의 목적어인 두 개의 동명사구가 접속사 or로 연결된 병렬 구조이므로 taking이 쓰인 것은 적절하다.

내신 빈출 어법

p. 82

1 ①, ④　**2** It is in this church that we have decided to get married.　**3** It was a camera that we needed to buy for festival.　**4** I felt that he did know how to work the machine.　**5** She is so tired that she can't focus on the lecture.　**6** has not developed enough to focus on the screen　**7** ⑤

1 ①, ④

해석 ① 너는 그녀를 돕기 위해 그가 무엇을 해야 한다고 생각하는지 솔직하게 그에게 말해라.
② 나는 그녀가 그 계약에서 심각한 실수를 할 것이라고는 꿈에도 생각하지 못했다.
③ 작년 겨울에 납 중독으로 거의 죽을 뻔했던 사람은 바로 그 어린 소년이었다.
④ 나는 중국에서 6개월 동안 머물며 거기에서 인턴으로 일했던 것을 잊을 수 없다.
⑤ 만지기에 너무 위험한 동물들을 다룰 때는 조심해야 한다.
해설 ① 의문사 what절이 tell의 직접목적어로 사용되었기 때문에 간접의문문의 어순 「의문사+주어+동사」인 what you think로 고쳐야 한다.

④ forget의 목적어 두 개가 and로 병렬 연결된 구조이고 과거의 일에 대해 잊을 수 없다는 내용이므로 to work를 working으로 고쳐야한다.

2 It is in this church that we have decided to get married.

해설 「It ~ that」 사이에 강조하는 대상인 in this church를 넣어서해당 부분을 강조할 수 있다.

3 It was a camera that we needed to buy for festival.

해설 「It ~ that」 사이에 강조하는 대상인 a camera를 넣어서 해당부분을 강조할 수 있다.

4 I felt that he did know how to work the machine.

해설 동사의 의미를 강조하기 위하여 동사 앞에 강조의 동사 do를 사용한다. 이 문장은 과거시제이므로 과거형 did를 사용해야 한다.

5 She is so tired that she can't focus on the lecture.

해석 그녀는 너무 피곤해서 강의에 집중할 수 없다.

해설 「too+형용사+to부정사」 구문은 「so+형용사+that+주어+can't」 구문으로 바꿀 수 있다.

6 - 7

지문 해석

유아들이 컴퓨터 사용을 시작하기에 적절한 시기는 언제인가? 만약 유아가한 살 미만이라면 대답은 명확하다. 왜냐하면 아이의 시력은 화면에 집중할수 있을 정도로 충분히 발달되지 않았기 때문이다. 그러나 한 살이 지나면사람들은 다양한 답을 가진다. 몇몇 사람들은 세 살짜리를 컴퓨터에 노출시키는 것에 대해 동의하지 않는데, 그들은 부모가 독서 또는 놀이와 같은 전통적인 방식으로 아이들에게 자극을 줘야 한다고 주장한다. 다른 사람들은컴퓨터에 일찍 노출되는 것이 디지털 세계에 적응하는 것에 도움이 된다고주장한다. 그들은 아이들이 컴퓨터를 더 일찍 사용할수록 다른 디지털 기기사용에 더 많은 친숙함을 가질 수 있다고 믿는다.

6 has not developed enough to focus on the screen

해설 현재완료 시제의 부정은 have(has)와 과거분사 사이에 not을사용하며, '~하기에 충분히'의 의미로 사용되는 enough to는 동사의뒤에서 동사를 수식한다.

7 ⑤

해석 ① 컴퓨터 사용의 위험 요소들

② 독서와 놀이의 교육적인 역할

③ 유아들의 시력 발달

④ 디지털 기기들에 잘 적응하는 방법

⑤ 유아들이 언제 컴퓨터 사용을 시작해야 하는지에 대한 다른 견해들

해설 본문은 유아들이 컴퓨터를 시작하는 시기에 대한 다양한 주장을설명하고 있으므로 ⑤가 적절하다.

CHAPTER ⑩
시제

핵심 문법 정리
pp. 84-85

1 전통적인 장례식에서 남자들은 어두운 색 정장을 입는다.
2 단테는 1300년대 초에 자신의 걸작을 썼다.
3 적어도 30명의 사람들이 내일 그 회의에 참석할 것이다.
4 그 정비공이 지금 그의 차를 고치고 있다.
5 Julie는 그 사고가 났을 때 운전하고 있었다.
6 더 많은 사람들이 올해 온라인 쇼핑을 할 것이다.
7 그는 막 오늘의 두 번째 수술을 끝냈다.
8 그 식당은 내가 어린아이였을 때부터 여기에 있었다.
9 대부분의 아이들이 실생활에서 호랑이를 본 적이 없다.
10 나는 내 ID와 비밀번호를 잊어버렸다.
11 한 남자가 막 들어왔었고, 그 때 다른 사람이 따라왔다.
12 그는 이번 주말까지 결정을 내릴 것이다.
13 그 회사는 1990년부터 키보드를 개발해 오고 있다.
14 내가 너를 깨웠을 때 너는 한 시간 동안 자고 있는 중이었다.
15 나는 올해 12월이면 5년 동안 일한 것이 될 것이다.

어법 출제 POINT
pp. 84-85

1 make	2 will regret	3 will occur
4 had	5 since	6 have been
7 got	8 had met	9 know
10 were having	11 is	12 discovered

1 make

해석 만약 당신이 잘못된 결정을 내린다면 당신의 실수를 바로잡기 위해 노력해야 할 것이다.

2 will regret

해석 그는 자신이 했던 말을 후회하게 될 때가 곧 올 것이다.

3 will occur

해석 졸업식이 예정대로 진행될 것인지에 대해 아직 알려진 바가 없다.

4 had

해석 지난해에 그녀는 세계 1위 선수와 테니스 시합을 했다.

5 since

해석 지속 가능한 에너지에 대한 회담이 2000년 이래로 매년 개최되고 있다.

6 have been

해석 인류의 모든 역사에서 우리는 지구상에서 가장 창의적인 존재이다.

7 got

해석 마지막 사람이 음식을 받기 전에 대부분은 식사를 마쳤다.

8 had met

해석 대화를 하는 도중에 나는 우리가 예전에 파리에서 만났던 적이 있다는 것을 깨달았다.

9 know

해석 대부분의 성인들이 자신들의 정확한 발 치수를 안다고 생각해서 새로운 신발을 살 때 발 치수를 측정하지 않는다.

10 were having

해석 우리가 저녁을 먹고 있는 동안 창밖에서 엄청난 쾅 소리를 들었다.

11 is

해석 우리는 물이 산소와 수소로 구성되어 있다는 것을 배웠다.

12 discovered

해석 나는 갈릴레오 갈릴레이가 목성의 위성 4개를 발견했다고 배웠다.

어법 적용 연습

pp. 86-87

> **A** 1 is   2 have continued   3 will be   4 belong
>   5 had been searching
> **B** 1 feel   2 closed   3 ○   4 has shown   5 ○
>   6 ○ / had lived   7 ○ / will strike
>   8 was first launched / ○   9 was / had appeared
> **C** 1 ① that(which) ② resembles ③ usually have
>   2 ② had tried   3 ① engraved   ③ had broken

A

1 is

해석 여러분의 교육이 끝나면 우리는 여러분이 선택한 부서로 여러분을 배치할 수 있을 것입니다.

해설 시간의 부사절에서는 현재시제가 미래시제를 대신하므로 is가 적절하다.

2 have continued

해석 일부 문제들은 현대까지 계속해서 수학자들을 시험하고 있다.

해설 과거부터 현대까지 계속해서 수학자들이 도전하고 있다는 의미가 되어야 하므로 현재완료 have continued가 적절하다.

3 will be

해석 우리가 밤 늦은 10시 정도에 도착했을 때 무료 주차가 가능할지 궁금하다.

해설 if절은 동사 wonder의 목적어 역할을 하는 명사절이고, 앞으로의 일을 나타내고 있으므로 미래시제 will be가 적절하다.

4 belong

해석 사자와 호랑이는 둘 다 고양이과에 속하지만 그들은 꽤 다르다.

해설 소유동사는 진행형으로 쓸 수 없으므로 belong이 적절하다.

5 had been searching

해석 그가 TV에 출연한 후에 16년 동안 그를 찾고 있었던 그의 가족들이 그를 발견할 수 있었다.

해설 가족들이 그를 발견한 시점(과거)보다 앞서 그를 16년 동안 찾고 있었으므로 과거 이전부터 과거까지 계속되고 있던 일을 나타내는 과거

완료진행 had been searching이 적절하다.

B

1 feel

해석 태양은 지구보다 훨씬 더 많은 질량을 가지고 있지만 우리는 지구에 훨씬 더 근접하기 때문에 지구의 중력을 더 많이 느낀다.

해설 일시적인 동작인 경우를 제외하고, 지각동사는 진행형으로 쓰지 않으므로 feel로 고쳐야 한다.

2 closed

해석 막대한 임대료 인상으로 인해 Prince 가의 한 인기 있는 식당이 지난달에 문을 닫았다.

해설 과거의 특정 시점(last month)에 일어난 일을 나타내므로 과거시제 closed로 고쳐야 한다.

3 ○

해석 뉴턴은 순수 백색광이 프리즘을 통과할 때 인간의 눈에 보이는 모든 색으로 분리된다는 것을 발견했다.

해설 과학적 사실은 주절의 시제에 관계없이 항상 현재시제를 쓰므로 separates가 쓰인 것은 맞다.

4 has shown

해석 1987년 SIC가 운영을 시작한 이래, 매년 처리되는 거래 건수는 지속적으로 증가해 왔다.

해설 과거의 한 시점(in 1987) 이래로 계속된 일을 나타내야 하므로 주절 동사의 시제는 현재완료 has shown으로 고쳐야 한다.

5 ○

해석 어떤 사람이 하루를 기분 좋은 상태로 시작한다면 그 사람은 아마도 생산적인 하루를 보낼 것이다.

해설 조건의 부사절에서는 현재시제가 미래시제를 대신하므로 begins가 쓰인 것은 맞다.

6 ○ / had lived

해석 1888년 아를에 도착하기 전까지 빈센트 반 고흐는 보다 근대적인 화풍을 발전시키며 파리에서 2년 동안 살았었다.

해설 특정한 과거 시점(in 1888)에 있었던 일을 나타내므로 과거시제 arrived가 쓰인 것은 맞다. / 부사절 시제(과거)보다 앞선 시점의 일이 과거까지 이어졌다는 내용이므로 과거완료 had lived로 고쳐야 한다.

7 ○ / will strike

해석 과학자들은 5년 동안 현존하는 기상 데이터와 신기술을 결합하여 30킬로미터 범위 내에서 언제 번개가 칠 것인지 예측할 수 있는 시스템을 연구해 왔다.

해설 5년 동안 계속해서 연구를 해 오고 있으므로 현재완료 have worked가 쓰인 것은 맞다. / when절은 동사 predict의 목적어 역할을 하는 명사절이고, 앞으로 일어날 일에 대해 설명하고 있으므로 미래시제 will strike로 고쳐야 한다.

8 was first launched / ○

해석 Great Green Wall은 아프리카 12개국의 주도로 2007년에 처음 착수되었다. 그 프로젝트가 시작된 이래로 세네갈에서만 1,100만 그루 이상의 나무가 심어졌다.

해설 과거 특정 시점(in 2007)에 일어난 일이므로 과거시제 수동태 was first launched로 고쳐야 한다. / 프로젝트를 시작한 과거 시점부터 지금까지 일어난 일에 대해 말하므로 현재완료 have been planted가 쓰인 것은 맞다.

9 was / had appeared

해석 1849년에 이 지역에서 금이 발견되었는데, 그 사실은 하룻밤 사이에 수많은 열렬한 금광업자들을 끌어들였다. 그러나 금은 금세 사라졌고, 새로운 사람들은 그들이 나타났을 때만큼 순식간에 사라졌다.

해설 특정한 과거 시점(in 1849)에 일어난 일이므로 과거시제 was로 고쳐야 한다. / 사람들이 떠난 시점(과거)보다 나타났던 시점이 더 앞선 과거이므로 과거완료 had appeared로 고쳐야 한다.

C

1 ① that(which) ② resembles ③ usually have

해석 거미 정맥은 일반적으로 피부에 보이는 붉은색이나 파란색을 띠는 작은 혈관이다. 그것들의 형태는 거미줄이나 나뭇가지를 닮았으며 사람들은 보통 다리나 얼굴에 그것을 가지고 있다.

해설 ① 선행사 small blood vessels를 수식하는 주격 관계대명사절을 이끌고 있으므로 관계대명사 that 또는 which로 고쳐야 한다. ② 상태동사는 진행형으로 쓸 수 없으므로 resembles로 고쳐야 한다. ③ 소유동사는 진행형으로 쓸 수 없으므로 have로 고쳐야 한다. 빈도부사 usually는 동사 앞에 쓴다.

2 ② had tried

해석 Serene은 그녀의 어머니 앞에서 피루엣을 하려고 했지만 바닥으로 넘어졌다. Serene의 어머니는 자기 자신이 Serene의 나이에 (피루엣을) 성공해 내기 전에 여러 번 시도했다고 말했다. 그녀는 너무 자주 넘어져 발목을 삐었고, 3개월 동안 쉬어야 했다.

해설 ② 주절의 시점보다 앞선 과거의 일에 대해 말하고 있으므로 과거완료 had tried로 고쳐야 한다.

3 ① engraved ③ had broken

해석 Igor Cerc는 시계에 문구를 새겨 넣으려고 한 가게에 갔다. 그것은 그가 시계를 찾기로 한 당일 날에 결혼식에 가져가야 할 선물이었다. 하지만 그 가게에 (시계를 찾으러) 도착했을 때, 그는 기술자가 문구를 새기는 과정에서 시계 유리를 깨뜨렸다는 것을 알았다.

해설 ① 사역동사 have의 목적격보어로 목적어와 수동의 관계이므로 과거분사 engraved로 고쳐야 한다. ③ 시계 유리를 깨뜨린 시점이 그것을 알게 된 시점(과거)보다 앞선 일이므로 과거완료 had broken으로 고쳐야 한다.

어법 실전 Test

pp. 88-89

1 ④   2 ②   3 ⑤

1 ④

지문 해석
① 오늘날 지구상의 거의 모든 사람들이 어떤 형태의 카메라를 소유한 채로 우리의 디지털 세계에서 2백만 장 이상의 사진들이 매 분마다 촬영되고 있다. 이러한 사진의 민주화는 수많은 이익을 낳았지만, 또한 세계에 심각한 사회 문제를 야기시켰다. ② 사진은 자주 '가짜 뉴스'를 만들어 내기 위해 조작되고, 동의 없이 촬영된 사진을 무단 유포해 개인의 사생활이 침해된다.

③ 디지털 사진의 이러한 어두운 면을 다루기 위해서는 우리 삶의 다른 측면을 지배하는 원칙들을 검토하여 우리가 사진을 생산하고 배포하고 소비하는 방식에 적용해야 한다. ④ 우리가 피사체에 해를 끼치는 사진을 계속 찍으면 아무도 사진 찍히기를 원하지 않을 것이다. 우리는 또한 관중들을 속이지 않는 방법으로 이미지를 향상시키기 위해 신경을 쓰면서 우리의 사진을 조작하는 방법을 규제해야 한다. ⑤ 그렇게 하는 것을 실패하면 전체 산업의 진정성을 위태롭게 할 가능성이 높다.

어법 분석

① with+(대)명사+분사   ② 과거분사
③ to부정사(부사적 용법)   ④ 시제 일치의 예외
⑤ 부사 so

정답 해설

④ [If we will continue(→ continue) to take pictures {that
　조건절 └ 주어　　　　동사
harm our subjects}], no one will want to be photographed.
　　　　　　 주격 관계대명사절　　　　주어　　　동사

▶ 조건의 부사절에서는 현재시제가 미래시제를 대신하므로 현재시제 continue로 고쳐야 한다.

오답 해설

① ... photographs are taken every minute in our digital
　　　　 주어　　　동사
world, [with nearly every person on the planet having
　　　　　　　　　　　　　　 목적어　　　　　　 현재분사
some form of camera].

▶ 부대상황을 나타내는 「with+명사+분사」는 '~가 …한 상태로'의 의미로 분사의 의미상 주어인 명사 every person과 분사의 관계가 능동이므로 현재분사 having이 쓰인 것은 적절하다.

② ... personal privacy is violated by the unauthorized
　　　　　　 주어　　　　　 동사
circulation of photos [taken without consent].
　　　　　　　　　　　　 과거분사구

▶ 사진은 '찍히는' 것이므로 수동의 의미를 나타내는 과거분사 taken이 쓰인 것은 적절하다.

③ [To deal with this dark side of digital photography], we
　 to부정사 부사적 용법(목적)　　　　　　　　　　　　　　　주어
must examine the principles ....
　　 동사

▶ 문맥상 '~하기 위해서'의 의미인 부사적 용법의 to부정사가 와야 하므로 To deal이 쓰인 것은 적절하다.

⑤ Failure [to do so] will likely jeopardize the integrity of the
　 주어 ↑　　　　 └───── 동사 ─────
entire industry.

▶ 문맥상 앞 문장에서 언급한 것을 다시 가리키고자 하므로 내용을 그대로 받는 부사 so가 쓰인 것은 적절하다.

2 ②

바로크 양식의 예술은 르네상스가 끝난 후인 17세기 초에 시작되었다. (A) 바로크 예술가들은 주로 예술 작품의 주제와의 연계를 통해 관찰자 내면에 강렬하고 감정적인 경험을 창조하는 데 초점을 맞추었다. (B) 이전 르네상스 예술이 중요한 사건이 일어나기 전의 순간을 묘사하는 경향이 있었던 반면, 바로크 예술은 일반적으로 가장 극적인 움직임이 일어나고 있는 그 순간을 포착했다. 이런 정반대의 피사체 처리는 전성기 르네상스 시대의 걸작인 미켈란젤로의 '다비드'와 바로크 조각가 베르니니의 동명 작품에 나타나 있다. 미켈란젤로의 '다비드'는 전투를 앞둔 침착하고 고요한 상태지만, 베르니니의 '다비드'는 그의 적수를 향해 돌을 던지고 있는 것으로 보인다. (C) 분명히 바로크 예술은 극도의 감정을 일으키려 했는데, 이는 르네상스 시대에 귀하게 여겨졌던 차분한 합리성과 극명한 대조를 이룬다.

어법 분석

(A) 과거시제
(B) 관계부사
(C) 전치사

정답 해설

> (A) <u>Baroque artists</u> <u>were</u> primarily <u>focused</u> on creating a
> 　　　주어　　　　　└──── 동사 ────┘
> strong and emotional experience within their observers ....

▶ '~에 초점을 맞추다'라는 의미의 「be focused on」이 쓰인 문장으로 바로크 예술가들의 저작 활동이 지금까지 이어져 오는 것은 아니므로 과거시제 were가 적절하다.

> (B) ..., <u>Baroque art</u> generally <u>captured</u> <u>the moment</u> [when
> 　　　　주어　　　　　　　　동사　　　선행사↑　　관계
> 　　　　　　　　　　　　　　　　　　　　　　　　　부사절
> the most dramatic action was occurring].
> └─────── 주어 ───────┘　　　동사

▶ 선행사가 시간을 나타내는 the moment이며 뒤에 완전한 절이 이어지므로 관계부사 when이 적절하다.

> (C) ... emotion, [<u>which</u> stands in stark contrast to the calm
> 　　　　　　　　계속적 용법의 주격 관계대명사절(앞의 내용 전체가 선행사)
> rationality {<u>that</u> was prized <u>during</u> the Renaissance}].
> 　　　↑　　　└─ 주격 관계대명사절 ─┘　　　명사

▶ 명사 the Renaissance를 목적어로 취하므로 전치사 during이 적절하다.

3 ⑤

지문 해석

① 며칠 전 퇴근하면서 나는 어떤 여자가 큰 길로 들어오려고 애쓰는데 계속되는 차량 흐름 때문에 운이 따르지 않는 것을 봤다. 나는 속도를 줄이고 그녀가 내 앞에 들어오게 해 주었다. 그 후 두어 블록 간 후에 그녀가 몇 대의 차를 끼워주려고 차를 멈추는 바람에 우리 둘 다 다음 신호를 놓치게 되기 전까지는 나는 기분이 꽤 좋았다. ② 나는 그녀에게 완전히 짜증 났다는 것

을 깨달았다. 내가 그렇게 친절하게 그녀를 차량들 안으로 들어오게 해 주었는데 어떻게 감히 그녀가 나를 느리게 가게 한단 말인가! ③ 내가 안달하면서 (자동차에) 앉아 있을 때 나는 내 자신이 참으로 어리석게 굴고 있다는 사실을 깨달았다. ④ 불현듯 언젠가 읽었던 문구 하나가 마음속에 떠올랐다. '누군가 점수를 매기고 있기 때문이거나 하지 않으면 처벌을 받기 때문이 아니라 내적 동기로 사람들에게 친절을 베풀어야 한다.' ⑤ 나는 내가 보상을 원하고 있었다는 사실을 깨달았다. 내가 당신에게 이런 친절을 베푼다면 당신(또는 다른 어떤 사람)이 나에게 똑같이 친절을 베풀 것이라는 생각이었다.

어법 분석

① 병렬　　　　　　　　② 과거분사
③ 의문사　　　　　　　④ 동사 자리
⑤ 과거완료 시제(대과거)

정답 해설

> ⑤ I realized that I <u>wanted</u> (→ had wanted) a reward: ....
> 　　　　　　　동사(과거)　　　　　　　동사

▶ 주절의 시점(과거)보다 먼저 일어난 일에 대해 말하고 있으므로 과거완료 had wanted로 고쳐야 한다.

오답 해설

> ① ..., I <u>saw</u> <u>a woman</u> [<u>trying</u> to turn onto the main street]
> 　　　　동사　목적어　　목적격보어1
> <u>and</u> [<u>having</u> very little luck] ....
> 　　　　목적격보어2

▶ 지각동사 saw의 목적격보어인 현재분사 trying과 접속사 and로 연결된 병렬 구조이므로 having이 쓰인 것은 적절하다.

> ② I <u>found</u> <u>myself</u> completely <u>irritated</u> with her.
> 　　동사　목적어　　　　　목적격보어

▶ 목적어 myself가 '짜증이 나는' 감정을 느끼게 된 주체이므로 과거분사 irritated가 쓰인 것은 적절하다.

> ③ ..., I realized [<u>how</u> ridiculous I was being].
> 　　　　　　　　목적어(간접의문문)

▶ 의문사 how가 이끄는 절이 「how+형용사+주어+동사」의 어순으로 realized의 목적어로 쓰였으므로 how가 쓰인 것은 적절하다.

> ④ Suddenly, <u>a phrase</u> [I once read] <u>came</u> floating into my
> 　　　　　　　주어　(that) 목적격　　　　동사
> 　　　　　　　　　　　관계대명사절
> mind: ....

▶ read는 목적격 관계대명사절의 동사이고, 관계사절은 선행사인 주어 a phrase를 수식하므로 문장의 본동사로 came이 쓰인 것은 적절하다.

1   ①, ③
> 해설 ① 내가 아직 말 안 했어? 나는 이 극장을 5년 전에 방문했어.
> ② Nate는 숙모가 동생을 돌보러 오면 집을 나설 것이다.
> ③ Patrick은 자신이 국가 대표로 선발될 것을 알고 있다.
> ④ 역사 선생님은 한국 전쟁은 1950년 6월 25일에 발발했다고 말씀하셨다.
> ⑤ Kelly는 그녀의 언니가 1년 전에 대학으로 떠난 이후로 이 방을 사용하고 있다.
> 해설 ① 특정 과거 시점을 나타내는 ago가 있으므로 have visited 를 visited로 고쳐야 한다.
> ③ 상태동사는 진행형으로 쓸 수 없으므로 is knowing을 knows로 고쳐야 한다.

2   has not driven this car since the accident happened
> 해설 since절은 사고가 일어난 특정 시점을 말하므로 과거시제로 쓰고, 주절은 과거부터 현재까지의 일을 나타내므로 완료시제를 쓴다.

3   the wallet that he had lost at the party
> 해설 지갑을 잃어버린 시점이 찾은 과거의 시점보다 더 이전이므로 과거완료로 표현하는 것이 적절하다.

4   If you decide / will quit his job and join us
> 해설 시간, 조건의 부사절에서 현재시제가 미래시제를 대신한다는 점에 유의한다.

5   (A) is remembering → remembers
   (B) will visit → visit
> 해석 (A) 나는 Jane이 그 사건을 너무 잘 기억하고 있는 것에 놀랐다.
> (B) 당신이 우리를 방문할 때 우리는 당신에게 상세한 일정표를 줄 것입니다.
> 해설 (A) 상태동사는 진행형으로 쓸 수 없는 동사이고 주어가 3인칭 단수이므로 is remembering을 remembers로 고쳐야 한다.
> (B) 시간, 조건의 부사절에서는 현재시제가 미래시제를 대신하므로 will visit를 visit로 고쳐야 한다.

6 - 7

지문 해석

명성에 대한 욕망은 무시 당한 경험에 그 뿌리를 두고 있다. 우리는 초창기에 고통스럽게 박탈감을 겪은 경험이 있을 때 우리를 대단하다고 보는 많은 관심의 필요를 느낀다. 아마도 어떤 이의 부모는 결코 그에게 많은 주의를 기울이지 못했고, 다른 유명한 사람들에게 집중하거나, 그저 너무 열심히 일하며 다른 일로 너무 바빴다. 잠들기 전에 읽어 주는 이야기가 없었고, 그의 성적 통지표는 칭찬과 감탄의 대상이 아니었다. 그러한 이유 때문에 그는 언젠가 세상이 관심을 가져 주기를 꿈꾼다. 우리가 유명하면, 우리의 부모 역시 우리를 대단하게 볼 수 밖에 없을 것이다.

6   we are famous, our parents will have to admire us too
> 해설 조건절에서는 현재시제가 미래를 대신하므로 현재시제를 쓰고, 주절에서는 will을 사용한 문장을 써야 함에 유의한다.

7   ②
> 해설 ① 앞에 나온 The desire를 대신하는 동사로 소유대명사 its가 쓰인 것은 적절하다.
> ② '초창기 박탈감(earlier deprivation)'을 겪었던 경험을 말하고 있으므로 현재완료 have been으로 고쳐야 한다.
> ③ 초점을 맞추는 행위자는 부모들을 가리키므로 현재분사 focusing이 쓰인 것은 적절하다.
> ④ 문장의 주어는 bedtime stories이므로 복수형 were가 쓰인 것은 적절하다.
> ⑤ 동사 dreams의 목적어 역할을 하는 명사절을 이끄는 접속사 that 이 쓰인 것은 적절하다.

CHAPTER ⑪
태

핵심 문법 정리
pp. 92–93

1 모나리자는 레오나르도 다빈치에 의해 그려졌다.
  ← 레오나르도 다빈치가 모나리자를 그렸다.
2 그의 별명은 아버지에 의해 붙여졌다.
3 그는 아버지에 의해 별명이 붙여졌다.
  ← 그의 아버지는 그에게 별명을 붙여 주었다.
4 뉴욕은 (사람들에 의해) '빅애플'이라고 불린다.
  ← 사람들은 뉴욕을 '빅애플'이라고 부른다.

어법 출제 POINT
pp. 92–93

1 was named	2 have shown
3 looked up to by	4 happen
5 possesses	6 to walk
7 to take	8 is believed
9 have had	10 in
11 with	12 are being developed
13 has been discussed	

1 was named
해석 화성은 붉은 외형 때문에 로마의 전쟁의 신의 이름을 따서 이름이 붙여졌다.

2 have shown
해석 여러 연구들은 낮은 자존감을 가진 사람들이 자신들의 실패의 중요성을 확대하는 경향이 있음을 보여 주어 왔다.

3 looked up to by
해석 그 교수는 동료들과 제자들로부터 똑같이 존경을 받는다.

4 happen
해석 비현실적인 낙관론자들은 그들에게 성공이 올 것이라고 믿는다.

5 possesses
해석 나는 모든 사람이 창의성을 가지고 태어나며 예술적인 능력을 가지고 있다고 생각한다.

6 to walk
해석 그 차량은 경찰에 의해 압수되었고, 그 남자가 집까지 걸어가도록 했다.

7 to take
해석 거북이 한 마리가 입에 조약돌을 물고 그것을 더미까지 옮기는 것이 보였다.

8 is believed
해석 아이의 신장은 유전에 좌우된다고 믿어진다.

9 have had
해석 많은 성인들이 어렸을 때 심리적인 문제를 겪었다고 한다.

10 in
해석 그는 애니메이션 영화가 실제로 어떻게 제작되는지에 관심이 있었다.

11 with
해석 지금 거리는 행진하며 소리 지르는 수백만 명의 시위대들로 가득 차 있다.

12 are being developed
해석 전 세계적으로 백신이 개발되는 중이다.

13 has been discussed
해석 이 개념은 아리스토텔레스 시대만큼 오래 전부터 논의되어 오고 있다.

어법 적용 연습
pp. 94–95

A 1 known as 2 resemble 3 had been edited
  4 have been eradicated 5 is reported
B 1 were made to leave 2 ○ 3 satisfied with 4 ○
  5 seem 6 attended / was forced 7 function / ○
  8 was based / ○ 9 to form / have been historically ascribed(have historically been ascribed)
C 1 ① is composed of ② are attracted 2 ② were established 3 ② is said ③ is considered

A

1 known as
해석 금성은 흔히 지구의 '쌍둥이 자매'라고 알려져 있는데, 이는 금성이 크기와 질량 면에서 지구와 거의 같기 때문이다.
해설 'twin sister'라는 별명으로 알려진 것이므로 known as가 적절하다.

2 resemble
해석 그 팀은 개와 그들의 주인이 서로 닮는지 아닌지를 연구했다.
해설 상태를 나타내는 동사는 수동태로 쓰지 않으므로 resemble이 적절하다.

3 had been edited
해석 그 책의 새로운 영문 번역본은 원전에서 편집되었던 자료를 복원했다.
해설 복원한 시점(과거)보다 이전에 편집되었다는 수동과 과거완료의 의미를 나타내야 하므로 과거완료 수동태 had been edited가 적절하다.

4 have been eradicated
해석 천연두, 소아마비, 홍역과 같은 주요 질병들은 집단 접종으로 근절되어 왔다.
해설 주어 Major diseases는 과거부터 현재까지 계속 '근절되고' 있는 동작의 대상이므로 현재완료 수동태 have been eradicated가 적절하다.

5 is reported

해석 지각의 약 8퍼센트가 다양한 광물의 형태로 알루미늄을 포함하고 있다고 보고된다.

해설 동사 report가 that절을 목적어로 취한 문장은 「It+be+p.p.+that절」 형태로 수동태를 만들 수 있으므로 is reported가 적절하다.

B

1 were made to leave

해석 전쟁이 끝나고 군대가 고향으로 돌아왔을 때, 여성들은 새로운 직장을 그만두고 집으로 돌아가야 했다.

해설 사역동사 make가 쓰인 5형식 문장의 수동태에서 목적격보어로 쓰인 원형부정사는 to부정사가 되므로 were made to leave로 고쳐야 한다.

2 ○

해석 의사들이 환자들과 그러한 것처럼 고용주들은 직원들과 특정한 방식으로 상호 작용하도록 기대된다.

해설 동사 expect는 that절을 목적어로 취할 수 있는데 이를 수동태로 만들 경우 that절의 주어가 수동태의 주어가 되고, that절의 동사는 to부정사가 되므로 「주어+be+p.p.+to부정사」 형태의 are expected to interact가 쓰인 것은 맞다.

3 satisfied with

해석 당신이 거래하는 은행의 서비스에 만족하지 못한다면 가장 먼저 할 수 있는 일은 고객 센터에 연락하는 것이다.

해설 동사 satisfy가 수동태로 쓰일 때는 전치사 with와 함께 써야 하므로 satisfied with로 고쳐야 한다.

4 ○

해석 휴식은 당신의 에너지 수준을 회복시키기 위해 필수적이지만 부주의하게 취해서는 안 된다.

해설 휴식이 '취해지다'는 의미로 주어 Breaks가 동작의 대상이므로 수동태 be taken이 쓰인 것은 맞다.

5 seem

해석 이혼과 실업은 어떤 사람에게는 충격적으로 보일 수 있지만 다른 사람에게는 성장의 기회로 인식될 수도 있다.

해설 seem은 수동태로 쓸 수 없는 자동사이므로 seem으로 고쳐야 한다.

6 attended / was forced

해석 그녀는 이웃의 다른 아이들과 정규 학교에 다녔지만 1940년 나치가 그녀의 나라를 침략했을 때 유대인 학교로 전학을 가야만 했다.

해설 주어 She가 동작을 하는 주체이므로 능동태로 써야 하고, 과거의 일을 말하고 있으므로 attended로 고쳐야 한다. / 전학을 가도록 '강요당한' 것으로 주어 She가 동작의 대상이므로 수동태 was forced로 고쳐야 한다.

7 function / ○

해석 비언어적 의사소통은 언어적 의사소통의 대체제가 아니다. 오히려 그것은 공유되고 있는 메시지의 내용적 풍부함을 향상시켜주는 역할을 하는 보완제로서 기능해야 한다.

해설 function은 수동태로 쓸 수 없는 자동사이므로 function으로 고쳐야 한다. / '공유되고 있다'는 수동과 진행의 의미를 나타내고 있으므로 is being shared가 쓰인 것은 맞다.

8 was based / ○

해석 수년 동안 많은 심리학 연구는 인간이 공격성, 이기적인 사용 그리고 단순한 쾌락의 추구와 같은 근본적인 동기들에 의해 움직인다는 가정에 바탕을 두었다.

해설 '~에 바탕을 두었다'는 의미로 주어 a lot of psychology research가 동작의 대상이므로 수동태 was based로 고쳐야 한다. / that절의 주어 human beings가 '움직인다'는 의미의 동작의 대상이므로 are driven이 쓰인 것은 맞다.

9 to form / have been historically ascribed(have historically been ascribed)

해석 별의 무리는 별자리라는 이름으로 하늘에서 형태를 이루는 것으로 여겨졌는데, 그것은 역사적으로 신화 속 인물들에게 기인했다.

해설 that절을 목적어로 취하는 동사 believe가 수동태가 되면 that절의 동사는 to부정사가 되므로 to form으로 고쳐야 한다. / 별자리가 신화 속 인물들에 '기인했다(~이 기원이 되었다)'는 내용이므로 수동과 완료의 의미를 나타내는 현재완료 수동태 have been historically ascribed로 고쳐야 한다. 부사는 have와 been 사이에도 위치할 수 있다.

C

1 ① is composed of ② are attracted

해석 물은 산소 원자 한 개와 수소 원자 한 쌍으로 구성된다. 정전기 인력으로 인해 그것들은 서로 끌어당겨진다. 그 결과 산소 원자는 음전하를 갖는 반면, 수소 원자는 양전하를 갖는다.

해설 ① 동사 compose가 수동태로 쓰일 때는 전치사 of와 함께 써야 하므로 is composed of로 고쳐야 한다. ② 문맥상 서로에게 '끌어당겨진다'는 수동의 의미를 나타내야 하므로 수동태 are attracted로 고쳐야 한다.

2 ② were established

해석 프랑스 혁명에 의해 야기된 전면적인 변화는 국민을 위한 자유와 독립을 가져왔다. 군주제 대신 민주주의와 국가주의를 포함한 새로운 정치적 세력이 수립되었다. 혁명은 또한 프랑스 자본주의의 부상으로 이어졌다.

해설 ② 새로운 정치적 세력이 '수립되었다'는 의미로 주어 new political forces가 동작의 대상이므로 수동태 were established로 고쳐야 한다.

3 ② is said ③ is considered

해석 한 사람의 BMI는 성인의 체지방을 측정하기 위해 키와 체중을 이용하는 척도이다. 25에서 34.9 사이의 BMI는 심각한 건강 문제의 고위험 지표로 간주되는 반면, 이상적인 BMI는 18.5와 24.9 사이 정도에 있다고 한다.

해설 ② say의 행위의 주체가 없고 It은 가주어이므로 목적어로 that절이 쓰인 문장의 수동태는 「It is(was)+p.p.+that절」의 형태로 쓸 수 있으므로 is said로 고쳐야 한다. ③ 주어 a BMI는 고위험 지표로 '간주된다'는 의미의 동작의 대상이므로 수동태 is considered로 고쳐야 한다.

1 ③   2 ④   3 ②

1 ③

지문 해석

① 스포츠 분야에서 승진의 과정은 피라미드 모양이라고 종종 말해진다. 즉, 넓은 하단부에는 고등학교 체육팀과 관련된 많은 직업이 있는 반면에, 좁은 꼭대기에는 전문적인 조직과 관련된, 사람들이 몹시 갈망하는 매우 적은 수의 직업이 있다. ② 그래서 많은 스포츠 관련 일자리가 있지만 올라갈수록 경쟁이 점점 더 치열해진다. 다양한 직종의 급여가 이러한 피라미드 모델을 반영하고 있다. ③ 예를 들어, 고등학교 축구 코치들은 보통 그들의 방과후 업무에 대해 약간의 수당을 지급받는 교사들이다. ④ 하지만 큰 대학에서 일하는 축구 코치들은 일 년에 백만 달러 이상의 돈을 벌 수 있어서 대학 총장의 급여가 상대적으로 적어 보인다. ⑤ 한 단계 더 위로 올라간 것이 NFL (미국 프로 미식축구 리그)인데, 그곳에서 수석 코치들은 돈을 가장 잘 버는 대학의 수석 코치들보다 몇 배를 더 벌 수 있다.

어법 분석

① 수 일치   ② 부사
③ 수동태   ④ to부정사 목적격보어
⑤ 관계부사

정답 해설

③ For example, high school football coaches are typically teachers [who paid(→ are paid) a little extra for their
　　　　　　　　　선행사　　　주격 관계대명사절　동사
afterclass work].

▶ 관계대명사절의 의미상 주어는 teachers로 '돈을 지급받는다'는 수동의 의미가 되어야 하므로 수동태 are paid로 고쳐야 한다.

오답 해설

① The process [of job advancement in the field of sports]
　　주어　　　　　전치사구
is often said to be shaped like a pyramid.
└─동사─┘

▶ 주어가 전치사구의 수식을 받아 길어진 형태로 단수이므로 단수동사 is가 쓰인 것은 적절하다.

② ..., but the competition becomes increasingly tough [as
　　　　　　　주어　　　동사　　　주격보어
　　　　　　　　　　　　　　　　접속사(~할수록)
one works their way up].

▶ 주격보어로 쓰인 형용사 tough를 수식하므로 부사 increasingly가 쓰인 것은 적절하다.

④ ..., causing the salaries of college presidents to look
　현재분사　　　　목적어　　　　　　목적격보어
small in comparison. cause+목적어+목적격보어(to-v)

▶ cause는 to부정사를 목적격보어로 취하는 5형식 동사이므로 to look이 쓰인 것은 적절하다.

⑤ One degree higher up is the National Football League,
　　　　　　　　　　　　　　　선행사
[where head coaches can earn many times more than their
관계부사절(= and in the National Football League / and there)
best-paid campus counterparts].

▶ 선행사가 장소의 의미를 가지고 관계사 다음에 완전한 절이 이어지므로 관계부사 where가 쓰인 것은 적절하다.

2 ④

지문 해석

동물이 높은 정도의 스트레스를 받으면 때때로 강박적으로 반복적인 행동을 할 텐데, 이것은 정형행동이라고 알려져 있다. 예를 들어, 울타리에 갇혀 있을 때 특정 종은 경로를 따라가는 판에 박힌 일과를 만들어 낸다. (A) 이것은 우리의 주변을 동일한 경로로 걷거나 수조 주변을 반복된 패턴의 동일한 경로로 수영하는 것으로 구성된다. 한 동물의 정형행동의 발현 정도와 빈도는 특히 영장류나 코끼리와 같이 더욱 고도로 진화한 종의 경우, 그 동물의 행복을 측정하는 척도의 역할을 할 수 있다. (B) 정형행동에 대한 연구는 이러한 행동의 빈도를 줄이는 측면에서 동물들에게 환경적 풍요를 제공하는 이점에 주로 초점을 맞춰 왔다. (C) 여기에는 심리적, 생리적 행복의 보장을 위해 요구되는 자극을 식별하고 제공함으로써 포획된 동물의 삶의 질을 높이려는 시도가 포함된다.

어법 분석

(A) 수동태로 쓸 수 없는 동사
(B) 수 일치
(C) 병렬

정답 해설

(A) This consists of walking the same route around a cage
　　주어　동사　　　동명사1
or swimming the same route ....
　　　동명사2

▶ consist of는 상태를 나타내는 동사구로 수동태로 쓸 수 없으므로 consists가 적절하다.

(B) Studies of stereotypic behavior have mainly focused
　　　　　　주어　　　　　　　└──동사──┘
on the benefits — ....

▶ 핵심 주어가 복수명사 Studies이므로 복수동사 have가 적절하다.

　　　　　　　　　　　　attempt+to-v: ~하려고 시도하다
(C) This involves attempting to enhance a captive animal's
　　주어　동사　목적어(동명사)
quality of life [by identifying and furnishing the stimuli ...].
　　　　　　　~함으로써　동명사1　　　동명사2

▶ 전치사 by의 목적어인 동명사 identifying과 접속사 and로 연결된 병렬 구조이므로 동명사 furnishing이 적절하다.

3 ②

지문 해석

지나치게 넓은 시장 정의에 이르는 것은 심각한 오류가 될 수 있다. 예를 들어 한 담보 대출업체가 보험 회사와 경쟁하기 위해 상품 포트폴리오를 확대하는 데 관심이 있었다. ① 그것은 특정 인구 집단을 대상으로 한 상품과 서비스 개발을 목적으로 금융 서비스를 분석하기 위해 단일 세분화 프로젝트를 의뢰하였다. 고객들과 수개월 동안 이야기를 나눈 후, 그 회사는 그 프로젝트를 포기할 수 밖에 없었다. ② 개별 고객들은 상품 범위에 따라 일관성 없이 구매 기준을 바꾸는 것으로 나타났다. ③ 예를 들어 여행 보험에 대해 논의할 때, 공급자를 선택하기 위해 어떤 기준을 사용할지에 대한 그들의 의견은 그들이 연금에 대해 가지고 있던 의견들과 매우 달랐다. ④ 그 회사는 그들의 시장을 세분화하는 것은 불가능하다고 결론지었다. ⑤ 그러나 그들이 소비자들이 어떻게 상품을 분류하고 그 회사가 진입하려고 했던 시장을 어떻게 정의하는지 알아보기 위해 시간을 들였더라면, 그 프로젝트는 성공했을 것이다.

어법 분석

① 과거분사　　　　　　　② 지각동사 수동태
③ 의문사　　　　　　　　④ to부정사(진주어)
⑤ 가정법 과거완료

정답 해설

② Individual customers were seen change(→ to change)
　　　　　　주어　　　　　　　 동사

their criteria for making purchases inconsistently ....

▶ 지각동사 see가 수동태로 쓰인 문장에서 목적격보어로 쓰인 동사원형은 to부정사로 바꿔 써야 하므로 to change로 고쳐야 한다.

오답 해설

① ... to analyze financial services in the interest of
　to부정사 부사적 용법(목적)　　　　　　　　～을 위하여

developing products and services [targeted at certain
동명사(전치사의 목적어)　　　　　　　 과거분사구
demographic groups].

▶ products and services는 '대상이 되는' 것으로 분사와 관계가 수동의 관계이므로 과거분사 targeted가 쓰인 것은 적절하다.

③ ..., their opinions [as to what criteria they would use to
　　　　　　주어　　　 ～에 관한　전치사 as to의 목적어(간접의문문)
choose a provider}] were very different from the ones ....
　　　　　　　　　　　　　동사　　　　　　 = the opinions

▶ 의문사 what이 전치사 as to의 목적어 역할을 하는 간접의문문(의문사＋주어＋동사)을 이끄므로 what이 쓰인 것은 적절하다.

④ ... it was impossible to segment their market.
　　　가주어　　　　　　　　　 진주어

▶ it이 가주어이고 to segment 이하가 진주어로 쓰인 문장으로 명사적 용법의 to부정사 to segment가 쓰인 것은 적절하다.

　　　　　　　　　　　　　　to부정사 부사적 용법(목적)┐
⑤ [Had they taken the time, however, to find out {how
　= If they had taken the time　　　　　　　　　　　 의문사절
consumers categorized the products and defined the markets
　(that) 주어　　　 동사1　　　　　　　 동사2　 선행사
(the company was trying to break into)}], the project would
└ 목적격 관계대명사절
have worked.

▶ If가 생략되고 도치된 형태의 가정법 과거완료 구문이 제시되어 있으므로 주절에 would have worked가 쓰인 것은 적절하다.

빈출 어법

p. 98

1 ②　2 The vendors were made to pay their stall rents every month　3 Anne Frank's diary has been translated into 70 languages　4 is said to be becoming a serious issue all over the world　5 (1) is consisted → consists (2) developing → developed　6 cultures that(which) can be referred to as　7 ④

1 ②
해석 ① 그 흰 탑은 도시 계획의 일환으로 연한 파란색으로 칠해지고 있다.
② 뉴스에 따르면, 그 행사는 James 스포츠 센터에서 열렸다.
③ 총리는 자신이 회의 결과에 실망했다고 말했다.
④ 한때 붐볐던 관광지에 적은 수의 관광객만 찾아오는 것이 보였다.
⑤ 이번 대회에서는 각 팀이 3명으로 구성된다.
해설 ② take place는 '개최되다, 열리다'라는 의미의 자동사로 수동태를 만들 수 없으므로, was taken place는 took place로 고쳐야 한다.

2 The vendors were made to pay their stall rents every month
해석 상인들은 시에 의해 매달 노점 임대료를 지불하게 되었다.
해설 목적어 the vendors를 수동태 문장의 주어로 쓸 때 사역동사 made의 목적격보어 pay를 to pay로 바꾸어 쓴다.

3 Anne Frank's diary has been translated into 70 languages
해석 Anne Frank의 일기는 사람들에 의해 70개의 언어로 번역되었다.
해설 목적어 Anne Frank's diary를 수동태 문장의 주어로 쓸 때 현재완료 시제의 수동태이면서 단수명사를 주어로 하는 「has been＋p.p.」의 형태로 쓴다.

4 is said to be becoming a serious issue all over the world

해석 비만은 의사들에 의해 전 세계적으로 심각한 문제가 되고 있다고 일컬어 진다.

해설 that절의 주어 obesity를 수동태 문장의 주어로 쓸 때 that절의 동사 is becoming을 to부정사로 바꾸어 to be becoming으로 쓴다.

5 (1) is consisted → consists (2) developing → developed

해석 이 프로그램은 특정 목적을 달성하기 위해 개발된 여러 프로젝트와 포트폴리오로 구성된다.

해설 (1) consist는 '구성되다'라는 의미를 나타내는 자동사로 수동태로 쓸 수 없으므로 is consisted는 consists로 고쳐야 한다.

(2) that이 이끄는 주격 관계대명사절은 선행사 multiple projects and portfolios를 수식하고, 이 선행사는 develop이라는 행위의 대상이 되므로 현재분사 developing은 수동태를 만드는 과거분사 developed로 고쳐야 한다.

6 - 7

지문 해석

'시간 밖에서 사는 사람들'이라고 불릴 수 있는 몇몇 문화가 있다. 브라질의 Amondawa 부족은 측정하거나 헤아릴 수 있는 시간 개념이 없다. 그들은 사건을 시간에 뿌리를 두고 있는 것으로 보기보다는 연속되는 사건의 세상에 산다. 또한 아무도 나이가 없다. 대신, 그들은 자신들의 삶의 단계와 사회 내의 지위를 반영하기 위해 이름을 바꾼다. 예를 들어, 어린아이는 갓 태어난 형제자매에게 자신의 이름을 내주고 새로운 이름을 갖는다.

6 cultures that(which) can be referred to as

해설 「refer to A as B」는 'A를 B라고 부르다'라는 의미로 수동태로 바꾸면 「A is referred to as B」가 된다. 문화가 '불려지는' 대상이 되므로 cultures가 수동태의 주어가 되고 이를 수식하는 관계대명사절을 사용한다.

7 ④

해설 ① 시간 개념은 '측정되는' 것이므로 수동태 be measured가 쓰인 것은 적절하다.

② 「see A as B」는 'A를 B로 간주하다'라는 의미로 전치사 뒤에 동명사 being이 쓰인 것은 적절하다.

③ no one이 주어이므로 단수동사 has가 쓰인 것은 적절하다.

④ 주어가 to부정사의 행위의 주체가 되므로 to be reflected는 능동태 to reflect로 고쳐야 한다.

⑤ 앞서 나온 명사 name과 같은 종류의 대상을 가리키므로 one이 쓰인 것은 적절하다.

CHAPTER ⑫
조동사/가정법

핵심 문법 정리
pp. 100-101

1 안개가 끼거나 흐린 날에도 햇볕에 탈 수 있다.
2 그들은 항상 아침에 함께 커피를 마시곤 했다.
3 기회는 모든 이들에게 똑같이 주어져야 한다.
4 내가 규칙적으로 운동을 한다면 건강을 유지할 수 있을 텐데.
  (= 나는 규칙적으로 운동을 하지 않기 때문에 건강을 유지할 수 없다.)
5 내가 그 당시에 충분한 돈이 있었다면 너를 도울 수 있었을 텐데.
  (= 나는 그 당시에 충분한 돈을 가지고 있지 않았기 때문에 너를 도울 수 없었다.)
6 내 충고를 들었더라면 너는 지금 너의 결정을 후회하지 않을 텐데.
  (= 나의 충고를 듣지 않았기 때문에 너는 지금 너의 결정을 후회한다.)

어법 출제 POINT
pp. 100-101

1 must	2 should	3 sit	4 be
cf. preferred	5 were	6 hadn't found	7 be
8 had read	9 were	10 Had he	11 Without
12 Suppose			

1 must

해석 무슨 일이 일어났었는지 기억할 수가 없다. 나는 의식을 잃었던 것이 틀림없다.

2 should

해석 우리는 길을 잘못 들어섰다. 마지막 교차로에서 좌회전을 했었어야 했다.

3 sit

해석 우리가 식사를 하려고 자리에 앉고 있을 때, 그 친절한 숙녀분은 내가 그녀의 옆에 앉아야 한다고 고집했다.

4 be

해석 혈압은 치료 전에 최소한 한 번은 측정되어야 한다고 권고된다.

cf. preferred

해석 그 증거는 초기 인류가 동물의 내장육을 선호했음을 암시한다.

5 were

해석 지구가 평평하다면 지평선 위로 항상 태양을 볼 수 있을 텐데.

6 hadn't found

해석 네가 그 문제를 발견하지 못했었다면, 전산망에 피해를 초래했을 것이다.

7 be

해석 어젯밤에 휴대 전화를 충전했었다면, 지금 배터리가 방전되지는 않을 텐데.

8 had read

해석 내가 어렸을 때 책을 더 많이 읽고 TV를 덜 봤다면 좋았을 텐데.

9 were

해석 그는 의사들을 마치 전지전능한 존재인 것처럼 숭배했다.

10 Had he

해석 그가 비자를 기한 내에 갱신했었다면, 그는 우리와 함께 더 오래 지낼 수 있었을 텐데.

11 Without

해석 태양빛이 없다면 모든 생명체는 빠른 시일 내에 사라질 것이다.

12 Suppose

해석 매일 정장을 입어야 한다고 가정해 봐. 그게 너를 귀찮게 할 것 같니?

어법 적용 연습

pp. 102-103

A   **1** should   **2** had paid   **3** spent   **4** be   **5** be
B   **1** ○   **2** were   **3** ○   **4** had   **5** had
    6 (should) be avoided / ○   **7** were / ○
    8 had been born / ○   **9** ○ / could not continue
C   **1** ① whom   ③ (should) be   **2** ② must have broken
    ③ have   **3** ① had locked down   ③ Had the US acted

A

1 should

해석 나는 지금쯤 나의 주소로 도착했어야 하는 우편물의 배송 추적을 도와주는 앱을 다운로드했다.

해설 문맥상 우편물이 '도착했어야 했다'는 의미가 되어야 하므로 have arrived 앞에는 의무, 당위를 나타내는 should가 적절하다.

2 had paid

해석 예약하기 전에 후기에 좀 더 관심을 기울였으면 좋았을 텐데. 나는 이 장소에서 오늘 밤 나의 시간을 낭비하고 싶지 않다.

해설 뒤에 이어지는 내용으로 보아 가정절에서 주절(I wish)보다 앞선 시점에 대해 가정하고 있으므로 과거완료형 had paid가 적절하다.

3 spent

해석 그들이 독해 과제의 의미를 분석하는 데 더 많은 시간을 들인다면 많은 학생들이 도움을 받을 텐데.

해설 현재 사실의 반대를 가정할 때 if절의 동사는 과거형을 쓰므로 spent가 적절하다.

4 be

해석 지구의 삼림은 많은 양의 이산화탄소를 흡수한다. 나무가 없다면 지구 온난화는 더 심각해질 텐데.

해설 if절 대신 without을 써서 현재 사실의 반대를 가정하고 있으므로 주절의 동사로 조동사의 과거형 would 뒤에 동사원형 be를 쓰는 것이 적절하다.

5 be

해석 그녀가 다른 도시에서 자랐더라면 그녀는 지금 분명 완전히 다른 사람일 텐데.

해설 과거 사실의 가정이 현재 사실에 영향을 미치는 혼합 가정법이므로 주절의 조동사 과거형 뒤에는 동사원형 be가 적절하다.

B

1 ○

해석 그에게 축구는 중요했다. 그가 축구 선수가 되지 않았더라면 범죄자의 삶으로 변했을 것이다.

해설 가정법의 조건절인 If he had not become ~의 If가 생략되고 주어와 동사가 도치된 문장이므로 Had he not become으로 쓰인 것은 맞다.

2 were

해석 네가 되고 싶어 하는 사람이 이미 된 것처럼 행동함으로써 너는 네 자신의 격려자가 될 수 있다.

해설 주절과 같은 시점에 대한 가정이므로 as if절의 동사는 과거형 were로 고쳐야 한다.

3 ○

해석 당신이 처음 읽기를 배우고 있었을 때, 당신은 철자들의 소리에 관한 특정한 사실들을 배웠을지도 모른다.

해설 문맥상 '배웠을지도 모른다'라는 과거의 추측에 대한 의미를 나타내므로 may have studied가 쓰인 것은 맞다.

4 had

해석 그 지원자는 검사받는 것을 거부했고 그는 아무런 정신 건강 문제가 없다고 주장했다.

해설 insist의 목적어로 쓰인 that절의 내용이 당위가 아닌 '사실'인 경우에는 that절의 동사는 시제 일치의 원칙에 따라야 하므로 과거형 had로 고쳐야 한다.

5 had

해석 우리의 부모님이 만약 그들의 손주들의 문화에 참여해야 한다면 몸서리치실 것이다.

해설 현재 사실의 반대를 가정할 때 if절의 동사는 과거형을 쓰므로 had로 고쳐야 한다.

6 (should) be avoided / ○

해석 영국의 최고 의료 책임자는 보고서에서 전자 담배가 흡연자들의 금연을 도와줄 수 있다고 말한 전문가들에 대항하여 전자 담배가 기피되어야 한다고 주장했다.

해설 insist의 목적어로 쓰인 that절의 내용이 '당위'를 나타내므로 that절의 동사를 「(should+)동사원형」인 (should) be avoided로 고쳐야 한다. / 금연을 도와줄 수 있는 가능성을 나타내므로 '가능'의 의미인 조동사 과거형 could가 쓰인 것은 맞다.

7 were / ○

해석 Rose는 쇼핑몰에서 Hazel을 보자 충격을 받은 듯 반응했다. 두 오랜 친구는 몇 달 동안 만난 적이 없었다. Hazel은 연락을 하지 않은 것에 대해 계속 사과하면서 기분이 나빴을지도 모른다.

해설 주절과 같은 시점에 대한 가정이므로 as if절의 동사는 과거형 were로 고쳐야 한다. / 문맥상 '~하게 느꼈을지도 모른다'라는 과거의 추측에 대한 의미를 나타내는 것이 자연스러우므로 might가 쓰인 것은 맞다.

8 had been born / ○

해석 기베르티나 미켈란젤로와 같은 위대한 르네상스 시대의 예술가들이 그들이 태어나기 단지 50년 전에 태어났더라면, 그들의 위대한 업적에 자금을 제공하거나 그것을 구체화해 줄 예술 후원의 문화는 자리를 잡지 못했을 텐데.

해설 과거 사실을 반대로 가정할 때는 가정법 과거완료를 써야 하므로 if절의 동사는 had been born으로 고쳐야 한다. / 가정법 과거완료 문장에서 주절의 동사는 「조동사의 과거형+have+p.p.」로 써야 하므로 would not have been으로 쓰인 것은 맞다.

9 ○ / could not continue

해설 이 단체와 관련된 모든 분들에게 지속적인 노력과 지원에 대한 감사를 드리고 싶습니다. 여러분의 헌신과 노고가 없다면 우리가 다친 동물들에게 제공하는 도움은 계속할 수 없을 것입니다.

해설 if절 대신 without을 써서 '~이 없다면'이라는 가정의 의미를 나타내는 문장이므로 without이 쓰인 것은 맞다. / 앞의 내용으로 보아 문맥상 현재 사실의 반대를 가정하는 가정법 과거가 되어야 하므로 문장의 주절은 「조동사의 과거형+동사원형」 could not continue로 고쳐야 한다.

C

1 ① whom ③ (should) be

해설 갓 태어난 쌍둥이 이야기를 들었는데, 그중에 한 명은 아팠다. 그 쌍둥이는 병원 규칙대로 분리된 인큐베이터에 있어야 했다. 그러나, 그 층의 한 간호사는 계속해서 쌍둥이들이 한 인큐베이터에 함께 있어야 한다고 주장했다.

해설 ① 두 절이 접속사 없이 연결되어 있으므로 선행사 newborn twins를 대신하는 관계사 whom으로 고쳐야 한다. ③ suggested 의 목적어 역할을 하는 that절의 내용이 '당위'를 나타내므로 that절의 동사는 (should) be로 고쳐야 한다.

2 ② must have broken ③ have

해설 제 자동차를 지난 밤 시청 주차장에서 도난당했습니다. 현장에 유리 조각이 있었던 것으로 보아 차 절도범들은 차 안으로 들어가기 위해 창문을 부순 게 틀림없습니다. 이 범죄에 대한 정보를 가지고 있다면 저에게 연락 주시길 바랍니다.

해설 ② 현장에 떨어진 유리 조각으로 보아 창문을 부수고 들어간 게 틀림없다는 강한 추측을 나타내고 있으므로 must have broken으로 고쳐야 한다. ③ 사건이 일어난 시점은 과거이지만 문맥상 조건절의 내용은 현재시점이 자연스러우므로 현재형 have로 고쳐야 한다.

3 ① had locked down ③ Had the US acted

해설 한 연구에 의하면 미국이 2주만 더 빨리 봉쇄했더라면 많은 수의 죽음을 막을 수 있었을 것이다. 한 연구자는 "미국이 더 빨리 행동했었다면, 많은 목숨을 구했을 수도 있었다."고 말했다.

해설 ① 과거의 일을 반대로 가정하는 가정법 과거완료 문장이 되어야 하므로 if절의 동사는 과거완료 had locked down으로 고쳐야 한다. ③ 과거의 일을 반대로 가정하는 가정법 과거완료 문장으로 조건절에서 if가 생략되어 주어와 동사가 도치된 형태이므로 Had the US acted 로 고쳐야 한다.

어법 실전 Test

1 ② 2 ③ 3 ④

1 ②

지문 해석

① 흐르는 물이 지구의 표면 바로 아래에 위치한 암석층을 침식시킬 때, 싱크홀이라고 알려진 큰 구멍이 때로는 갑자기 그리고 치명적인 결과와 함께 형성될 수도 있다. ② 처음부터 거기에 없었던 것처럼 건물 전체가 눈 깜짝할 사이에 삼켜진다. 어떤 싱크홀은 자연적으로 발생하지만, 다른 것들은 인간의 활동에 기인한다. ③ 자연적인 싱크홀은 석회암과 같이 매우 쉽게 용해되는 부드러운 암석의 지하층이 있는 지역에서 가장 일반적으로 발생한다. 물이 자연적으로 발생한 틈들로 들어가서, 그것들을 침전물의 표면층으로 덮여있는 더 큰 빈 공간으로 침식시킨다. ④ 빈 공간이 점점 확대되면서, 이 덮개는 결국 무너지고 붕괴되어 아래의 빈 공간을 드러낸다. ⑤ 인간이 만들어낸 싱크홀은 비슷한 방식으로 발생되지만, 그것들의 원인은 굴착, 채굴, 건설, 파손된 수도관이나 배수관, 또는 굴착 작업 후 제대로 채워지지 않은 토양으로 인해 발생하는 경향이 있는데, 이 모든 것들은 암석층의 구조적인 온전함을 손상시킬 수 있다.

어법 분석

① 과거분사   ② as if 가정법
③ 관계부사   ④ 분사구문
⑤ 부정대명사+of+관계대명사

정답 해설

② Entire structures have been swallowed up in the flash of
　　　　　주어　　　　　　　　동사
an eye, [as if they were never(→ had never been) there in
　　　　　마치 ~인 것처럼
the first place].

▶ 문맥상 주절의 시점보다 먼저 일어난 일에 대한 가정이 되어야 하므로 as if 뒤에 가정법 과거완료인 had never been으로 고쳐야 한다.

오답 해설

① When flowing water erodes a layer of rock [located just
　　　　　주어　　　　동사
beneath the surface of the Earth], ...

▶ 명사구 a layer of rock을 수동의 의미로 수식하므로 과거분사 located 가 쓰인 것은 적절하다.

③ Natural sinkholes most commonly occur in regions
　　　　　주어　　　　　　　　　　동사　　선행사
[where there is an underground layer of soft rock, ...].
　관계부사

▶ 선행사 regions가 장소를 나타내고 관계사 뒤에 완전한 절이 이어지므로 관계부사 where가 쓰인 것은 적절하다.

정답 및 해설   53

④ ..., this covering eventually gives way and collapses,
　　　　　　주어　　　　　　　　　　동사1　　　　　동사2

[revealing the emptiness below].
분사구문(연속동작)

▶ 연속되는 내용을 부연 설명하는 분사구문으로 분사구문의 의미상의 주어
와 분사가 능동 관계이므로 revealing이 쓰인 것은 적절하다.

⑤ ..., but their cause tends to be drilling, mining,
　　　　　　주어　　　　동사

construction, broken water or drain pipes, or improperly
　　　　　　　　　　　　　　　　　　　　　선행사

compacted soil after excavation work, all of **which** can
　　　　　　　　　　　　　　　　　　(= and all of them)

compromise the structural integrity of a layer of rock.

▶ 접속사 없이 두 개의 절이 연결되어 있고, all of 다음에 선행사를 대신해
야 하는 말이 와야 하므로 관계대명사 which가 쓰인 것은 적절하다.

2 ③

지문 해석

① 최면이 뇌를 특별한 상태로 들어가게 할 수 있고, 그 상태에서 기억력이
평소보다 극적으로 더 커진다는 생각은 쉽게 풀린 잠재력의 한 형태에 대한
믿음을 반영한다. 하지만 그것은 거짓이다. ② 최면에 걸린 사람들이 평소의
상태에서 기억해 내는 것보다 더 많이 '기억'해 내지만, 이 기억들은 사실일
만큼이나 거짓일 가능성이 있다. 최면은 사람들이 더 많은 정보를 생각해 내
게 하지만, 반드시 더 정확한 정보를 생각해 내도록 하는 것은 아니다. ③ 사
실상 실제로 그들이 더 많은 것들을 기억해 내는 것은 최면의 힘에 대한 사
람들의 믿음일지도 모른다. 만약 사람들이 최면에 걸려서 더 잘 기억한다고
믿으면, 그들은 최면에 빠졌을 때 더 많은 기억을 상기하려고 더 열심히 노
력할 것이다. ④ 안타깝게도, 최면에 걸린 사람들이 상기해 낸 기억이 사실
인지 아닌지를 알 방법은 없다. 물론 우리가 그 사람이 기억할 수 있어야 할
것을 정확하게 알지 못한다면 말이다. ⑤ 그러나 우리가 그것을 안다면, 그
러면 애초에 최면을 사용할 필요가 없을 것이다!

어법 분석

① 전치사+관계대명사　　　　② 대동사
③ 수 일치　　　　　　　　　④ 접속사
⑤ 가정법 과거

정답 해설

③ ..., **it** might actually be people's beliefs in the power of
　　It ~ that 강조 구문: 주어 강조　　　　　선행사

hypnosis **that** leads(→ lead) them to recall more things: ....
　　　　　　　　　동사

▶ 선행사의 핵심인 people's beliefs를 강조하는 「It ~ that」 강조 구문
이 쓰인 문장으로 주어가 복수이므로 복수동사 lead로 고쳐야 한다.

오답 해설

① The idea [**that** hypnosis can put the brain into a special
　　주어 └─동격─┘　　　　　　　　　　　　　　선행사

state], [**in which** the powers of memory are dramatically
　　　　　(= in the special state)

greater than normal,] reflects ....
　　　　　　　　　　　동사

▶ 관계사 뒤에 완전한 절이 이어지고 관계사절 내에서 선행사 앞에 전치사가
필요하므로 in which가 쓰인 것은 적절하다.

② People under hypnosis generate more "memories" than
　　주어　　　　　　　　　동사

they **do** in a normal state, ...
　　대동사

▶ 앞에 나온 동사 generate의 반복을 피하기 위한 대동사로 주어(they)가
복수이므로 do가 쓰인 것은 적절하다.

④ Unfortunately, there's no way to know **whether** the
　　　　　　　　　　　　　　　　　　　　목적어(명사절)

memories hypnotized people retrieve are true or not ....

▶ know의 목적어가 없고 뒤에 완전한 절이 이어지므로 명사절을 이끄는
접속사 whether가 쓰인 것은 적절하다. '~인지 아닌지'라는 확인되지
않은 사실에 대한 내용이 나올 때 whether를 쓴다.

⑤ But if we **knew** that, then we'd have no need to use
　　if+주어+동사의 과거형　　　주어+조동사의 과거형+동사원형

hypnosis in the first place!

▶ 주절에 「조동사의 과거형+동사원형」이 있는 것으로 보아 현재 사실에 대
해 반대로 가정하는 가정법 과거 문장이므로 if절의 동사로 과거형 knew
가 쓰인 것은 적절하다.

3 ④

지문 해석

(A) 피터 폴 루벤스가 현대 세계에 살았더라면, 그는 기업가 정신이라는 개
념으로 인해 상당히 풍족했을 것이다. 17세기에는 명성이 높은 화가들이 부
유한 후원자들의 수요를 만족시키기 위해서 많은 양의 그림을 생산하는 작
업실의 매니저로서 역할을 하는 것이 실제로 일반적이었다. 33세가 되었을
때, 루벤스는 호화로운 앤트워프 지역에 주택을 구입할 만큼 충분한 돈을 번
모범 기업가였다. (B) 그는 그의 작업실에 수많은 조수들을 고용했는데, 그
곳은 거대한 제단 그림의 제작을 용이하게 하기 위해 확장되었었다. 심지어
루벤스는 그의 책 삽화의 복제본을 대량 생산하는 데 사용될 수 있는 인쇄기
를 사용하여 시장의 범위를 확대했다. (C) 아마도 가장 중요한 것은, 현대적
인 사업 마인드를 갖춘 루벤스는 그의 모든 작품에 대한 저작권을 확보하는
선견지명을 갖고 있어서, 제작된 어떤 복제품에서도 수익을 얻을 수 있도록
했다.

어법 분석

(A) 가정법 과거완료
(B) 관계대명사
(C) 분사구문

정답 해설

(A) Had Peter Paul Rubens lived in the contemporary world,
동사　　　　　　　주어 → If Peter Paul Rubens had lived

he **would have been** quite comfortable with the concept of
　　조동사 과거형+have p.p.

entrepreneurship.

▶ 가정법 과거완료의 조건절에서 if가 생략되어 도치가 일어난 문장이므로 주절의 동사는 would have been이 적절하다.

(B) He employed numerous assistants at his studio, [**which**
　　주어　　동사　　　　　　　　선행사　　　　　　　　선행사

had been enlarged in order to facilitate the production of
대과거　　　　　　～하기 위하여(to부정사 부사적용법)

enormous altarpieces].

▶ 관계사 뒤에 주어가 없는 불완전한 절이 이어지므로 주격 관계대명사 which가 적절하다.

(C) Perhaps most importantly, [**possessed** (being) of a modern
　　　　　　　　　　　be possessed of: (자질·특징을) 지니다

business mind], Rubens had the foresight [to copyright all
　　　　　　　　　주어　　동사

of his work], ...

▶ 수동태 「be possessed of」 구문이 쓰인 부사절에서 접속사와 주어가 생략된 분사구문이므로 possessed가 적절하다.

ᄣᆞᄉ 빈출 어법
p.106

1 ②, ④ 2 as if he were the most important person in the room 3 as if he had lived in Africa when he was young 4 I wish I could play the drums as well as you. 5 (A) Should you buy tickets elsewhere (B) Had it not been for(Without) the effort of our workers 6 If both parties helped each other 7 ①, ③

1 ②, ④
해석 ① 나는 마치 올림픽 단거리 선수인 것처럼 거리를 달렸다.
② 창문이 깨진 것을 보았을 때, 도둑이 들었던 것이 틀림없다.
③ 나는 이 롤러코스터를 꼭 타고 싶기 때문에 지금보다 키가 10cm 더 컸으면 좋겠다.

④ 내가 어제 그 레스토랑을 예약했다면, 우리는 오늘 밤 거기서 식사하고 있을 텐데.
⑤ 의사는 그에게 건강을 위해 하루에 적어도 30분은 운동을 해야 한다고 제안했다.
해설 ② 창문이 깨진 것을 보고 도둑이 든 것에 대한 가능성을 이야기하고 있으므로 「must/may(might) have+p.p.」를 써서 '～했음이 틀림없다' 또는 '～했을지도 모른다'의 의미가 되도록 고쳐야 한다.
④ 어제 레스토랑을 예약하지 않아서 오늘 그곳에서 식사를 하지 못하고 있음을 의미하는 혼합 가정법이므로 과거 사실의 반대를 나타내는 조건절의 동사는 과거완료형 had made로 고쳐야 한다.

2 as if he were the most important person in the room
해설 주절과 같은 시점의 일을 나타내므로 「as if 가정법 과거」를 사용하는데 이때 be동사는 항상 were를 사용함에 유의한다.

3 as if he had lived in Africa when he was young
해설 주절보다 앞선 시점의 일을 나타낼 때는 「as if 가정법 과거완료」를 사용한다.

4 I wish I could play the drums as well as you.
해설 현재 사실과 반대되는 소망을 가정하므로 「I wish 가정법 과거」를 써서 표현한다.

5 (A) Should you buy tickets elsewhere
(B) Had it not been for(Without) the effort of our workers
해석 (A) 당신이 다른 곳에서 표를 구매해야 한다면 다음 사항에 주의하시오.
(B) 우리 직원들의 노력이 없었다면 우리는 오늘 여기에 설 수 없었다.
해설 (A) If를 생략하면 주어와 should의 위치를 도치한다.
(B) If를 생략하면 주어와 had의 위치를 도치한다. 이때 if it had not been for와 had it not been for는 without과 같은 의미로 사용된다.

6 - 7

지문 해석

Benjamin Franklin은 '너에게 친절을 행한 적이 있는 사람은 네가 친절을 베풀었던 사람보다도 너에게 또 다른 친절을 행할 준비가 더 되어 있을 것이다.'라는 옛 격언을 인용하며 새로 온 사람은 새 이웃에게 도움을 요청해야 한다고 제안했다. 그에게 있어서, 누군가에게 무언가를 요청하는 것은 사회적 상호작용에 가장 유용한 초대였다. 새로 온 사람 쪽에서의 그러한 요청은 이웃에게 자신을 좋은 사람이라고 보여 주는 기회를 제공했다. 또한 그것은 반대로 후자(이웃)가 전자(새로 온 사람)에게 부탁할 수 있는데, 이는 친밀함과 신뢰를 증진시켰다는 것을 의미했다. 양쪽이 서로를 도와준다면, 그들은 결국 낯선 사람에 대한 상호 두려움을 극복할 수 있을 것이다.

6 If both parties helped each other
해설 주절에 「could+동사원형」이 사용되었으므로, 가정법 과거가 사용되었다. 가정법 과거의 조건절 형태는 「If+주어+동사(과거형)」이다.

7 ①, ③
해설 ① 제안/주장/명령/요구를 나타내는 동사의 목적어로 쓰인 that절의 내용이 '당위'를 나타내면 that절의 동사는 「(should)+동사원형」의 형태로 써야 하므로 (should) ask로 고쳐야 한다.
③ 명사 앞이므로 형용사 useful로 고쳐야 한다.

어법 모의고사 1회

1 ③ 2 ⑤ 3 ④ 4 ⑤

1 ③

지문 해석

① NASA는 왜 70년이 넘도록 플로리다주의 케이프 커내버럴을 로켓의 발사 장소로 사용해 왔을까? 두 가지 주된 이유가 있다. 먼저, 케이프 커내버럴은 대서양과 가깝게 인접한 곳에 위치해 있다. ② 이것은 로켓이 펼쳐진 바다 위 동쪽으로 안전하게 발사될 수 있다는 것을 의미한다. ③ 만약 발사 직후 문제가 발생하면, 로켓은 바다로 안전하게 조종될 수 있는데, 그곳에서 그것은 사람들을 위험에 빠뜨리지 않고 추락할 수 있다. 또한 다단계 로켓의 경우를 예로 들면, 한 단계의 연료가 다 떨어지면 그것은 로켓에서 떨어져나가 해를 일으키지 않고 파도로 떨어질 수 있다. ④ 두 번째 이유는 케이프 커내버럴이 적도에 비교적 가깝게 인접해 있음과 관련이 있다. 지구는 끊임없이 서쪽에서 동쪽으로 회전하고 있고, 적도에 더 가깝게 움직일수록 이 회전의 속도는 증가한다. ⑤ NASA는 이 자연적인 회전을 로켓이 지구의 대기를 벗어나는 데 필요로 하는 추가적인 속도를 부여하는 데 사용한다.

정답 해설

③ ..., the rocket can be steered safely into the ocean,
주어 / 동사 / 선행사
[which(→ where) it can crash without endangering the
= on the ocean(관계부사절) / 전치사+동명사
public].

▶ 선행사가 장소를 나타내고 관계사 뒤에 완전한 절이 이어지므로 관계부사 where로 고쳐야 한다.

오답 해설

① Why has NASA been using Cape Canaveral in the state
주어 / 동사 / 목적어
of Florida as a launch site for its rockets for over 70 years?
~로써 / for+기간: ~ 동안

▶ NASA는 케이프 커내버럴을 발사 장소로 '사용하는'이라는 능동의 의미를 나타내므로 using이 쓰인 것은 적절하다. 기간을 나타내는 부사구와 함께 현재완료진행 시제가 사용되었다.

② This means [that rockets can be safely launched to the
동사 / 목적어 / 주어 / 동사
east over open waters].

▶ 동사 means의 목적어가 필요하고 뒤에 완전한 절이 이어지므로 명사절을 이끄는 접속사 that이 쓰인 것은 적절하다.

④ The second reason is related [to Cape Canaveral's
주어 / 동사 / 전치사구
relatively close proximity to the equator].
부사 / 형용사 / 명사

▶ close는 proximity를 수식하는 형용사로 형용사를 수식할 수 있는 것은 부사이므로 relatively가 쓰인 것은 적절하다.

⑤ NASA uses this natural rotation to give its rockets
to부정사 부사적 용법(목적)
(that) / to부정사 부사적 용법(목적)
the extra speed [they need to escape Earth's atmosphere].
목적격 관계대명사절

▶ 동사구 need the extra speed를 수식하여 '벗어나기 위해'라는 목적의 의미를 나타내는 부사적 용법의 to부정사 to escape가 쓰인 것은 적절하다.

어휘 launch 발사(하다) proximity 근접, 가까움 liftoff 이륙, 발사 steer 조종하다, 몰다 endanger 위험에 빠뜨리다, 위태롭게 만들다 multistage 다단계의 shed 흘리다, 떨어지게 하다 equator 적도 rotation 회전, 자전 velocity 속도 atmosphere 대기

2 ⑤

지문 해석

외로움은 모든 사람이 어느 순간에 경험할 가능성이 있는 감정인데, 종종 불친절함, 고립감, 그리고 비사교성과 관련이 있는 것이다. ① 하지만, 많은 심리학자들은 우리가 외로움을 긍정적인 경험으로 봐야 한다고 제안해 왔다. 사람의 뇌는 균형을 필요로 한다. 우리가 사회적 상호 작용과 공동체의 감정을 갈망할 수도 있지만, 혼자 있는 시간을 갖는 것은 뇌가 긴장을 풀고 재충전할 수 있게 해준다. ② 또한 사회적인 고립의 감정은 우리로 하여금 우리를 둘러싼 세계에 더 많은 관심을 갖게 하고, 우리에게 높아진 관찰력을 제공한다. ③ 이것은 우리가 곤경에 처한 동료들에게 더 관심을 기울이게 할 수 있는데, 이것은 외로운 사람들이 높은 공감 수준을 갖고 있다는 것을 나타낸다. ④ 혼자만의 시간은 성찰과 새로운 사고방식을 장려하며, 종종 우리 자신에 대한 강화된 이해로 이어진다. ⑤ 궁극적으로, 외로움의 시기는 우리의 진짜 정체성과 삶에서 우리가 진심으로 바라는 것이 무엇인지를 우리에게 상기시켜 준다.

정답 해설

⑤ ..., periods of loneliness remind us of our real identity
remind A of B: A에게 B를 상기시키다 / 목적어1
and what do we truly desire(→ what we truly desire)
목적어2
from our lives.

▶ 전치사 of의 목적어 역할을 할 수 있는 간접의문문이 와야 하므로 what we truly desire로 고쳐야 한다. 간접의문문의 어순은 「의문사+주어+동사」이다.

오답 해설

① ..., numerous psychologists have suggested [that we
주어 / 동사 / 목적어(명사절)
should view loneliness as a positive experience].
view A as B: A를 B로 보다

▶ 동사 suggest의 목적어 역할을 하는 명사절이 와야 하므로 접속사 that이 쓰인 것은 적절하다.

② Feelings of social isolation also cause us to pay more
　　　　　　주어　　　　　　　　　　　동사1　목적어
　　　　　　　　　　　　　　　　　　　　　목적격보어
attention to the world around us and provide us with
　　　　　　　　　　　　　　　　　　　동사2
heightened powers of observation.
　　　　　　　　　　　　　　　provide A with B:
　　　　　　　　　　　　　　　A에게 B를 제공하다

▶ 주어는 Feelings of social isolation이고, 접속사 and로 동사 cause와 병렬 연결되어야 하므로 provide가 쓰인 것은 적절하다.

③ This can make us more attentive to fellow humans in
　　주어　　동사　목적어　목적격보어
distress, ...

▶ make는 5형식 동사로 목적격보어로 형용사를 취하므로 형용사 attentive가 쓰인 것은 적절하다.

④ Alone time encourages reflection and new ways of
　　주어　　　　동사　　　　　목적어
thinking, [often leading to an enhanced understanding of
　　　　　　　분사구문(= and it leads)(결과)
ourselves].

▶ leading 이하는 앞 문장의 결과를 나타내는 분사구문으로 주어(Alone time)와 분사구문의 동사(lead)의 관계가 능동이므로 현재분사 leading이 쓰인 것은 적절하다.

어휘 unfriendliness 불친절　isolation 고립, 격리　unsociability 비사교성, 무뚝뚝한 행동　crave 갈망하다, 열망하다　interaction 상호 작용　heighten 고조시키다, 높이다　attentive 주의를 기울이는, 배려하는　distress 고통, 괴로움　elevate 높이다　empathy 감정이입, 공감　reflection 반성, 성찰　enhance 높이다, 강화하다

3 ④

지문 해석
① '골디락스와 곰 세 마리'에서 한 소녀가 세 그릇의 오트밀을 시식하는데, 첫 번째 그릇은 너무 뜨겁고, 다음 것은 너무 차갑고, 마지막 그릇은 '딱 적당하다'고 한다. '골디락스 효과'라는 말이 유래된 것은 이 이야기로부터이다. ② 그것은 보통 가격으로 책정된 제품이 더 매력적으로 보이도록 하기 위해 제품의 고가형과 저가형을 제공하는 관행을 설명한다. ③ 이것은 커피숍에서 쉽게 볼 수 있는데, 여기서 고객들은 보통의 것이 중간에 있고 작은 것부터 큰 것까지에 이르는 옵션에서 선택할 수 있다. ④ 만약 이러한 가게들이 단지 두 개의 옵션만 제공한다면, 대다수의 고객들은 더 저렴한 옵션을 선택할 것이다. ⑤ 하지만 세 가지의 선택권이 주어지면, 그들은 중간의 것을 선택할 가능성이 가장 높다. 이러한 행동은 극단의 것을 피하고자 하는 우리의 내재된 심리적 충동에 바탕을 둔다고 여겨진다. 기업은 가장 수익성이 높은 품목을 중앙에 배치함으로써 이러한 충동을 이용해서 가격을 올리지 않고도 수익을 높일 수 있다.

정답 해설

④ Are(→ Were) these shops to offer merely two options,
　　　　(= If these shops were to)
the majority of customers would choose the cheaper option.
　　　　주어　　　　　　　　　동사

▶ 비교적 실현 가능성이 적은 미래의 가정을 나타내는 「if+주어+were to+동사원형」의 가정법 구문으로, 이때 if를 생략하고 주어와 동사(were)를 도치해서 쓸 수 있으므로 Are를 Were로 고쳐야 한다.

오답 해설

① ..., a girl samples porridge from three bowls, [the first
　　　　주어　　동사　　목적어　　　　　　　　　　　분사구문
being too hot, the next too cold, and the final one "just
　　(being)　　　　　　(being)
right."]

▶ 접속사 없이 주절과 연결되어 주절에 대한 부가 설명을 하는 분사구문이므로 being이 쓰인 것은 적절하다. 분사구문의 주어가 주절과 다른 경우 주어를 생략하지 않고 그대로 쓴다.

② It describes the practice [of offering premium and
　　　　　　　　　　　　　┗ 동격 ┛
budget versions of products in order to make a regularly
　　　　　　　　　　　　　　　목적　　사역동사　목적어
priced product seem more appealing].
　　　　　　　목적격보어

▶ 사역동사 make의 목적격보어로 동사원형 seem이 쓰인 것은 적절하다.

③ This can be easily observed in coffee shops, where
　　주어　　┗　　동사　　┛　　　　　　선행사　　(= and
customers may choose from options ....　　　　　there)
　　주어　　　　동사

▶ 선행사가 장소를 나타내고 관계사 뒤에 완전한 절이 이어지므로 계속적 용법의 관계부사 where가 쓰인 것은 적절하다.

(Being)
⑤ Given a trio of choices, however, they're most likely to
　　(= If they are given)　　　　　　　　　동사(be likely to:
select the one in the middle.　　　　　　　　～할 것 같다)

▶ 부사절과 주절의 주어가 같을 때 「접속사+주어+be동사」를 생략한 분사구문이다. 선택권이 '주어진다'는 뜻의 수동 분사구문 Being given에서 Being이 생략되고 Given이 쓰인 것은 적절하다.

어휘 sample ～을 시식[시음]하다　derive (from) ～에서 비롯되다　practice 관행　premium 고급의, 고가의　budget 예산, 저가의, 저렴한　appealing 매력적인　merely 단지　the majority of ～의 대다수　inherent 타고난, 내재된　impulse 충동　take advantage of ～을 이용하다　profitable 수익성이 높은

4 ⑤

(A) 1950년대 우주 시대의 서막 이후로 우리는 2천 킬로미터 이하의 모든 궤도를 포괄하는 지구 주변의 외부 우주 공간인 저궤도로 수천 개의 로켓을 발사했고, 훨씬 더 많은 인공위성을 보냈다. (B) 불행하게도, 최근 저궤도에 있는 많은 수의 물체들에 의해 위험할 정도의 밀집된 상황이 만들어졌는데, 이는 충돌이 발생할 것을 불가피하게 만든다. 그러한 충돌은 폭포 효과로 알려진 현상을 유발할 수 있는데, 이것은 더욱 더 많은 자연 발생적인 충돌을 유발하여 특정 궤도를 사용할 수 없도록 만들지도 모르는 연쇄 반응이다. (C) 예를 들어, 2009년에 작동을 멈춘 러시아 위성이 미국의 상업용 위성과 충돌하여 2,000개가 넘는 새로운 우주 잔해물을 만들었는데, 이 개별 잔해들은 이제 저궤도에 있는 다른 위성들에게 심각한 위협을 주고 있다. 치명적인 우주 쓰레기의 급격한 증가를 막는 가장 좋은 방법은 사용하지 않는 모든 우주선을 궤도에서 제거하는 것이라고 제안되어 왔다.

정답 해설

(A) Since the dawn of the space age in the 1950s, we **have**
접속사(~ 이후로)　　　　　　　　　　　　　주어　동사1
(have)
launched thousands of rockets and sent ....
　　　　　　　　　　　　　　　　　　　　동사2

▶ '~ 이후로'의 의미를 나타내는 since가 이끄는 전치사구가 사용되었으므로 현재완료 have launched가 적절하다.

(B) ..., dangerously dense conditions have been created ...,
　　　　　　　　　　　　　　　주어　　　　　　　　동사

[**making** it **inevitable that** collisions will occur].
분사구문　가목적어　　　진목적어
(= and this makes)

▶ 5형식 동사 make의 목적격보어로 형용사 inevitable이 적절하다.

(C) ..., a nonfunctioning Russian satellite smashed into an
　　　　　　　　　　　　　주어　　　　　　　　　동사
American commercial one, **creating** more than 2,000 new
　　　　　　　(= satellite)┘　분사구문(= and it created)
pieces of space debris, [each of **which** now poses a serious
　선행사　　　　　　　each of+관계대명사　동사
threat ...].
(= and each of them)

▶ 두 문장이 접속사 없이 연결되어 있고, each of 다음에는 선행사를 대신하는 말이 와야 하므로 접속사와 대명사의 역할을 하는 관계대명사 which가 적절하다.

어휘 dawn 시초, 서광 satellite 위성 orbit 궤도 enclose 둘러싸다 dense 빽빽한, 밀집한 inevitable 불가피한, 필연적인 collision 충돌 cascading 폭포같은, 연속적인 render ~을 …하게 하다, ~이 되게 하다 smash (into) 충돌하다 debris 잔해, 쓰레기 exponential 기하급수적인, 급격한 deadly 치명적인

어법 모의고사 2회

1 ②　　2 ③　　3 ③　　4 ⑤

1 ②

지문 해석

다른 사람의 존재는 인간에게 강한 영향을 미친다. ① 가차없는 상대가 어떤 선수를 최고치로 경기하도록 하는 때와 같은 몇몇 경우에서 이러한 영향은 그 혹은 그녀가 경기력을 향상하는 데 동기를 부여할 수 있다. ② 하지만 어떤 때는 배우가 관객이 가까이 있음을 극명하게 인식한 후 자신의 대사로 고군분투할 때와 같이 그들의 존재는 문제가 될 수 있다. 다른 사람의 존재는 특정한 신체 기능이나 감정 표현에도 직접적인 영향을 미친다. ③ 예를 들어 하품은 전염될 수 있다. 우리는 다른 사람이 하품을 하는 것을 보면 우리 스스로 하품을 하고 싶은 충동에 압도당할 수 있다. 웃음도 마찬가지다. ④ 연구에 따르면 우리가 혼자 있을 때보다 주변에 다른 사람이 있을 때 30배 정도 더 웃는다는 것으로 나타났다. ⑤ 단순히 행복한 지인을 갖는 것만으로도 우리 자신이 만족감을 느낄 가능성이 높아진다.

정답 해설

② ..., **his(→ their)** presence can be problematic, such as
　　　　주어　　　　　　　동사　　　　　　~와 같은
when an actor struggles with his or her lines ....

▶ 첫 번째 문장의 other people을 가리키는 대명사의 소유격이므로 복수형 their로 고쳐야 한다.

오답 해설

① In some cases, such as [when a relentless opponent
　　　　　　　~와 같은　접속사(~할 때)
drives an athlete **to play** at a peak level], ...

▶ drive는 to부정사를 목적격보어로 취하는 5형식 동사이므로 to play가 쓰인 것은 적절하다.

③ ... [**when** we see someone else **yawn**], we may be
　　　　지각동사　목적어　　　목적격보어
overcome with an urge to do so ourselves.
~에 압도되다

▶ 지각동사 see는 목적격보어로 동사원형을 취하므로 yawn이 쓰인 것은 적절하다.

④ Studies have shown [**that** we are about 30 times more
　　주어　　　동사　　　　목적어(명사절)
likely to laugh ...].

▶ to부정사 관용 표현 「be likely to-v」의 형태로 '~할 것 같다, ~하는 경향이 있다'라는 의미를 나타내야 하므로 to laugh가 쓰인 것은 적절하다.

⑤ [Simply **having** an acquaintance {who is happy} **increases**
　　　　주어(동명사구)　　　주격 관계대명사절　　 동사

the likelihood [**that** we ourselves will feel content].]
　　└─동격─┘　　　　강조 용법

▶ 동명사구 주어는 단수 취급하므로 단수동사 increases가 쓰인 것은 적절하다.

어휘 presence 존재 relentless 가차없는 opponent 상대 peak level 최고치 problematic 문제가 되는 struggle with ~로 고심하다 intensely 극명하게, 강렬하게 proximity 근접성 contagious 전염되는 overcome 압도하다 urge (강한) 충동 hold true 딱 들어맞다, 유효하다 acquaintance 지인 likelihood 가능성

2 ③

지문 해석

영어 사용자들은 가족 관계를 묘사하기 위한 가장 단순한 체계들 중 하나를 가진다. (A) 많은 아프리카 언어 사용자들은 남성과 여성 친척 양쪽 모두를 묘사하는 데 'cousin'과 같은 한 단어를 사용하는 것, 또는 묘사되는 사람이 말하는 사람의 아버지와 혈연관계인지 아니면 어머니와 혈연관계인지 구별하지 않는 것을 불합리하다고 여길 것이다. brother-in-law를 아내의 남자 형제인지 여자 형제의 남편인지 구별할 수 없다는 것은 많은 문화에 존재하는 인간관계의 구조 내에서 혼란스럽게 보일 것이다. (B) 마찬가지로, 'uncle'이라는 한 단어가 아버지의 형제와 어머니의 형제에게 적용되는 상황을 이해하는 것이 어떻게 가능하겠는가? 하와이 언어는 아버지와 아버지의 남자 형제를 지칭하기 위해 동일한 용어를 사용한다. (C) Jinghpaw 언어로 사고하는 버마 북부의 사람들은 그들의 친족을 묘사하기 위한 18개의 기본 용어를 가진다. 이 용어 중 어떤 것도 영어로 바로 번역될 수 없다.

정답 해설

(A) ... distinguish **whether** the person **described** is related
　　　　　　　명사절 접속사(~인지 …인지)　 주어　 ↑　　　　　동사

by blood to the speaker's father **or** to his mother.
be related to ~: ~와 관련된

▶ the person을 뒤에서 수식하며 '묘사되는 사람'이라는 수동의 의미가 되어야 하므로 과거분사 described가 적절하다.

(B) ..., how is it possible [to make sense of a situation [**in**
　　　　　　　　　가주어　 진주어　　　　　　　선행사 ↑

which a single word "uncle" applies to the brother ...]?
관계대명사절　　　　　　주어　　　　　 동사

▶ 관계대명사절 내에서 선행사는 in the situation의 의미가 되어야 하므로 in which가 적절하다.

(C) People of Northern Burma, [**who** think in the Jinghpaw
　　　　　주어　　　　　　　主격 관계대명사의 계속적 용법

language,] **have** eighteen basic terms for ....
　　　　　　동사

▶ 주어(People of Northern Burma)가 복수이므로 복수동사 have가 적절하다.

어휘 familial 가족의 absurd 불합리한 distinguish 구분[구별]하다 confusing 혼란스러운 apply to ~에 적용하다 refer to 언급[지칭]하다 kin 친족

3 ③

지문 해석

머신 러닝에 관해서 컴퓨터가 반드시 따라야 할 규칙을 만드는 것은 컴퓨터 프로그래머가 아니라 알고리즘이다. (A) 알고리즘은 부모들이 자녀들을 위해 설정한 규칙의 종류를 닮아 있다. 그들은 컴퓨터에게 데이터로부터 배울 수 있는 지침을 주고, 그 결과, 추가적인 수동 프로그래밍 없이 컴퓨터가 새롭고 복잡한 작업을 수행하도록 배울 수 있다. 머신 러닝은 기본적으로 다음과 같은 방식으로 작동한다. (B) 훈련 데이터를 학습 알고리즘에 주입하면, 학습 알고리즘은 이 입력 정보를 이용하여 새로운 규칙 집합을 만든다. 어떤 의미에서 이것은 머신 러닝 모델이라고 부를 수 있는 완전히 새로운 알고리즘을 생성하는 방법이다. (C) 다양한 훈련 데이터 사용을 통해 같은 학습 알고리즘이 컴퓨터를 가르쳐 언어를 번역하는 모델에서부터 주식 시장의 행동을 예측하는 모델에 이르기까지 다양한 모델들을 생성할 수 있다.

정답 해설

(A) Algorithms **resemble** the kinds of rules [**that** parents
　　　주어　　　　동사　　　　　목적어(선행사)　 ↑　 목적격
　　　　　　　　　　　　　　　　　　　　　　　　　　관계대명사절
set for their kids].

▶ resemble은 진행형으로 쓸 수 없는 동사이므로 현재형 resemble이 적절하다.

(B) ... training data is fed into a learning algorithm, [**which**
　　　　　　주어　　　　동사　　　　　선행사　　　　주격 관계대명사의
　　　　　　　　　　　　　　　　　　　　　　　　　　　계속적 용법
then uses this input to create a new set of rules].　(= and it)
　동사

▶ 접속사가 없고 뒤에 주어가 없는 불완전한 절이 이어지므로 접속사와 대명사의 역할을 하는 관계대명사 which가 적절하다.

(C) ..., the same learning algorithm could generate different
　　　　　　　　　주어　　　　　　　　　 동사
　　　　　　　　　　주격 관계대명사
models, *from* ones [**that** teach the computer to **translate**
　　　　　　　　　↑　　　　동사　　 목적어　　　 목적격보어
languages] *to* others [**that** predict ...].
　　　　　↑　　　 주격 관계대명사

▶ teach가 5형식 동사로 쓰여 목적어를 보충 설명하는 목적격보어를 필요로 하므로 to translate가 적절하다. 앞에 from이 있어 from A to B의 전치사 to로 혼동할 수 있는데, 앞의 from과 호응하는 to는 뒤에 있는 others 앞의 to이다.

algorithm 알고리즘 instruction 지시, 지침 manual 수동의 basically 기본적으로 feed (기계에) 넣다, (먹이를) 주다 input 입력(정보) generate 생성하다 refer to ~ as ... ~을 …라고 부르다 stock market 주식 시장

4 ⑤

지문 해석

① 파레토 원칙은 종종 80-20 규칙이라고도 하는데 모든 원인의 20%만이 특정한 사건 결과에 대해 80%의 책임이 있다고 기술한다. ② 이 잘 알려진 원리는 사업에서 어떤 투입물이 다른 투입물보다 잠재적으로 더 생산적이어서 우선시되어야 할지를 식별하는 데 사용된다. ③ 예를 들어, 기업은 매출의 80%를 가져오는 20%의 고객에 집중하는 것이 유리하다고 생각해서, 단골 유지를 위해서 그들을 상대로 특별히 마케팅 노력을 지시할 수 있다. 이 원칙은 일상적 활동을 포함한 거의 모든 분야에 적용될 수 있다. ④ 시험을 준비하는 학생들은 시험 문제의 80%를 발생시킬 가능성이 가장 높은 교과서의 20%를 파악함으로써 80-20 규칙을 활용하는 것을 택할 수 있다. ⑤ 그런 다음, 그들은 그러한 부분을 검토하는 데 더 많은 시간을 쓸 수 있고, 덜 유용한 80%를 공부하는 데 더 적은 양의 시간을 할애할 수 있다. 물론 모든 것이 정확히 80-20 분류로 나뉘는 것은 아니므로 이 원칙을 현명하게 이용해야 한다.

정답 해설

⑤ They can then spend more time going over those parts
　　주어　　　└ 동사1 ┘
and devote a smaller amount of time to study(→ to
동사2(devote ~ to+명사: (명사) 하는데 ~를 바치다[쏟다])
studying) the less useful 80%.

▶ 「devote ~ to+명사」 구문에서 to는 전치사이므로 동명사 studying을 써서 to studying으로 고쳐야 한다.

오답 해설

① The Pareto principle, [sometimes referred to as the 80-
　　　　　주어　　　　　과거분사구(삽입구) ~라고 언급되는
20 rule,] states [that a mere 20% of all causes are
　　　　　동사　　목적어(명사절)　　　주어　　　　　동사
responsible for ...].

▶ 주어 The Pareto principle이 3인칭 단수이므로 단수동사 states가 쓰인 것은 적절하다.

② ... is used to identify [which inputs are potentially more
　　　　be p.p.(수동태)　　　의문사+명사+동사1(간접의문문)
productive than others and therefore need to be prioritized].
비교급+than　　　　　│　　　　　　　　　동사2

▶ need의 주어가 which inputs이고 '우선시 되다'라는 수동의 의미가 되어야 하므로 be prioritized가 쓰인 것은 적절하다.

③ ..., campanies may find it advantageous [to focus on the
　　　　　　　　　　　　가목적어 목적격보어　　진목적어
20% of their clients [who bring in 80% of their revenues],
선행사　　　↑　　　　　주격 관계대명사절
....

▶ 진목적어 to focus ~ revenues가 길어 목적격보어 뒤에 왔으므로 목적어 자리에 가목적어 it이 쓰인 것은 적절하다.

④ Students [preparing for an exam] might choose to utilize
　　주어　↑　　　현재분사구　　　　　동사
the 80-20 rule ....

▶ 주어 Students를 능동의 의미로 수식하므로 현재분사 preparing이 쓰인 것은 적절하다.

principle 원칙 state 기술하다, 명시하다 mere 단지 ~에 불과한 outcome 결과 well-regarded 인정받는 axiom 자명한 이치, 원리 identify 식별하다 potentially 잠재적으로 prioritize 우선시하다 advantageous 유리한 revenue 수익, 매출 in the interest of ~을 위하여 retain 유지하다 utilize 이용하다, 활용하다 go over 검토하다 devote (시간, 노력 등을) 쓰다 fall into ~으로 나누다 distribution 구분, 분류

어법 모의고사 3회

pp. 112-113

1 ③ 2 ④ 3 ① 4 ④

1 ③

지문 해석

① 동물의 영역으로의 인간의 침입은 이러한 지역을 서식지라고 부르는 종들에게 많은 부정적인 영향을 미쳐왔다. ② 인간의 존재만으로도 대부분의 야생동물에게 공포를 만들어 내며, 인간과의 접촉을 피하려는 그들의 노력은 그들의 행동에 엄청난 변화로 이어질 수 있다. ③ 연구에 따르면, 인간의 활동은 전 세계의 포유류들을 밤에 더 활동하게 했는데, 그때는 그들이 인간을 마주칠 가능성이 더 적다. ④ 사냥, 하이킹, 농사와 같은 다양한 활동을 포함한 높은 수준의 인간의 방해는 포유류의 야행성 활동을 136배 정도 증가시키는 결과를 가져왔다. ⑤ 이러한 종류의 극단적인 행동 변화는 동물들에게 심각한 결과를 가져올 수 있는데, 그들이 번식을 희생하면서까지 인간을 피하기 위한 행동에 초점을 맞추기 때문이다. 결국, 장기간의 방해는 종의 개체 수에 부정적인 결과를 초래하여 낮은 번식률을 야기할 수 있다.

정답 해설

③ ..., human activity has driven mammals around the world
　　　　　　주어　　　　　　　동사
to become more active at night, which(→ when) they have
　　　　　　　　　　　선행사　　관계부사(= at which)
less of a chance ....

▶ 선행사가 시간을 나타내고, 관계사 뒤에 완전한 절이 이어지므로 계속적 용법의 관계부사 when으로 고쳐야 한다. 또는 관계사절 내에서 전치사와 함께 쓰여 at which로도 쓸 수 있다.

오답 해설

① The encroachment [of human beings into animal territory]
　　　　주어　　　　　↑　　　　　전치사구
has had many negative effects ....
동사

▶ 문장의 주어가 단수이므로 단수동사 has가 쓰인 것은 적절하다.

② ..., and their efforts to avoid contact with humans can
　　　　　　　주어　　　　　~와의 접촉　　　　동사
lead to significant changes in their behavior.
전치사

▶ '~하려는 노력'이라는 의미로는 「efforts to-v」로 쓰므로 to부정사 to avoid가 쓰인 것은 적절하다.

④ High levels of human disturbance, [including ...], have
　　　　　주어　　　　　　　　　　　　　　　　　동사
resulted in increases in mammals' nocturnal activity ....

▶ 인간의 방해로 인해 야행성 활동의 증가를 초래하였고, 현재에도 영향을 끼치고 있으므로 현재완료 have resulted가 쓰인 것은 적절하다.

　　　┌ 접속사(~ 때문에)
⑤ ..., as they focus on behavior to avoid humans at the
　　　　　주어　동사
cost of reproduction.

▶ as 다음에 「주어+동사」를 갖춘 완전한 절이 이어지므로 접속사 as가 쓰인 것은 적절하다.

어휘 encroachment 침입, 침해　territory 영역, 구역　presence 존재, 실재　encounter 마주치다, 맞닥뜨리다　disturbance 방해　diverse 다양한　nocturnal 야행성의　by a factor of ~의 비율로　consequence 결과　at the cost of ~을 희생하고　reproduction 번식, 생식

2 ④

지문 해석

노동력이 여러모로 변화하고, 장기 실업에 시달리는 경우가 많은 현대의 불안정한 노동 세계에서, 많은 가정이 가정을 일터로 변모시켜 기업가가 되고 있다. (A) 1995년 멕시코의 금융 위기 동안 국가의 국내 총생산(GDP)이 1년 동안 7.5% 하락하면서, 새로운 가계 사업의 형성이 급증했다. (B) 위기가 1년 정도밖에 지속되지 않았지만, 이후 몇 년간 재정 패턴에 대한 연구는 1995년에 많은 가구원이 실직한 가운데, 가족이 새로운 사업을 형성하고 실직한 자신의 친척들을 고용하는 경향이 증가하고 있다는 것을 보여 주었다. (C) 이 연구는 가족 사업을 시작하는 많은 가구의 동기가 높은 실업률을 보이는 불확실한 기간 동안의 생존이라는 것을 보여 준다.

정답 해설

(A) During Mexico's financial crisis of 1995, [in which the
　　전치사(~동안)　　　　　　선행사　　　　　관계대명사절
country's gross domestic product saw a single-year drop
　　　　　　주어　　　　　　　　동사
of 7.5 percent], ...

▶ 관계사 뒤에 주어와 동사가 모두 갖추어진 완전한 절이 오고 선행사가 관계사절 내에서 전치사와 함께 쓰여 시간의 부사구 역할을 해야 하므로 in which가 적절하다.

(B) ..., studies of financial patterns in subsequent years
　　　　　　　　　　　주어
showed [that, {with many household members having lost
동사　　목적어(명사절)　　　　　명사구　　　　　　분사구
their jobs in 1995}, there was a growing trend ...].

▶ 「with+명사+분사」의 구조를 가진 분사구문으로, many household members가 분사구의 의미상의 주어 역할을 하므로 능동의 의미인 현재분사 having lost가 적절하다.

(C) The study demonstrates [**that** the motivation of many
　　　주어　　　　　　동사　　　　　　목적어(명사절)

households {**starting** a family business} is survival during an
　　　　　　　↑　　　　　　　　　　　　　　　동사

uncertain period ...].

▶ 분사구 starting a family business가 many households를 수식하
며, '시작하는'이라는 능동의 의미가 되어야 하므로 starting이 적절하다.

어휘 volatile 불안정한, 변덕스러운　workforce 노동력, 노동 인구　be
subjected to ~을 받다, 당하다　prolonged 장기적인, 오래 계속되는
unemployment 실직　household 가계　financial 금융의, 재정의
gross domestic product 국내 총생산(GDP)　formation 형성
skyrocket 급증하다　subsequent 이후의　unemployed 실직한
demonstrate 보여 주다

3 ①

새로운 디지털 사회의 더욱 혼란스러운 측면 중 하나는 개인 프라이버시의
가치를 주장하면서도 온라인상에서 제3자에게 정보를 제공하려는 개인의
의지다. 연구는 온라인 커뮤니티에 참여하도록 하는 강력한 동기가 상호[호
혜]주의와 인정이라는 것을 밝혀내면서 이 역설에 대한 통찰력을 제공했다.
(A) 일단 개인이 공동체의 일부가 되면, 그들은 그들 공동체로부터 자신을 보
호하기를 원하지 않을 수도 있다. 결과적으로, 디지털 커뮤니티에 대한 참여
가 급속도로 증가함에 따라 프라이버시 문제 또한 증가한다. (B) 이러한 상
황은 온라인에서 시간을 보내는 젊은이들에게서 관찰될 수 있다. 그들은 어
른들의 캐기 좋아하는 눈길에서 벗어나 사적인 공간에서 교제하기를 원하지
만, 그러기 위해서는 그들의 개인 정보에 대한 통제를 포기해야 한다. 사람
들이 흔히 그 결과로 생기는 역설에 대처하는 세 가지 방식이 있다. (C) 그
들은 프라이버시가 실제로 과대평가되고 있다고 자신들을 확신시킨다. 그들
은 데이터를 수집하는 주체의 개인 정보 보호 정책에 집중함으로써 자신의
우려를 완화시킨다. 또는 온라인 프라이버시에 대한 그들의 태도를 그냥 바
꾼다.

정답 해설

(A) [**Once** individuals become part of a community], they
　　　　접속사(일단 ~하면)　　　　　　　　　　　　　= individuals

may not wish to shelter **themselves** from it.
　　　　　　　　　　　　　　　　　　= a community

▶ to부정사 to shelter의 의미상의 주어와 목적어가 동일한 대상을 가리키
므로 재귀대명사 themselves가 적절하다.

(B) This situation can be observed in young people
　　　　주어　　　　　　동사　　　　　　　　↑

[**spending** time online].
└ 현재분사구

▶ 앞의 명사 young people은 시간을 '소비하는' 주체로 분사와 능동의 관
계이므로 현재분사 spending이 적절하다.

(C) ... they convince themselves [**that** privacy is actually
　　　　주어　　동사　　간·목　　　직·목　　주어
　　　　　　　　　　　　　　　　　　　(명사절)
overvalued]; ....
　동사 ┘

▶ that절에서 주어 privacy는 '과대평가된다'는 동작의 대상이므로 수동태
를 만드는 과거분사 overvalued가 적절하다.

어휘 confusing 혼란스러운　willingness 의지　paradox 역설
motivation 동기　recognition 인정, 인식　shelter 보호하다　socialize
교제하다　pry (남의 사생활을) 캐다　surrender 포기하다, 항복하다
convince 확신시키다　overvalue 과대평가하다　ease 완화시키다

4 ④

지문 해석

만약 창의성을 담당하는 유전자 서열이 있다면, 과학자들이 아직 그것을 발
견하지 못한 것이다. ① 그러나 임상 심리학자들의 연구는 창의성이 보편적
인 재능이라는 것을 나타내는 경향이 있다. ② 일부 심리학자들은 비록 우리
모두가 타고난 창의력을 가지고 있지만, 우리 중 극소수만이 그것들을 이용
하는 방법을 이해한다고 제안한다. ③ 전자 스캔이 인간의 뇌는 우리가 감각
데이터를 의식적으로 인지하기도 전에 그것을 처리할 수 있다는 것을 보여
주어 왔다. ④ 예를 들어 음악이 연주될 때, 뇌는 즉각적으로 갑자기 작동하
기 시작하여, 기억 속에 저장되어 있는 유사한 음악적 패턴을 찾아내고, 그
것을 분류하고 비교하려고 한다. 이러한 종류의 본능적 인지 과정은 우리의
창의적 본능을 쉽게 압도한다. 반면 영재의 뇌는 이러한 과정에 관여하지 않
는데, 이는 그들이 보편적인 재능에 대한 장애물, 즉 여과 장치를 가지고 있
지 않다는 것을 의미한다. ⑤ 영재들은 그들이 가진 능력 때문이 아니라 그
들이 가지고 있지 않은 능력 때문에 특별하다.

정답 해설

④ ..., the brain instantly springs into action, [**searching** for
　　　　　주어　　　　　　　동사　　　　　분사구문1(= and it searches)

similar musical patterns {**stored** in the memory}], [**seeks**
　　　　　　　　　　　　　　　　↑
　　　　　　　　　　　　　　과거분사구

(→ **seeking**) to categorize and compare it].
분사구문2(= and it seeks)　　　　(to)

▶ 문장의 주어는 the brain이고 동사는 springs로 seeks는 문장의
동사 역할을 할 수 없다. 따라서 분사구문이 되도록 seeking으로 고쳐야
한다.

오답 해설

① However, research [by clinical psychologists] tends to
　　　　　　　주어　└ 전치사구　　　　　　　　동사

indicate [**that** creativity is a universal talent].
　　　　목적어(명사절)

▶ 주어가 단수명사인 research이므로 단수동사 tends가 쓰인 것은 적절
하다.

② Some psychologists suggest [**that** although we all possess
　　　　주어　　　　　　　　동사　　　目的語(명사절)

inherent creative skills, ...].

▶ 동사 suggest의 목적어 역할을 하는 요소가 필요하므로 명사절을 이끄
는 접속사 that이 쓰인 것은 적절하다.

③ ... the human brain is capable of processing sensory
　　　　　　　　　　　　　be capable of: ~을 할 수 있다

data [**before** we even become **consciously** aware of it].
　　　　접속사　　주어　　　동사　　　　　　보어(형용사)

▶ 주격보어인 형용사 aware를 수식하는 부사 consciously가 쓰인 것은
적절하다.

⑤ Prodigies are special **not** because of an ability [**that** they
　　　　　　　　　　　　　~ 때문이 아니라　　　　　　　　목적격
　　　　　　　　　　　　　　　　　　　　　　　　　　관계대명사절

have] **but** because of one [they do not].
　　　　　~ 때문이다　　　　(that) (have)

▶ 앞에 나온 명사 an ability를 대신하는 말로 같은 종류의 대상을 가리키
므로 one이 쓰인 것은 적절하다.

어휘 gene sequence 유전자 서열　clinical psychologist 임상 심
리학자　universal 보편적인　precious few 극소수(의)　exploit 이용하다,
착취하다　sensory 감각의　consciously 의식적으로　instantly 즉각적
으로　spring into action 갑자기 작동[행동]하기 시작하다　categorize
분류하다　instinctive 본능적인　cognitive 인지의　overwhelm 압도
하다　engage in ~에 관여하다

---

1 ③　2 ④　3 ⑤　4 ③

1 ③

지문 해석

① 체내에는 다른 색의 지방이 있고 각 종류마다 다른 기능을 가지고 있음을
알면 당신은 놀랄지도 모른다. ② 엄밀히 말하면 하얀 지방질 조직으로 알려
진 백색 지방이 사람들이 일반적으로 체지방이라고 부르는 것이다. ③ 그것
의 주요 기능은 에너지를 저장하고 장기가 따뜻하게 유지될 수 있도록 단열
을 제공하는 것이다. ④ 그러나 과도한 양의 백색 지방, 특히 (몸의) 중앙부
를 중심으로 축적된 내장 지방은 심장병이나 당뇨병의 위험을 높여서 건강
에 해로울 수 있다. 갈색 지방, 즉 갈색 지방질 조직은 추운 조건에서 활성화
된다. 갈색 지방은 미토콘드리아를 다량 함유하고 있기 때문에 열을 발생시
키는 수단으로서 칼로리를 태울 수 있다. ⑤ 갈색 지방의 이러한 측면은 일
부 건강 전문가들로 하여금 그것이 비만과 일부 대사 증후군 치료의 구성 요
소로 사용될 수 있다고 추측하게 했다.

정답 해설

③ Its primary functions are **to** store energy and **to** provide
　　주어　　　　　　　　동사　　보어1　　　　　보어2

insulation in that(→ **so that**) the organs can stay warm.

▶ 문맥상 '장기가 따뜻하게 유지될 수 있도록'의 목적의 의미가 되어야 하므
로 '~하기 위해서'를 뜻하는 so that으로 고쳐야 한다. in that은 '~라
는 점에서'라는 의미이다.

오답 해설

① You may be surprised to learn [**that** there are different
　　주어　　　　동사　　　　　　　　　　目的語(명사절)

colors of fat in your body] and [**that** each type **has** a
　　　　　　　　　　　　　　　　　　　　　주어　　　동사

different function].

▶ 주어 each type은 단수 취급하므로 단수동사 has가 쓰인 것은 적절하다.

② White fat, [technically known as white adipose tissue],
　　주어　　　과거분사구(삽입구)　└ ~로 알려진

is [**what** people generally refer to as body fat].
동사　관계대명사절(보어)　　　　refer to A as B: A를 B라고 부르다

▶ 「refer to A as B」 구문에서 목적어에 해당하는 A가 없고 관계사절 앞
에 선행사가 없으므로 관계대명사 what이 쓰인 것은 적절하다.

④ ..., especially visceral fat [**that** has accumulated around
　　　　　　　　　　주어　└───　주격 관계대명사절

the midsection], can be harmful to one's health, **as it** elevates
　　　　　　　　　　　동사　　　　　　　　　　　접속사(~ 때문에)

one's risk of heart disease or diabetes.

▶ 주어 visceral fat를 지칭하는 대명사로 단수형 it이 쓰인 것은 적절하다.

⑤ This aspect of brown fat has led some health professionals

　　　　　　　　　　　　　　　主語　　　　　　　動詞　　　　　　　　目的語

┌ = brown fat

to speculate [that it could be used as a component ...].

목적격보어　　　　목적어(명사절)　　　　전치사(~로서)

▶ lead는 to부정사를 목적격보어로 취하는 동사이므로 to speculate가 쓰인 것은 적절하다.

어휘 technically 엄밀히 말하면, 기술적으로 tissue 조직 insulation 단열 organ 장기, 기관 excessive 과도한 accumulate 축적하다, 쌓이다 midsection 중앙부 elevate 올리다 diabetes 당뇨병 activate 활성화시키다 speculate 추측하다, 사색하다 component 구성 요소 obesity 비만 metabolic syndrome 대사 증후군

2 ④

지문 해석

(A) 현대의 교실에서는 교사들이 그들의 수업을 향상시키고 학생들과 가까워지기 위하여 기술을 활용하는 다양한 방법들이 있다. (B) 이러한 목표를 달성하기 위해 기술을 사용하는 것이 효과적일 수 있지만, 이러한 모든 접근 방법이 항상 같게 만들어지는 것은 아니다. 최근의 연구에서 기술 강화 학습에 있어서, 활동 기반 학습이 강의 기반 학습보다 더 큰 교실의 성공으로 이어진다는 것이 밝혀졌다. 연구원들은 수업이 활동적인 요소를 가지고 있을 때, 학생들이 더 창의적일 뿐 아니라 기술에 더 많이 관여한다는 것을 알게 되었다. (C) 예를 들어, 어떤 학생들은 베를린 장벽의 역사를 반 친구들에게 가르칠 수 있는 앱을 개발하도록 권장받았다. 이 학생들은 궁극적으로 그 자료를 더 깊은 수준에서 이해하게 되었는데, 그들이 자신의 또래들에게 단순히 설명하기만 하기보다는 기술과의 협력적인 연계를 통해 그것을 경험했기 때문이었다.

정답 해설

(A) ..., there are a variety of ways [in which teachers utilize

　　　　　　　　　　　　　　　선행사　　　　└─┐ 관계대명사절

technology to improve their lessons ...].

▶ 선행사 a variety of ways가 관계사절 안에서 전치사와 함께 사용되어야 하므로 in which가 적절하다.

(B) **Although** using technology [to achieve these goals] can

접속사(비록 ~이지만)　　　주어　　　to부정사 부사적 용법(목적)　　동사

be effective, not all of these approaches are created equal.

　　　　　　　　　부분부정　　　　　　　　　　　　동사　　　　　보어

▶ 이 문장의 주절은 본래 5형식 문장이었던 것을 수동태로 바꾼 것으로, 목적어에 해당되는 these approaches 뒤에 있던 목적격보어의 위치에 쓰였으므로 형용사 equal이 적절하다.

(C) ..., some students were encouraged to develop an app

　　　　　　　　　主語　　　　　동사　　　　　보어　　　　선행사

[that could teach the history of the Berlin Wall ...].

　주격 관계대명사절

▶ encourage는 목적격보어로 to부정사를 취하는 5형식 동사이므로 수동태 be encouraged 다음에 to develop이 오는 것이 적절하다.

어휘 utilize 활용하다 activity-based 활동 기반의 lecture-based 강의 기반의 ultimately 궁극적으로, 결국 comprehend 이해하다 collaborative 협력적인, 공동의 engagement 참여, 관계함 peer 동료, 또래

3 ⑤

지문 해석

코알라가 잘하는 것이 한 가지 있다면, 그것은 자는 것이다. ① 오랫동안 많은 과학자들은 유칼립투스 잎 속의 화합물이 그 작고 귀여운 동물들을 몽롱한 상태로 만들어서 코알라들이 그렇게도 무기력한 상태에 있는 것이라고 의심했다. ② 그러나 더 최근의 연구는 그 잎들이 단순히 영양분이 너무나 적어서 코알라가 거의 에너지가 없는 것임을 보여 주었다. 그래서 코알라들은 가능한 한 적게 움직이는 경향이 있다. ③ 그리고 그것들이 실제로 움직일 때에는, 흔히 마치 슬로모션으로 움직이는 것처럼 보인다. 그것들은 하루에 16시간에서 18시간 동안 휴식을 취하는데, 의식이 없는 상태로 그 시간의 대부분을 보낸다. ④ 사실 코알라는 생각을 하는 데에 시간을 거의 사용하지 않는데, 그것들의 뇌는 실제로 지난 몇 세기 동안 크기가 줄어든 것처럼 보인다. ⑤ 코알라는 뇌가 겨우 두개골의 절반을 채운다고 알려진 유일한 동물이다.

정답 해설

⑤ The koala is the only known animal [its(→ whose) brain

　　　　　　　　　　　선행사　　　　　　　　　관계대명사절

only fills half of its skull].

▶ 두 개의 절을 연결하고 선행사 the only known animal이 뒤의 명사 brain과 소유 관계에 있으므로 소유격 관계대명사 whose로 고쳐야 한다.

오답 해설

① ... koalas were so lethargic [because the compounds in

　　　　　　　　　　　　　　　　　　접속사(~ 때문에)

eucalyptus leaves kept the cute little animals in a drugged-

　　주어　　　　　　동사　　　　目的語　　　　　　　　　전치사구

out state].

▶ 뒤에 완전한 절이 이어지고 코알라가 무기력한 이유에 대해 설명하고 있으므로 접속사 because가 쓰인 것은 적절하다.

② ... the leaves are simply **so** low in nutrients **that** koalas

　　　　　　　주어　　동사　　　　so+형용사/부사+that: 너무 ~해서 …하다

have almost no energy.

▶ so는 low를 수식해서 (영양분이) '너무 적어서'라는 원인이 되고 '그래서 코알라가 에너지가 거의 없다'라는 결과가 나오므로 「so ~ that ...」 구문의 that이 쓰인 것은 적절하다.

③ ... when they <u>do move</u>, they often look [**as though** they're
      do+동사원형 (강조)   마치 ~처럼
in slow motion].

▶ 「do(does/did)+동사원형」을 써서 동사를 강조하는 것으로 do move
가 쓰인 것은 적절하다.

④ ... their brains actually <u>appear</u> to <u>have shrunk</u> over the
         주어   동사   주격보어
last few centuries.

▶ appear는 to부정사를 주격보어로 취할 수 있는 동사로, to부정사가 동
사의 시제보다 먼저 일어난 일을 나타내고 있으므로 완료부정사 to have
shrunk가 쓰인 것은 적절하다.

어휘 suspect (~을 했다고) 의심하다　compound 화합물, 혼합 성
분　eucalyptus 유칼립투스(호주산 나무)　nutrient 영양분　as though
마치 ~처럼　unconscious 의식이 없는　shrink 줄어들다, 작아지다
skull 두개골

4 ③

지문 해석

자기 충족적 예언은 본래 잘못된 사회적 믿음이 사람들로 하여금 그 믿음을
객관적으로 확인하는 방식으로 행동하도록 이끌 때 일어난다. 우리는 이것
을 크리스마스 때마다 전국적인 규모로 목격하고 있다. ① 그것은 업계 관계
자들이 어떤 장난감들이 인기가 있을 것으로 예상하는지를 보여 주는 조사
결과의 발표로부터 시작된다. 일반적으로, 이것은 한 가지 특정한 장난감이
올해의 필수 선물로 떠오르는 결과를 가져온다. ② 곧 모든 사람들은 그 장
난감에 대한 전례 없는 수요에 대한 이야기와 (수량) 부족이 발생할 것이라
는 소식을 듣기 시작한다. ③ 상점들은 쇼핑객들이 구매할 수 있는 장난감의
수를 제한하고 공황 상태에 빠진 부모들이 자신들이 배제되지 않도록 확실
히 하기 위해 쇼핑몰로 우르르 몰려간다. ④ 이것은 애초에 결코 심하게 적
지 않았던 장난감의 공급이 고갈되게 하여, 예측되었던 바로 그 부족을 초래
한다. ⑤ 현실에 대한 부정확한 형태의 믿음은 사실이 아닌 것을 사실로 만
드는 기대를 만들어 낸다.

정답 해설

③ ... <u>panicked parents</u> <u>stampede</u> to malls to make sure
        주어   동사   to부정사 부사적 용법
                                      (목적)
[**that** they are not <u>leaving</u>(→ **left**) out].
목적어(명사절)

▶ leave out은 '~을 배제하다'라는 의미인데 맥락상 부모들이 '배제되지
않는다'는 수동의 의미가 되어야 하므로 수동태를 만드는 과거분사 left로
고쳐야 한다.

오답 해설

① ... it begins with the release of survey results [indicating
      주어 동사   현재분사구
{which toys industry insiders expect to be popular}].
   의문사   주어   동사(→ 간접의문문)

▶ survey results와 분사의 관계가 능동이므로 현재분사 indicating이
쓰인 것은 적절하다.

② Soon everyone begins to hear tales of the unprecedented
         주어   동사   목적어(to부정사구)
demand for the toy ....

▶ begin은 to부정사를 목적어로 취할 수 있는 동사이므로 to hear가 쓰인
것은 적절하다.

④ This causes supplies of the toy, [**which** were never severely
  주어   동사   목적어(선행사)   주격 관계대명사절
low in the first place,] to become depleted, [**creating** the
                       목적격보어   분사구문(= and
                                            this creates)
very shortage {**that** had **been predicted**}].
 선행사   주격 관계대명사절

▶ 선행사 the very shortage가 '예측되어진' 동작의 대상이므로 수동태
been predicted가 쓰인 것은 적절하다.

⑤ A belief [in an inaccurate version of reality] creates
  주어   전치사구   동사
expectations [**that** make the untrue become true].
목적어(선행사)   주격 관계대명사절

▶ that 이하에 주어가 없는 불완전한 절이 이어지므로 관계대명사 that이
쓰인 것은 적절하다.

어휘 self-fulfilling prophecy 자기 충족적[예언대로 성취되는] 예언
objectively 객관적으로　confirm 확인하다　witness 목격하다　release
공개, 발표　insider 관계자, 내부자　emerge 떠오르다　must-have 필
수의　unprecedented 전례 없는　demand 수요　shortage 부족
panicked 공황 상태에 빠진　leave out ~을 배제하다　severely 심하
게　depleted 고갈된　inaccurate 부정확한

어법 모의고사 5회

pp. 116–117

1 ② 2 ④ 3 ④ 4 ①

1 ②

지문 해석

중세 십자군 전쟁은 세계에 큰 영향을 미쳤다. (A) 그들의 주된 영향 중 하나는 그들이 다른 집단의 사람들과 사회들 사이에 더 큰 상호 작용으로 이어졌다는 것이다. (B) 11세기 최초의 십자군 전쟁이 일어나기 직전, 중동은 학문과 지식의 중심지로 떠올랐다. 아시아와 유럽 사이의 지리적 위치 때문에 중동 문명은 광범위한 학문과 철학을 접할 수 있었다. (C) 유럽에서 온 최초의 십자군들이 중동 사람들과 접촉했을 때, 그들은 중동의 수학적 개념과 같은 새로운 사상과 진보한 것들에 노출되었고, 이는 결국 유럽으로 되돌아왔다. 음식, 사회 관습, 축하 행사 등이 포함된 문화 교류 또한 상당했다. 이러한 이유로, 많은 역사가들은 십자군 전쟁이 수세기 후에 유럽의 르네상스가 출현한 중요한 요인으로 생각한다.

정답 해설

(A) One [of their primary effects] **was** [**that** they led to greater interaction ...].
- 주어 / 전치사구 / 동사 / 보어(명사절)

▶ 「one of+복수명사」가 주어인 경우 동사는 one에 일치시켜야 하므로 was가 적절하다.

(B) ..., the Middle East **had risen** to become a center of learning and knowledge.
- 주어 / 동사 / to부정사 부사적 용법(결과)

▶ 동사 뒤에 목적어가 없고, 문맥상 '떠오르다'의 의미가 되어야 하므로 자동사 rise의 과거분사 risen이 적절하다. raise는 '올리다'의 의미인 타동사이다.

(C) [**When** the first crusaders from Europe made contact with Middle Eastern people], **they** were exposed to new ideas and advancements, ...
- 접속사(~할 때) / 주어 / 동사
- 주어 / 동사
- (= the first crusaders from Europe)

▶ 종속절인 부사절 다음에 주절이 오는 구조로 주절의 주어가 필요한 자리이므로 they가 적절하다.

어휘 crusade 십자군 전쟁 primary 주된 interaction 상호 작용 rise 떠오르다 geographical 지리적인 civilization 문명 have access to ~에 접근하다 philosophy 철학 advancement 진보 significant 상당한 emergence 출현

2 ④

지문 해석

'모험 이행'이라는 용어는 집단의 의사 결정이 개별 구성원들의 초기 분석이 나타내는 것보다 더 위험한 경향이 있다는 사실을 나타낸다. (A) 이는 집단이 개인의 결정보다 더 보수적인 결정을 내린다는 일반적인 믿음과 모순된다. (B) 많은 연구들이 사람들이 집단 토의 후 덜 신중한 결정을 선호한다는 것을 밝혀내면서 모험 이행 현상의 존재를 확인시켰다. (C) 한 실험에서 참가자들은 한 대학생이 성공 가능성이 낮은 명문대와 성공으로 가는 길을 제시하는 덜 어려운 학교 중에서 선택하는 것과 같이 위험한 결정과 보수적인 결정 사이에서 선택해야 하는 수많은 이론적 상황을 부여 받았다. 한 집단이 한 사람보다 더 논리적이고, 이성적이며, 신중한 결정을 내릴 것이라는 가정과 대조적으로, 실험 결과는 집단 토의 후 집단과 개인의 결정 모두 덜 보수적이라는 것을 보여 주었다.

정답 해설

(A) This contradicts the commonly held belief [**that** groups make decisions {**that** are more conservative than individual decisions}].
- 주어 / 동사 / 동격
- 주격 관계대명사절 / ~보다

▶ 뒤에 완전한 절이 이어지고 앞의 명사구의 내용을 설명해야 하므로 동격의 절을 이끄는 접속사 that이 적절하다.

(B) Many studies have confirmed the existence of the risky shift phenomenon, [**revealing** {**that** people favor less cautious decisions ...}].
- 주어 / 동사
- 분사구문 / 목적어(명사절)
- (~하면서)

▶ '드러내면서'의 의미로 분사구문의 의미상의 주어(many studies)와 분사가 능동의 관계이므로 현재분사 revealing이 적절하다.

(C) ..., such as a college student [choosing {**between** a prestigious university (**where** success would be unlikely) **and** a less challenging school ...}].
- 동명사의 의미상 주어
- 주어 / 동사 / 보어

▶ 관계사 뒤에 완전한 절이 이어지고 선행사가 장소를 나타내므로 관계부사 where가 적절하다.

어휘 risky 위험한 shift 전환 analysis 분석 contradict ~와 모순되다 conservative 보수적인 confirm 확인하다 reveal 드러내다 cautious 조심스러운, 신중한 theoretical 이론적인 prestigious 일류의, 명성이 있는 challenging 힘든, 간단하지 않은 assumption 생각, 가정 rational 이성적인

3 ④

지문 해석

① 현대 비즈니스의 세계가 점점 더 복잡해지면서, 많은 조직들이 공유 리더십으로 눈을 돌리고 있는데, 이는 수직적 계층 구조로 배열된 전통적인 관리 계층 방식으로부터의 현저한 변화다. 부하 직원들을 과정에서 배제시키면서 관리직 사람들에게 의사결정에 대한 대부분의 책임을 떠넘기는 대신, 공유 리더십은 협력적인 노력에 초점을 맞춘다. ② 여전히 관리자들이 책임지고 있지만, 직원 전체가 권력과 영향력을 공유해 개인에게 직접 영향을 미치는 결정에 대해 더 많은 자율성을 부여한다. ③ 사실상 이는 모두의 생각이 환영받는 개방 정책을 확립시켜 준다. ④ 그 결과, 직원들은 가만히 앉아서 무엇을 해야 할지 듣기를 기다리기보다는 주도권을 쥐도록 권한을 부여받는다. ⑤ 근로자가 자신이 조직 내에서 발언권이 있고, 조직의 성공에 대한 책임의 일부를 공유한다는 사실을 깨달을 때, 생산성과 직무 만족도 모두 그 어느 때보다 높은 수준으로 상승한다.

정답 해설

④ As a result, employees are empowered to take the
　　　　　　　주어　　　　　동사
initiative rather than sitting back and waiting to tell(→ to be
　　　　　～보다는　　동명사1　　　동명사2
told) what to do.

▶ 주어 employees가 의미상 '말할 것'을 기다리는 것이 아니라 '들을 것'을 기다린다는 의미가 되어야 하므로 수동태 to be told로 고쳐야 한다.

오답 해설

① [With the world of modern business growing more
　　　　　　　　　　　명사　　　　　　현재분사
complex], many organizations are turning to shared
　　　　　주어　　　　　　　동사
leadership, ...

▶ 「with+명사+분사(~가 …한 상태로)」 구문으로 분사의 의미상 주어인 the world of modern business와 grow의 관계가 능동이므로 현재분사 growing이 쓰인 것은 적절하다.

② ..., the entire staff shares the power and influence of the
　　　　　　　주어　　　　동사　　　　　목적어
department, [giving individuals more autonomy over the
　　　　　분사구문(= and it gives)
decisions ...].

▶ 분사구문의 의미상 주어는 앞 문장 전체로 그 결과가 개인에게 자율성을 부여한다는 능동의 관계이므로 현재분사 giving이 쓰인 것은 적절하다.

③ In effect, it establishes an open-door policy [in which the
　　　　　　　　　　　　　　　　선행사　　　　　관계대명사절
　　　　　　　　　　　　　　　　　　　　　　　　(= where)
ideas of all are welcomed].

▶ 관계사 뒤에 완전한 절이 이어지고, 선행사가 추상적 의미의 장소를 나타내어 관계사절 안에서 전치사와 함께 쓰여야 하므로 in which가 쓰인 것은 적절하다.

⑤ When workers realize {that they have a voice within
　　　주어　　　동사　　　목적어1(명사절)
the organization} and {that they share a portion of the
　　　　　　　　　and　　목적어2(명사절)
responsibility for its success}, ...

▶ 동사 realize의 목적어인 명사절이 병렬 연결되어 있으므로 명사절을 이끄는 접속사 that이 쓰인 것은 적절하다.

어휘 marked 두드러진, 현저한　tier 계층; 층　vertical 수직의, 세로의　hierarchy 계급 제도, 계층　responsibility 책임　subordinate 부하 (직원)　collaborative 협력적인　in charge 맡고 있는, 책임진　autonomy 자율성　in effect 사실상, 실제로는　empower 권한을 주다　initiative 주도권　portion 부분

4 ①

지문 해석

철학이 정확히 무엇인지에 대한 질문은 종종 제기되어 왔다. 답을 이해하기 위해 노력하는 한 가지 방법은 도서관에 가서 다양한 학문적 주제에 대한 책을 훑어보는 것이다. ① 많은 경우에, 여러분은 저자가 마지막 장을 책 전체의 요약으로 만들기로 선택했다는 것을 발견할 것이다. ② 이것이 의미하는 바는 전문적인 주제에 관해 책 전체를 쓰고 나서, 작가들이 본인이 모아 온 사실을 더 큰 맥락에서 보여 주기를 종종 갈망한다는 것을 알게 된다는 것이다. ③ 이 마지막 장은 결론, 에필로그 또는 후기를 포함하여 다른 많은 것들로 불릴 수 있다. ④ 그러나 그것은 사실상 모든 경우에 있어서, 이 책의 주제가 갖는 더 큰 함의를 공유하고 그것이 다른 분야나 삶과 어떻게 관련되어 있는지를 명확히 하려는 시도다. ⑤ 작가들이 이렇게 할 때, 그들은 한 분야 전문가로서의 익숙한 역할에서 벗어나 철학자의 입장이 되어 보는 것이다.

정답 해설

① ..., you will find [what(→ that) the author has opted to
　　　　주어　동사　목적어(명사절)　　주어　　　　동사
make the final chapter a summation of the book as a whole].
　　　목적어　　　　　　목적격보어

▶ find의 목적어가 없고 뒤에 완전한 절이 이어지므로 목적어 역할을 하는 명사절을 이끄는 접속사 that으로 고쳐야 한다.

오답 해설

② What this means is [that authors, {having written an
　　주어(관계대명사절)　동사　보어　　주어　　분사구문(= after they
　　　　　　　　　　　　　　(명사절)　　　　　　　have written)
entire book on a specialized subject}, often find ...].
　　　　　　　　　　　　　　　　　　　　동사

▶ 분사구문의 의미상 주어인 authors가 속한 절의 시점보다 먼저 행한 일을 나타내므로 완료 분사 having written이 쓰인 것은 적절하다.

③ This final chapter may be called many different things,
　　　주어　　　　　　동사
[including a conclusion, an epilogue, or a postscript].
전치사(~을 포함하여)

▶ 주어가 '~로 불린다'는 것으로 동작의 대상이므로 수동태 be called로 쓰인 것은 적절하다.

④ But it is, (in virtually every instance), an attempt [**to share**
　　　주어 동사　　　　　부사구(삽입구)　　　　　　보어　　　to부정사1
the larger implications of the book's topic] and [**to clarify**
　　　　　　　　　　　　　　　　　　　　　　　　　　　　to부정사2
{how it relates to other fields or to life}].
　의문사 주어 동사(간접의문문)

▶ 의문사 how가 clarify의 목적어 역할을 하는 간접의문문(「의문사+주어+동사」)을 이끄므로 how가 쓰인 것은 적절하다.

⑤ ..., they are **stepping** out of their familiar role as a field
　　　　　　　　　　　　　　현재분사1
　　　　　　　　(are)
specialist and **trying** on the shoes of a philosopher.
　　　　　　　　현재분사2

▶ 현재분사가 접속사 and로 병렬 연결되어 있으므로 trying이 쓰인 것은 적절하다.

[어휘] philosophy 철학　flip through ~을 훑어보다　opt to ~하기로 선택하다　summation 요약　specialized 전문적인　long 갈망하다　context 맥락　epilogue 에필로그(끝맺음말, 종결 부분)　postscript 후기, 추신　implication 함의　clarify 명확히 하다　specialist 전문가　try on shoes 입장이 되어 보다

어법 모의고사 6회

pp. 118–119

1 ⑤　2 ⑤　3 ②　4 ②

1　⑤

[지문 해석]

동물학자들이 특정 종을 묘사하는 방법 중 하나는 그것들의 특징적인 행동 패턴을 목록화하는 것이었다. ① 그것들이 비슷해 보일지 몰라도 뻐꾸기의 둥지 짓는 활동과 거위의 그것을 혼동할 수는 없다. ② 각각의 경우에 나타나는 행동은 독특하고 종마다 다르다. ③ 한 종의 거의 모든 개체에서 그리고 심지어 고립되어 자란 개체에서도 하나의 행동 패턴이 관찰될 때, 그것은 학습된다기보다는 유전된다고 말할 수 있다. ④ 개체가 패턴을 보여 주지 못하거나 그것(패턴)이 다른 형태를 취하는 개체가 발견되는 경우, 환경적 요인이 적극적인 역할을 했다고 가정할 수 있다. ⑤ 이것은 유전적 특징이 종에 미치는 강력한 영향에도 불구하고, 환경에서가 아니라면 살아있는 유기체에서 구조나 기능이 발달할 수 없으며, 각각의 유기체가 취하는 궁극적인 형태는 그러한 환경의 특성에 달려 있다는 것을 상기시킨다.

[정답 해설]

　　　　　　　　　　　　(that[which])
⑤ ... the ultimate form [each of the organisms take(→
　　　　　　　　　주어　　　↑　　　　　　주어　　　　동사
takes)] depends on the characteristics of that environment.
　　　　　　　　동사

▶ the ultimate form을 수식하는 목적격 관계대명사절에서 주어가 「each of+복수명사」의 형태로 단수 취급하므로 단수동사 takes로 고쳐야 한다.

[오답 해설]

① ..., we cannot confuse the nest-building activities of a
　　　　　　　　　　　confuse A with B: A를 B와 혼동하다
cuckoo with **those** of a goose.

▶ 앞에 나온 명사 the nest-building activities의 반복을 피하기 위해 사용된 대명사이므로 복수형 those가 쓰인 것은 적절하다.

　　　　　　　　　　　(which is)
② The behavior [exhibited in each case] is unique and
　　　　　　　주어　　　↑　　　　　과거분사구　　　　　동사
species-specific.

▶ 명사 The behavior와 분사는 수동의 관계로 '보여 지는'의 의미를 나타내야 하므로 과거분사 exhibited가 쓰인 것은 적절하다.

③ ... and even in individuals [**brought up** in isolation], **it** can
　　　　　　　　　　　　　　　↑　　　　　과거분사구　　　가주어
be said [**that** it is inherited rather than learned].
　　　　　　　　진주어(that절)

▶ 문장의 주어인 that절이 길어 동사 뒤에 왔으므로 주어 자리에 가주어 it이 쓰인 것은 적절하다.

④ In the cases [**in which** individuals fail to exhibit the pattern or individuals are found {**in whom** it takes on a different form}], ...

▶ 관계사 뒤에 완전한 절이 이어지고 선행사(individuals)가 관계사절 내에서 전치사를 필요로 하므로 in whom이 쓰인 것은 적절하다.

어휘 zoologist 동물학자 species 종 catalog 목록화하다, 목록 characteristic 특징적인 confuse A with B A와 B를 혼동하다 bring up 양육하다 isolation 고립 inherited 유전된 play a hand 적극적인 역할을 하다 reminder 상기시키는 것 hereditary 유전적인 trait 특징 organism 유기체 ultimate 궁극적인

(C) ..., people simply go along with [**what** everyone else is doing], ...

▶ 동사구 go along with의 목적어 역할을 할 수 있는 선행사가 없고 관계사 뒤에 목적어가 없는 불완전한 절이 이어지므로 선행사를 포함한 관계대명사 what이 적절하다.

어휘 psychological 심리적인, 정신적인 phenomenon 현상 consciously 의식적으로 adapt 맞추다, 조정하다 preference 선호 majority 대부분, 대다수 regardless of ~와 상관없이 flock to ~로 모여든다 in essence 본질적으로 tremendous 엄청난 conform 따르다, 순응하다 exclusion 제외, 배제 inclusion 포함 acceptance 수용 fallacy 틀린 생각, 오류 reasoning 논거; 추리

2 ⑤

지문 해석

(A) 밴드웨건 효과로 알려진 심리적 현상은 사람들이 자기 자신의 신념과 상관없이 자신의 행동이나 선호, 믿음을 대다수의 사람들의 것들과 맞추기 위해 의식적으로 조정할 때 발생한다. 이 현상은 온라인 사회 관계망에서 흔히 볼 수 있는데, 이는 다른 사람들이 그것들에 모이고 있다는 사실 말고는 다른 이유 없이 특정 서비스나 사이트에 사람들이 모이기 때문이다. (B) 본질적으로 이런 행동은 모든 사람이 무언가를 하고 있는 것처럼 보일 때 사람들이 따라야 한다는 엄청난 압박을 느끼는 집단 사고의 한 형태이다. 배제에 대한 두려움 또한 그 현상에서 한몫을 한다. (C) 이상하거나 다르다고 보여지는 것을 피하기 위해, 이렇게 하는 것이 사회적 포용과 수용을 보장할 것이라 희망하며 사람들은 다른 모든 사람들이 하고 있는 것을 단순하게 따라간다. 그것은 표면적으로는 무해한 행동처럼 보일 수 있지만, 밴드웨건 효과는 개인의 논리적인 사고에 오류를 일으킬 수 있다.

정답 해설

(A) ... when people consciously adapt their own behavior, preferences, or beliefs [to match those of a majority of people], ...

▶ 앞에 나온 명사 behavior, preferences, or beliefs의 반복을 피하기 위한 대명사 those가 적절하다.

(B) This behavior is, (in essence), a form of groupthink [in which people feel a tremendous pressure to conform] ....

▶ 관계사 뒤에 완전한 절이 이어지고 선행사가 관계사절 내에서 전치사와 함께 쓰여 in the form of groupthink의 의미가 되어야 하므로 in which가 적절하다.

3 ②

지문 해석

① 대부분의 사람들은 주로 피부암과 조기 노화를 피하기 위하여 태양으로부터 가능한 한 멀리 떨어져 있는 것이 상식이라고 생각한다. ② 그러나 일부 연구자들은 햇빛을 완전히 피하는 것이 그렇게 좋은 생각은 아니라고 주장한다. ③ 태양에 노출되는 것의 주된 이점은 피부에서의 비타민 D 생성인데, 이것은 태양의 중파장 자외선에 의해 유발된다. 비타민 D는 몸의 나머지 부분을 감시하도록 면역 체계에 신호를 보내는 데 적절한 양으로 필요하다. 비타민 D 결핍은 감염, 질병, 면역 관련 장애에 대한 민감성 증가와 관련이 있다. ④ 또한 햇빛은 뇌에서 세로토닌이라고 불리는 호르몬의 분비를 촉진한다고 믿어진다. ⑤ 세로토닌은 더 긍정적인 기분을 만들고, 사람들이 차분하고 집중할 수 있게 만든다. 햇빛의 부족은 세로토닌 수치의 감소와 관련있는데, 이것은 계절형 주요 우울증 장애로 이어질 수 있다.

정답 해설

② Some researchers, however, argue [**that** completely avoiding sunlight is not so(→ such) a good idea].

▶ 「관사(a)+형용사+명사」의 어순이 이어지므로 so는 such로 고쳐야 한다. so는 「so+형용사+관사(a)+명사」의 형태로 사용된다.

오답 해설

① Most people consider it common sense [to keep out of the sun as much as possible], ...

▶ 목적어 자리에 가목적어 it이 온 것으로 보아 진목적어인 to부정사가 목적격보어 뒤에 위치한 형태이므로 to keep이 쓰인 것은 적절하다.

③ The primary benefit of sun exposure is the production of
　　　주어　　　　　　　　동사　　보어(선행사)
vitamin D in the skin, [**which** is triggered by the sun's UVB
　　　　　　　　　　주격 관계대명사절(= and it)
rays].

▶ 선행사가 사물이고 관계사 뒤에 주어가 없는 불완전한 절이 이어지므로 계속적 용법의 관계대명사 which가 쓰인 것은 적절하다.

④ Sunlight is also believed to encourage the release of a
　→ It is also believed that sunlight encourages ....
hormone [**called** serotonin in the brain].
　　　　　↑　　　과거분사구

▶ '불리는'이라는 수동의 의미로 명사 a hormone을 수식하고 있으므로 called가 쓰인 것은 적절하다. 위의 문장은 가주어(it), 진주어(that절)의 수동태 문장에서 that절의 주어를 문장의 주어로 쓴 문장이다.

⑤ Serotonin creates a more positive mood and causes
　　　주어　　동사1　　　　　　　　　　　　　동사2
individuals **to feel** calm and focused.
　목적어　목적격보어

▶ cause는 목적격보어로 to부정사를 취하는 동사이므로 to feel이 쓰인 것은 적절하다.

어휘 common sense 상식　primarily 주로　premature 정상보다 이른　exposure 노출　trigger 유발하다, 촉발시키다　adequate 충분한, 적절한　immune system 면역 체계　monitor 감시하다, 관리하다　deficiency 결핍, 부족　susceptibility 민감성, 감수성　infection 감염, 전염병　disorder 장애, 엉망　depressive 우울증의　seasonal 계절적인

(A) The inclusion of an additional person allows the portrait
　　　주어　　　　　　　　　　　　　동사　　　목적어
artist to highlight ..., [**creating** a new layer to the mood
　목적격보어　　　　　　　분사구문(= and it creates)
and message ...].

▶ 의미상의 주어(The inclusion ~ person)와 분사가 능동의 관계이므로 현재분사 creating이 적절하다.

(B) Some artists find **it** helpful to view the two individuals
　　　　　　　　　　가목적어　　　　진목적어(to부정사구)
in the portrait as a single unit.

▶ 5형식 동사 find의 진목적어가 to부정사구로 길어질 때 목적어 자리에 접속사 that이 아닌 가목적어 it이 적절하다.

(C) Doing so helps depict a feeling of closeness (between
　　주어　　동사　　　　　　　　　선행사
the two people) [**that is** beyond the mere physical].
　　　　　　주격 관계대명사절

▶ 주격 관계대명사의 선행사인 명사구에서 수식어구를 뺀 부분이 단수 a feeling of closeness이므로 단수동사 is가 적절하다.

어휘 portrait 초상화　portray 묘사하다　addition 추가　motif 주제, 모티프　in one's own right 그 자체로, 혼자 힘으로　inclusion 포함　highlight 강조하다; 가장 밝은 부분　contrast 대조　convey 전달하다　set out to ~하려고 나서다　unity 통일성　spatial 공간적인　initial 초기의　depict 묘사하다　closeness 친밀함

4 ②

지문 해석

비록 전형적인 초상화는 한 명의 개인을 묘사하지만, 다른 사람을 추가하는 것은 사실 그 자체로 고전적인 주제이다. (A) 추가 인물의 포함은 초상화가가 두 명의 다른 인물 사이의 대조나 유사성을 강조할 수 있게 하여, 완성된 그림이 궁극적으로 전달할 분위기와 메시지에 새로운 층을 만들어 준다. 두 명의 초상 그리기에 나설 때, 화가는 그림의 구성에 세심한 주의를 기울여, 그들 몸짓의 통일성과 두 인물 사이의 공간적 관계를 확실하게 한다. (B) 어떤 화가들은 초상화의 두 인물을 하나의 단위로 보는 것이 도움이 된다고 생각한다. 예를 들어, 그들은 그림자에는 차가운 빛깔의 파란색과 보라색, 가장 밝은 부분에는 따뜻한 빛깔의 노란색과 주황색과 같은 기초 색상을 칠할 때, 두 대상 모두에 동일한 색상을 사용할 수 있다. (C) 그렇게 하는 것은 단지 물리적인 것을 넘어선 두 사람 사이의 친밀감을 묘사하는 데 도움이 된다.

어법 모의고사 **7**회

pp. 120–121

1 ⑤ 2 ③ 3 ① 4 ⑤

1 ⑤

지문 해석

우리는 왜 다른 사람들이 실제로 그러한 것보다 우리에게 더 많이 주목하고 있다고 종종 느끼는가? ① 조명 효과는 우리 자신을 무대의 중앙에 있다고 보는 것이고, 그러므로 다른 사람들의 주의가 우리에게 향해 있다고 생각하는 정도를 직관적으로 과대평가하는 것이다. ② Timothy Lawson은 대학생들로 하여금 동료 집단을 만나기 전에 앞면에 커다란 유행하는 상표가 있는 운동복 상의로 갈아입도록 함으로써 조명 효과를 조사했다. ③ 그들 중 거의 40퍼센트가 다른 학생들이 셔츠에 무엇이 쓰여 있는지 기억할 것이라고 확신했지만, 단지 10퍼센트가 실제로 그러했다. ④ 대부분의 관찰자들은 학생들이 몇 분 동안 방을 떠난 후에 운동복 상의를 갈아입은 것조차 알아차리지 못했다. ⑤ 또 다른 실험에서는 가수 Barry Manilow가 새겨진 티셔츠와 같이 매우 두드러지는 옷들조차, 오직 23퍼센트의 관찰자들만이 알아차리는 결과가 나왔다. 즉, 그들의 가슴에 1970년대 소프트 록 가수를 자랑해 보이는 학생들에 의해 추정된 50퍼센트보다 훨씬 더 적었다.

정답 해설

⑤ ..., even noticeable clothes, [such as a T-shirt {with singer
주어
Barry Manilow on it}], **provoking**(→ **provoked**) only 23
동사
percent of observers to notice ....

▶ 문장의 동사가 필요하므로 provoked로 고쳐야 한다.

오답 해설

① ..., thus intuitively overestimating the extent [to which
= to the extent
others' attention is aimed at us].
주어   동사

▶ 관계사절 내에서 선행사는 전치사 to와 함께 쓰여 to the extent의 의미가 되어야 하므로 to which가 쓰인 것은 적절하다.

② Timothy Lawson explored the spotlight effect [by having
주어   동사   목적어   사역동사
college students **change** into a sweatshirt ...].
목적어   목적격보어

▶ 사역동사 have는 목적격보어로 동사원형을 취하므로 change가 쓰인 것은 적절하다.

③ Nearly 40 percent of them were sure [the other students
                                        (that)
percent of+복수명사 동사   주어
would remember {what the shirt said}], ...
동사   목적어절

▶ 「부분 표현+of+명사」가 주어로 올 때 동사의 수는 뒤에 오는 명사에 맞추어야 하므로 were가 쓰인 것은 적절하다.

④ Most observers did not even notice [that the students
주어   동사   목적어(명사절)
changed sweatshirts ...].

▶ notice의 목적어가 필요하고 뒤에 완전한 절이 이어지므로 명사절을 이끄는 접속사 that이 쓰인 것은 적절하다.

어휘 attention 관심, 주목 spotlight 환한 조명, 스포트라이트 intuitively 직관적으로 overestimate 과대평가하다 extent 정도 aim at ~을 목표로 하다 sweatshirt 운동복 상의 noticeable 두드러지는 provoke (반응을) 유발하다, 불러일으키다

2 ③

지문 해석

① 레밍은 끊임없이 지속되는 미신의 주제인데, 그들은 해안 절벽에서 뛰어내려 집단 자살을 한다고 한다. ② 이 잘못된 믿음 때문에, 이주하는 레밍들이 때때로 강을 건너려다 익사하는 경우가 있다는 사실에 근거하여, 다른 모든 사람들이 그것을 하고 있기 때문에 특정한 방식으로 행동하기로 선택하는 인간의 현상이 '레밍 효과'라고 알려져 있다. ③ 이러한 행동은 상황에 따라 한 사람이 군중을 따르는 것이 현명하거나 어리석을 수도 있다는 점에서 일종의 양날의 검이다. 레밍 효과의 위험성에 대한 극명한 예가 1987년에 일어났다. ④ 그렇게 큰 반향을 일으킬 만한 실질적인 기업 이익의 하락이 없었음에도 불구하고 하루 만에 다우존스 산업 평균 지수는 약 23% 하락했다. ⑤ 점점 더 많은 투자자들이 주변의 다른 모든 이들이 그렇게 한다는 것 말고는 다른 이유도 없이 주식을 투매하기 시작하면서, 대량 매도는 사실 평범하게 시작되었지만 곧 집단 히스테리 형태로 커져 갔다.

정답 해설

③ ... [in that it can be either wise or foolish for(→ of) a
~라는 점에서 └가주어 either A or B: A 또는 B 의미상 주어
person to follow the crowd, depending on the situation].
진주어

▶ to부정사의 행위 주체와 문장의 주어가 달라 의미상 주어가 필요한데 사람의 성질이나 행동에 대한 판단을 나타내는 형용사가 쓰이면 「of+목적격」을 써야 하므로 of로 고쳐야 한다.

오답 해설

① Lemmings are the subjects of a persistent myth — they
주어   동사   주어
are said to commit mass suicide ....
동사

▶ It is said that they commit ~.의 가주어(it) – 진주어(that절) 문장에서 that절의 주어를 문장의 주어로 쓴 형태로 that절의 동사가 to부정사로 바뀌어야 하므로 to commit이 쓰인 것은 적절하다.

정답 및 해설 71

② **Due to** this false belief, based on the fact [**that** migrating
　　　　　명사구　　　　　　　　　　└─동격─┘　　주어

lemmings sometimes drown trying to cross rivers], ...
　　　　　　　　　동사　현재분사

▶ 뒤에 명사구가 나오므로 전치사구 Due to가 쓰인 것은 적절하다.

④ ..., the Dow Jones Industrial Average **fell** about
　　　　　　　　　주어　　　　　　　　　　동사

23%, [**despite** there **being** no drop in corporate profits
　　　　~에도 불구하고 └─유도부사

substantial ...].

▶ 전치사 despite의 목적어로 동명사 being이 쓰인 것은 적절하다.

⑤ ..., as more and more investors **began** to dump their
　　　　　　　　　주어　　　　　　　　　동사

stocks for no other reason [**than** everyone {around them}
　　　　　　　　　　　접속사　　주어　　↑
　　　　　　　　　　　(~이외에는)

was doing so].
동사

▶ every-로 시작하는 대명사는 단수 취급하므로 단수동사 was가 쓰인 것
은 적절하다.

어휘 persistent 끈질긴, 끊임없이 지속되는 myth 미신, 신화 commit
suicide 자살하다 leap off 뛰어내리다 cliff 절벽 migrate 이주하다
drown 익사하다 double-edged sword 양날의 검 stark 완전한, 극
명한 substantial 실질적인 merit 받을 만하다 sell-off (대량) 매각
modestly 조심성 있게, 알맞게 hysteria 히스테리, 과잉 반응 dump
투매하다, 헐값으로 팔다

3 ①

지문 해석

만약 어떤 것이 특히 천연자원의 맥락에서 지속 가능하다고 한다면, 그것은
미래 세대의 행복을 위협하지 않고 우리의 현재 욕구를 충족시키는 그러한
방법으로 사용될 수 있다. (A) 지속 가능성에 대한 필요는 최근 몇 년간 강
조점이 되었고, 지속 가능하지 않은 자원에 의존하는 것의 위험성과 더불어,
그것이 인간의 건강과 행복에 가져다주는 이점에 대해 대중에게 교육하기
위한 수많은 노력이 행해져 왔다. 이러한 위험은 현대에 천식이나 폐기종과
같은 질병의 급격한 증가를 촉발시킨 화석연료 방출과 같은 오염을 포함한
다. (B) 게다가, 지속 불가능한 사회와 관련된 자동차 중심적인 생활 방식
은, 건강에 좋지 않은 식품 선택의 과잉과 함께, 세계적인 비만 위기의 원인
이 되어 왔다. (C) 과밀화, 소음 공해, 과도한 소비 또한 삶의 만족도를 떨어
뜨리는 경향이 있다. 사회적으로 지속 가능한 사회에서 사람들은 행복과 건
강을 중시한다.

정답 해설

(A) ..., and numerous efforts **have** **been made** to educate
　　　　　　　　　주어　　　　　　동사

the public about the benefits ....

▶ 주어가 동사 make의 행위의 대상이 되므로 수동태 been made가 적
절하다.

(B) ..., the car-centric lifestyle [**associated** with unsustainable
　　　　　　　주어　　　　　　　　↑
　　　　　　　　　　　　　　　과거분사구

societies], (along with an excess of unhealthy food choices),
　　　　　　　　　　　　　삽입어구

has contributed to the global obesity crisis.
동사

▶ 핵심 주어 the car-centric lifestyle이 단수이므로 단수동사 has가 적
절하다.

(C) Overcrowding, noise pollution, and excessive consumption
　　　　　　　　　　　　　주어

also tend **to drive down** life satisfaction.
동사　to부정사 명사적 용법(목적어)

▶ 동사 tend는 to부정사를 목적어로 취하는 동사이므로 to drive down
이 적절하다.

어휘 sustainable 지속 가능한 in the context of ~의 맥락에서
natural resources 천연자원 well-being 행복, 복지 emphasis 강
조 emission 방출 trigger 촉발시키다 ailment 질병 associated
with ~와 관련된 excess 과잉 obesity 비만 overcrowding 과밀
화 satisfaction 만족(도)

4 ⑤

지문 해석

대부분의 사람들은 멀티태스킹이 효율성과 능력의 상징이라고 믿지만, 의식
적인 주의를 요구하는 일에 있어서는 실제로 비효율적이다. ① 피질이나 변
연계 등의 구성 요소를 포함하는 인간의 뇌 시스템은 병렬 처리 장치와 기능
이 유사할 수 있다. ② 그러나 따로 떼어놓고 생각할 때, 피질 자체는 순차적
처리 장치에 가깝다. 즉, 한 번에 한 가지만 처리할 수 있다. ③ 이러한 이유
로 피질의 집중적인 주의에 의존하는 작업은 동시에 수행될 수 없다. ④ 멀
티태스킹을 하고 있다고 생각할지 모르지만, 실제로 하고 있는 일은 여러분
의 주의를 업무에서 업무로 옮기는 것이다. ⑤ 피질이 이렇게 주의를 전환할
때마다 뇌의 처리 속도와 정확도는 떨어진다. 반면에 걷기와 대화하기 같은
일은 피질에 의해 제어되지 않아서 어느 것에서도 효율성의 손실이 거의 없
이 동시에 이루어질 수 있다.

정답 해설

⑤ [**Every time** your cortex **shifting**(→ **shifts**) attention like
　　접속어구　　　주어　　　　　동사
　　(~할 때마다)

this], your brain's processing speed and accuracy slip.
　　　　　　　주어　　　　　　　　　동사

▶ every time은 접속어구로 뒤에 절이 와야 하므로 동사 shifts로 고쳐야
한다. 주어 your cortex가 3인칭 단수이므로 단수동사를 써야 한다.

① The human brain system, [**which includes** components
　주어(선행사)　　　　　　主격 관계대명사절

such as the cortex and limbic system], may be analogous ....
~와 같은　　　　　　　　　　　　　　　동사

▶ 주격 관계대명사 which의 선행사가 단수이므로 단수동사 includes가
쓰인 것은 적절하다.

(it is)
② But the cortex itself, [**when** considered in isolation], is
　주어　　　　　　　　분사구문　　　　　　　　동사

more like a sequential processor — ....

▶ 분사구문의 의미상 주어(the cortex)와 분사가 '(따로 떼어놓고) 고려될
때'라는 의미의 수동의 관계가 되어야 하므로 과거분사 considered가
쓰인 것은 적절하다.

③ For this season, tasks [**that** rely on the focused attention
　주어　┗━┛ 주격 관계대명사절

of the cortex] cannot be performed **simultaneously**.
　　　　　　동사

▶ 동사 be performed를 수식해야 하므로 부사 simultaneously가 쓰
인 것은 적절하다.

④ ..., but **what** you're actually doing is shifting your attention
　　　　주어(관계대명사절)　　　동사 주격보어(동명사)

from task to task.

▶ 관계사절 내의 동사 are doing의 목적어가 없고 관계사 앞에 선행사가
없으므로 선행사를 포함하는 관계사 what이 쓰인 것은 적절하다. 관계
대명사 what이 이끄는 절은 '~한 것'의 의미가 되어 주어 역할을 할 수
있다.

어휘 efficiency 효율성 conscious 의식적인 component 구성 요소
be analogous to ~와 비슷하다[유사하다] parallel 병렬의, 평행의
in isolation 별개로, 홀로 sequential 순차적인 simultaneously 동
시에 shift 바꾸다 slip 떨어지다, 쇠퇴하다

어법 모의고사 8회　　　pp. 122-123

1 ⑤

지문 해석

① 최근 몇 년 동안, 때때로 '헬퍼스 하이'로 불리는 이타심의 건강상 이점들
이라는 것들에 대한 많은 연구가 있었다. 자원봉사자들은 자원봉사를 하지
않은 사람들보다 더 낮은 사망률과 더 낮은 비율의 우울증을 겪는 것으로 나
타났다. ② 우리가 이타적으로 행동할 때 우리의 뇌는 도파민, 세로토닌과
같은 행복 호르몬을 분비하는데, 이 호르몬들은 당신의 내면을 따뜻하고 기
분 좋게 느끼게 한다. 심지어 인간은 공감과 관대함을 타고났다는 설도 제기
되어 왔다. ③ 이는 우리가 거울 신경 세포를 가지고 있다는 사실과 관련이
있는데, 이는 우리가 실제로 행동을 행하든 아니면 다른 사람이 행하는 것을
단순히 관찰하든 같은 반응을 보이는 뇌세포다. ④ 그래서 그것들은 우리가
다른 사람들의 행동, 의도, 감정을 이해하게 해 준다. ⑤ 이것은 또한 자원봉
사를 하는 것이 만족감을 주는 이유이기도 한데, 누군가 행복과 감사를 경험
하는 것을 목격하는 것은 우리의 뇌가 이러한 감정을 우리 자신에게 다시 반
영하도록 하기 때문이다.

정답 해설

⑤ ... witnessing someone experienced(→ experience)
　　주어(동명사)　　목적어　　　　목적격보어

happiness and gratitude causes our brains to reflect these
　　　　　　　　　　　동사　 cause+목적어+to-v(목적격보어):
emotions ....　　　　　　　　~가 …하도록 야기시키다

▶ witness는 목적어와 목적격보어를 취하는 지각동사로, 목적어(someone)
와 목적격보어가 능동의 관계이므로 동사원형 experience나 현재분사
experiencing으로 고쳐야 한다.

오답 해설

① There has been a great deal of research (in recent years)
　　　　동사　　　　　주어　　　　　　　전치사구
[into the alleged health benefits of selflessness, {sometimes
　　　　　　　　　　　　　　　　　　　　　　　과거분사구
referred to as a "helper's high."}]

▶ 문맥상 '~라고 불리는'의 수동의 의미가 되어야 하므로 과거분사 referred
가 쓰인 것은 적절하다.

② [**When** we behave selflessly], our brains release happy
　　접속사 주어 동사　　　　　　　주어　 동사
hormones such as dopamine and serotonin, ...
　　　　　　목적어

▶ 동사 behave를 수식해야 하므로 부사 selflessly가 쓰인 것은 적절하다.

③ This is related to the fact [**that** we possess mirror neurons
　　　　　　　　　　　　　　└─동격─┘　　　　　　　　　　선행사
{**which are** brain cells (**that** show the same response ...)}].
계속적 용법의　선행사 ↑└──┘　주격 관계대명사절
주격 관계대명사절

▶ 계속적 용법으로 쓰인 주격 관계대명사 which의 선행사가 복수이므로
복수동사 are가 쓰인 것은 적절하다.

④ Therefore, they allow us **to understand** the actions,
　　　　　　　　　allow+목적어+목적격보어(to-v): ~가 …하게 하다
intentions and feelings of others.

▶ allow는 목적격보어로 to부정사를 취하는 동사이므로 to understand
가 쓰인 것은 적절하다.

어휘 alleged (증거 없이) 주장된, ~이라고들 말하는 selflessness
이타심 mortality rate 사망률 depression 우울(증), 의기소침
hardwired 타고나는 empathy 공감, 감정 이입 generosity 너그러
움 neuron 뉴런, 신경 세포 intention 의도 witness 목격하다
gratitude 고마움, 감사

▶ 비교급의 의미를 강조할 때는 even, much, still, far, a lot 등을 써야
하므로 even이 적절하다.

(C) **Ingesting** a wide variety of foods ensures [**that** your
　　　주어(동명사구)　　　　　　　　　　　동사　목적어(명사절)
body gets neither too much nor too little of a particular
　　　　　　　neither A nor B: A도 B도 아니다
nutrient].

▶ ensures가 문장의 동사로 주어가 되어야 하므로 주어 역할을 할 수 있
는 동명사 Ingesting이 적절하다.

어휘 elusive 찾기 힘든, 이해하기 어려운 undeniable 부정할 수 없는,
명백한 allure 매력 exaggerate 과장하다 credible 믿을 수 있는
miraculously 기적적으로 wipe away 제거하다, 없애다 accumulate
모으다, 축적하다 ailment 질병 deficiency 결핍, 부족 excessive
지나친, 과도한 ingest 먹다, 섭취하다

---

2 ⑤

지문 해석

우리는 신체의 건강을 향상시키기 위해 이해하기 어려운 방법을 끊임없이
추구하고 있기 때문에, 슈퍼푸드의 개념이 매력적이라는 것을 아는 것은 지
극히 당연한 일이다. 그것들의 과장된 혜택과 그럴듯하게 들리는 과학적 주
장이라는 특별한 조합에는 부정할 수 없는 매력이 있다. (A) 물론, 슈퍼푸드
는 대개 몸에 해를 끼치지 않기 때문에 여러분이 슈퍼마켓에 있을 때 그것들
을 선택하지 않을 이유는 없다. 그러나 여러분은 균형 잡힌 식단을 채택하는
것만으로도 비슷한 혜택을 얻을 수 있다. 어떤 단일 음식도 여러분의 누적된
모든 건강 질환을 기적적으로 없애거나 여러분의 몸이 필요로 하는 모든 범
위의 영양소를 제공할 수는 없다. (B) 예를 들어, 비타민 결핍은 해로울 수
있지만, 과도한 수치는 잠재적으로 훨씬 더 심각할 수 있다. 그러므로 어떤
단일 성분에만 초점을 맞추기보다는 신선하고 영양소가 풍부한 음식으로 전
체적으로 균형 잡힌 식단을 구성하는 것을 시도해야 한다. (C) 다양한 음식
을 먹는 것은 여러분의 몸이 특정한 영양소를 너무 많거나 너무 적게 섭취하
지 않게 해 준다.

정답 해설

(A) ..., **so** there is no reason not to **pick them up** [**when**
접속사(그래서)　동사　주어 ↑└──┘ to부정사 부정　〈시간〉의
　　　　　　　　　　　　　　(not+to-v)　　부사절
you're at the supermarket].

▶ 타동사와 부사가 하나의 동사구를 이루는 경우 대명사 목적어는 반드시
타동사와 부사 사이에 와야 하므로 pick them up이 적절하다.

(B) ..., but excessive levels can potentially be **even** worse.
　　　　　　　　　　　　　　　　　　　　　└─↑ 비교급

---

3 ②

지문 해석

지구는 태양으로부터 9천 3백만 마일 떨어져 있으며, 이것이 우리 행성이
생명체에 도움이 되는 다양한 온도를 가지고 있는 이유이다. (A) 그런데 어
떻게 지구가 그렇게 완벽한 위치에 놓이게 된 것일까? 그저 우연일까? 이
질문에 접근하는 가장 좋은 방법은 여러분이 신발 가게에서 단 하나의 사이
즈를 팔고 있다고 잘못 생각하고 그곳에 들어가는 상상을 하는 것이다. (B)
판매원이 당신의 발에 맞는 한 켤레를 가져다 줄 때, 여러분은 놀랄 것이다.
당신은 '이 가게의 하나의 신발 사이즈가 내 것과 같을 가능성은 얼마나 될
까?'라고 생각할 것이다. 하지만 여러분이 그 상점이 실제로는 대부분의 사
이즈를 갖춰 두고 있다는 것을 알게 되면, 그 질문은 사라진다. 수많은 행성
들이 공전하는 수많은 별들이 있는 장소인 우리 우주도 비슷한 상황을 나타
낸다. (C) 그 수많은 행성들 중 하나가 호스트 항성에서 적절한 거리에 위치
해서 생명체가 번성하게 되는 것은 그리 놀라운 일이 아니다.

정답 해설

(A) But how did Earth come to be situated in such a perfect
　　　　　　　　주어　　　동사
position — is it just a coincidence?

▶ 주어 Earth가 '(위치)에 놓아 지는 것'으로 주어와 동사는 수동의 관계이
므로 수동태 be situated가 적절하다.

(B) [**When** the salesclerk brings you a pair of shoes {**that**
　　부사절　　주어　　　동사 간·목 직·목　　　　　관계대명사절
fit your feet}], you would be **amazed**.

▶ 주어 you가 감정을 느끼는 대상이므로 놀라게 된 상태를 나타내는 과거
분사 amazed가 적절하다.

(C) ... it's no big surprise [**that** one of those countless
　　　　가주어　　　　　진주어　　　　　　　주어(단수)
planets is positioned at the right distance from **its** host
　　　　　　동사
star to allow life to thrive].

▶ 주어 one of those countless planets를 가리키는 대명사의 소유격이므로 단수형 its가 쓰인 것은 적절하다.

　어휘　a range of 다양한　be situated in ~에 위치하다　coincidence 우연　carry ~을 팔고 있다　stock (상품을 갖춰 두고) 있다, 저장하다　evaporate 사라지다, 증발하다　countless 수많은　position 위치를 정하다　host star 호스트 항성　thrive 번성하다

4 ①

　지문 해석

① 쥐들은 사랑스럽고, 사자들은 노래하며, 소녀는 얼음과 눈을 만들고 통제할 수 있는데, 이 모든 것들은 약 1,000억 달러의 시장 가치를 가진 것으로 추정된다. 이 기괴하지만 수익성이 있는 세계는 디즈니 창조 전략에 의해서 만들어졌다. ② 그 전략은 세 가지 독립된 모드로 나뉜다. ③ 첫 번째는 몽상가 모드로 알려져 있는데, 여기에서 참여자들은 자신의 상상력을 자유롭게 설정하고 새로운 생각과 이전에는 존재하지 않았던 옵션을 제안하도록 권장된다. ④ 다음은 현실가 모드인데, 거기에서는 각각의 생각에 대한 실행 계획, 시간 제약, 재정적 요구가 고려되는데, 필요한 곳에서 절충이 이루어진다. 마지막 단계는 비평가 모드이다. ⑤ 이 부분에서, 모든 사람은 악마의 옹호자 역할을 하면서 잠재적으로 잘못될 수 있는 것에 대한 관점에서 그것을 들여다보려고 노력한다. 함께, 이 세 가지 모드들은 각 프로젝트의 실현 가능한 청사진을 만들기 위해 상상력과 현실성의 균형을 만들어 낸다.

　정답 해설

① Mice are adorable, lions sing, and a girl can create and
　　　　문장1　　　　　문장2
control ice and snow, [all of them(→ all of which) are
문장3　　　　　　　　　　= and all of them
estimated to have a market value ...].
~할 것으로 추정되다

▶ 접속사 and로 병렬 연결된 세 개의 문장을 선행사로 하는 계속적 용법의 관계사절이 되어야 하므로 all of which로 고쳐야 한다.

　오답 해설

② The strategy is **divided** into three separate modes.
　　　　　주어　　　　　동사

▶ 주어 The strategy는 '나뉘어지는' 동작의 대상이므로 수동태 divided 가 쓰인 것은 적절하다.

③ The first is known as the dreamer mode, [**in which**
　　　　　be known as: ~로 알려지다　선행사　　계속적 용법
participants are encouraged **to set** their imaginations free
　　(to)
and suggest new ideas ...].

▶ encourage가 쓰인 5형식 문장을 수동태로 바꾼 문장으로 목적격보어인 to부정사가 동사 뒤에 그대로 남으므로 to set이 쓰인 것은 적절하다.

　　　　　　　　　　　　선행사
④ Next comes the realist mode, [**during which** the logistics,
　　　부사+동사+주어(도치)
time constraints, and financial demands of each idea are
　　　　　　　　　　　　　　주어
considered, ...].
　동사

▶ 관계사 뒤에 완전한 절이 이어지고, 선행사가 관계사절 내에서 전치사 during과 함께 쓰여야 하므로 during which가 쓰인 것은 적절하다.

⑤ ..., everyone plays devil's advocate, [**striving** to look at it
　　　　　　주어　　　동사　　　　　　　　　분사구문(동시동작)
from the perspective of {**what** could potentially go wrong}].
　　　　　　　　　　주격 관계대명사절(전치사의 목적어)

▶ 분사구문의 의미상 주어인 everyone과 능동 관계를 이루어 동시동작을 나타내고 있으므로 현재분사 striving이 쓰인 것은 적절하다.

　어휘　adorable 사랑스러운　approximately 대략, 거의　bizarre 기이한, 특이한　profitable 수익성이 있는　nonexistent 존재하지 않는 (것)　logistics 실행 계획　constraint 제약, 제한　trade-off 균형, 거래, 절충　critic 비평가　advocate 옹호자, 지지자　strive 노력하다, 애쓰다　perspective 관점　potentially 잠재적으로　viable 실행 가능한, 성공할 수 있는　blueprint 청사진, 계획

pp. 124-125

1 ④ 2 ④ 3 ⑤ 4 ②

1 ④

지문 해석

상호[호혜]주의라고 알려진 현상에서, 사람들은 다른 사람들이 그들에게 호의를 베풀고 난 후에 호의로 보답할 의무가 있다고 느끼는 경향이 있다. (A) 이러한 소망은 기업이 고객들에게 무료 샘플을 제공할 때 정확히 기대하는 것이다. 이런 샘플을 받은 사람들은 호의에 보답해야 한다는 강박을 느끼기 쉬운데, 그들은 종종 구매를 함으로써 보답한다. (B) 소매 상거래에 상호[호혜]주의가 미치는 영향을 조사하는 한 언론인은 후한 무료 샘플 정책으로 잘 알려진 한 상점에서 쇼핑하는 사람들의 행동을 연구했다. 그는 고객들에게 돈을 쓰도록 강요하는 또 다른 요인이 있다는 것에 주목했다. 그는 쇼핑객들이 무료 샘플을 받을 때 주변 사람들에 대한 인식이 높아져 구매해야 하는 사회적 압력이 생길 수 있다고 전했다. (C) 어느 쪽이든, 이런 두 가지 심리적 효과는 무료 샘플을 제공하는 것이 그들의 매출을 증대하려는 기업들에게 효과가 있음을 의미한다.

정답 해설

(A) This desire is exactly what businesses are banking on
　　　　　주어　　동사　　　　　　보어(관계대명사절)
[when they offer free samples to customers].
　부사절

▶ 관계사 앞에 선행사가 없고 관계사절 안의 동사 are banking on의 목적어가 없으므로 선행사를 포함하는 관계대명사 what이 적절하다. 관계대명사 what이 이끄는 절이 주격보어 역할을 한다.

(B) A journalist [looking into the effects of reciprocity on
　　　주어　　　　현재분사구
retail commerce] studied the behavior of shoppers at a
　　　　　　　　동사
store [known for its generous free-sample policy].
　　　과거분사구 (= a store)

▶ a store를 가리키는 대명사의 소유격을 나타내야 하므로 its가 적절하다.

　　　　　　　　　　　　　목적어(접속사 that절)
(C) Either way, these two psychological effects mean [that
　　　　　　　　　　　　　주어　　　　　동사
offering free samples works for businesses {trying to
주어(동명사구)　　　동사　　　　　　　현재분사구
increase their sales}].

▶ 접속사 that절의 주어는 동명사구이므로 단수동사 works가 적절하다.

어휘 phenomenon 현상 obligated 의무가 있는 bank on ~을 기대하다, 의지하다 compulsion 강박 journalist 언론인 retail 소매 generous 관대한 policy 정책 aware of (~을) 의식하고 있는 psychological 심리적인 work 효과가 있다

2 ④

지문 해석

고양이는 액체일까 고체일까? 이는 '사람들을 웃게 한 후 생각을 하게 만드는' 연구에 경의를 표하는 노벨상의 패러디인 이그 노벨상을 과학자가 타게 할 수 있는 종류의 질문이다. ① 하지만 Paris Diderot 대학의 물리학자인 Marc-Antoine Fardin은 이런 생각을 하면서 집고양이가 액체처럼 흐물거리는지 아닌지를 알아내는 것을 시작한 것은 아니었다. ② Fardin은 털로 덮인 이 애완동물이 물과 같은 액체가 하는 것과 유사하게 그들이 들어가 앉아 있는 용기의 모양에 맞게 조절할 수 있다는 것을 알아냈다. ③ 그래서 그는 고양이가 꽃병 또는 욕조의 공간을 채우는 데 걸리는 시간을 계산하기 위해 물질의 변형을 다루는 물리학의 한 분야인 유동학을 적용했다. 결론은? 고양이는 환경에 따라 액체도 될 수 있고 고체도 될 수 있다. ④ 작은 상자 안의 고양이는 그 모든 공간을 채우며 액체처럼 행동할 것이다. ⑤ 하지만 물로 가득 찬 욕조 안의 고양이는 그것과의 접촉을 최소화하려고 노력하면서 고체와 매우 유사하게 행동할 것이다.

정답 해설

④ A cat in a small box will behave like a fluid, [filled(→ filling) up all the space].
분사구문(동시동작)

▶ 분사구문의 의미상 주어인 a cat이 '(공간을) 채운다'는 능동의 관계이므로 filling으로 고쳐야 한다.

오답 해설

① But it wasn't with this in mind that Marc-Antoine Fardin,
　　　　　it ~ that 강조 구문: 부사구 강조　　　　　　주어
[a physicist at Paris Diderot University], set out to find out
=　　　　　　　삽입어구(동격)　　　　　　동사
[whether house cats flow].
목적어(명사절을 이끄는 접속사: ~인지 아닌지)

▶ 문맥상 부사구 with this in mind를 강조하는 「it was ~ that」 강조 구문이 사용된 문장이므로 that이 쓰인 것은 적절하다.

② ... these furry pets can adapt to the shape of the
　　　　　(that)　주어　　동사
container [they sit in] similarly to [what fluids such as
선행사　　　　　　　~와 유사하게　전치사의 목적어
　　　　　　　　　　　　　　　　　(관계대명사절)
water do].

▶ 앞에 나온 동사 adapt를 수식하는 부사 similarly가 쓰인 것은 적절하다.

　　　　　　　　　　　　　　　(that(which))
③ ..., to calculate the time [it takes for cats to take up the
　　　　　　　　　　　　　　가주어 의미상의 주어
space of a vase or bathroom sink].
진주어(to부정사구)

▶ 관계사절 내에서 to부정사구가 문장의 진주어이므로 가주어 it이 쓰인 것은 적절하다. 「it takes+시간+for+목적격+to부정사」는 '목적어가 ~ 하는데 시간이 걸리다'를 나타낸다.

⑤ But a cat [in a bathtub {full of water}] will try to minimize
　주어 (which is)　　　　　　　　　동사1
its contact with it and behave very much like a solid.
　　　　　　　　(will)　동사2

▶ 두 개의 동사가 접속사 and로 병렬 연결되어 있으므로 behave가 쓰인 것은 적절하다.

어휘 liquid 액체 solid 고체 parody 패러디 physicist 물리학자 set out 시작하다, 착수하다 furry 털이 많은, 털로 덮인 adapt to ~에 적응하다 fluid 액체 rheology 유동학 deformation 변형 calculate 계산하다 circumstance 환경, 상황 minimize 최소화하다

3 ⑤

지문 해석

덕목은 특정 문화의 구성원들이 칭찬할 만하다고 여기는 자질이다. (A) 그것들은 공유된 믿음을 가지고 있는 집단의 행동 기대치를 나타낸다. 예를 들어, 어떤 문화는 여성이 남성에게 공손하게 대하기를 기대하는 반면, 다른 문화는 이러한 행동을 일종의 무례로 여긴다. 연구에 따르면 도덕에 대해 서구적 관점을 가진 사람들은 흔히 그들이 옳고 그름 사이를 명확하게 구분 짓고 있다는 것을 인식하지 못한다. (B) 그러나 어떤 것이 맞거나 틀려야 한다는 견해는 사람들이 다른 사람들의 명예를 지키는 데 더 집중하는 지중해 문화에는 공유되지 않는다. 덕목이 항상 문화와 전적으로 관련되는 것은 아니다. 광범위한 문화권에서 널리 공유되는 용기나 비겁함에 대한 몇몇 관점이 있다. (C) 자신의 문화와 다른 문화에서 일하는 사람들은 자신의 동료들이 자신의 가치 체계를 공유하지 않을 수도 있다는 것을 절실하게 인식해야 한다.

정답 해설

(A) They represent the behavioral expectations of a group
　　주어　　동사　　　　　　　　　　　　　　선행사↰
[that has a shared set of beliefs].
└─ 주격 관계대명사절

▶ 주격 관계대명사절 that의 선행사가 단수이므로 단수동사 has가 적절하다.

(B) But the view [that things must be either right or wrong]
　　주어 └─동격─┘　　　　　　　either A or B: A 혹은 B
is not shared by Mediterranean cultures, [where people
동사　　　　　　　　　　　선행사　　　　　　관계부사
　　　　　　　　　　　　　　　　　　　　　(= and there)
are more focused on ...].

▶ the view의 내용을 설명하면서 that 다음에 완전한 절이 이어지므로 동격절을 이끄는 접속사 that이 적절하다.

(C) People [who work in cultures {different from their own}]
　　주어↰ └─ 주격 관계대명사절 ↰　　형용사구
must remain acutely aware that ....
동사

▶ 문맥상 명사 cultures를 수식해야 하므로 형용사 different가 적절하다.

differently가 되면 동사 work를 수식하게 되므로 문맥상 어색하다.

어휘 virtue 덕목, 미덕 quality 자질 praiseworthy 칭찬할 만한 behavioral 행동에 관한, 행동적인 disrespect 무례 perspective 관점 morality 도덕 distinction 차이, 대조 draw 도출해 내다 Mediterranean 지중해의 uphold 지키다 relative to ~에 관련된 cowardice 비겁함 hierarchy 체계, 계층

4 ②

지문 해석

시차증은 사람들이 시간대를 가로질러 이동할 때 발생하는 일시적인 수면 장애이다. ① 인간의 몸은 생물학적 주기 리듬이라고 알려진 24시간 주기로 설정된 내부 생체 시계를 갖추고 있다. 신체 시계가 맞지 않아서 다시 맞출 필요가 있을 때, 시차증이 발생한다. ② 짧은 기간에 가로지르는 시간대가 많을수록 피로감, 불면증, 깨어 있는 것의 어려움 등 시차증의 증상들이 심해질 가능성이 높아진다. ③ 문제의 일부는 시상하부라고 불리는 뇌의 작은 부분이 원인이 된다. ④ 시상하부는 배고픔, 갈증, 수면 같은 다양한 신체 기능의 활성화를 포함하여 중요한 역할을 한다. ⑤ 시상하부가 밤이 되었다고 알려주는 시신경으로부터 정보를 받을 때, 그것은 여전히 원래 시간대에 맞춰져 있는 신체가 준비되지 않은 다양한 기능을 작동한다. 그 결과 시차증이 발생한다.

정답 해설

② More(→ The more) time zones a person crosses in a
　　　목적어　　　　주어　　동사
short period, the more severe the symptoms of jet lag,
　　　　　　　　보어　　　　　　주어
such as tiredness, ..., are likely to be.
　　　　　　　　　　　　　동사

▶ '~할수록 더 ~하다'는 의미의 「the+비교급, the+비교급」 구문이 쓰인 문장으로 The more로 고쳐야 한다.

오답 해설

① The human body is equipped with an internal biological
　　주어　　　　　　동사
　　　(which is)
clock [set on a 24-hour cycle {known as a circadian
　　　↰──┘ 과거분사구　　　　　↰──┘ 과거분사구
rhythm}].

▶ an internal biological clock은 '설정되어지는' 것으로 분사와 수동의 관계이므로 과거분사 set이 쓰인 것은 적절하다.

③ Part of the problem is caused by a tiny part of the brain
　　part of+명사: of 뒤의 명사에 수 일치　　　　　　↰
　(which is)
[called the hypothalamus].
　↰──┘ 과거분사구

▶ a tiny part of the brain은 '~라 불리는' 것으로 분사와 수동의 관계이므로 과거분사 called가 쓰인 것은 적절하다.

④ The hypothalamus plays significant roles, [including the
　　　　주어　　　　　동사　　　　　　　　　　전치사(~을 포함하여)
activation of various body functions, ...].

▶ significant roles를 부연 설명하는 것으로 전치사 including이 쓰인
것은 적절하다.

⑤ ..., it sets in motion various functions [**that** the body,
　　　　　　　　　　　　　선행사(for의 목적어)　　　　　　　주어
{**which** is still synched to your original time zone}, is not
주격 관계대명사절　　　　　　　　　　　　　　　　　　　　동사
ready for].

▶ 관계대명사 that절의 주어는 the body이므로 단수동사 is가 쓰인 것은
적절하다.

어휘 jet lag 시차증(비행기를 이용한 장거리 여행 시 시차로 인한 피로감)
temporary 일시적인, 임시의　disorder 장애, 엉망　transit 가로지르
다, 이동시키다　internal 내부의　biological 생물의　circadian 생물학
적 주기의　out of synch ~와 맞지 않는　play a role 역할을 맡다
activation 활성화　optic 눈의, 시력의　nerve 신경　set in motion
활기를 띄게 하다, ~에 시동을 걸다　synch 동기화하다, 동시에 일어나게
하다(= synchronize)

---

1 ②　2 ⑤　3 ④　4 ③

1　②

지문 해석

기자들이 진실을 보도해야 한다는 데 동의할 수 있다. ① 하지만, 논픽션과
다른 표현적 노력을 구분하지 않기 때문에, 이러한 진술만으로는 충분하지
않다. 소설가들은 시인, 영화 제작자, 화가들과 마찬가지로 종종 중요한 진
실을 밝혀낸다. ② 이 모든 사람들은 현실을 반영하는 것들을 창조하고, 논
픽션 작가들 또한 그렇다. ③ 픽션 작가들은 일반적으로 자신의 작품을 좀
더 사실적으로 만들기 위해 사실들을 이용하고, 독자들이 몰입할 수 있는 실
제적 세계를 창조한다. ④ 소설가들은 우리의 불신을 멈추고 과거가 마치 현
재인 것처럼 경험할 수 있도록 정교하게 연마된 사실적인 디테일을 사용함
으로써 우리를 역사적 시대로 인도할 수 있다. 논픽션 작가들 또한 진실을
보다 극적인 방식으로 드러내기 위해 소설가의 방식을 사용한다. ⑤ 이와 같
이 사실과 허구의 경계는 끊임없이 흐릿해지고 있다.

정답 해설

② All of these people create things [**that** mirror reality], and
　　　　　　　　　　　주어　　　　동사　↑　　주격 관계대명사절
so does(→ do) nonfiction writers.
　　동사　　　　　　주어

▶ '~도 그렇다'는 의미의 「so+동사+주어」가 쓰인 구문으로 주어가 복수명
사 nonfiction writers이므로 복수동사 do로 고쳐야 한다. 동사 do는
앞 문장의 create를 대신한다.

오답 해설

① ..., such a statement is not sufficient on its own, [for
　　　　　　　주어　　　　　동사　　　　　　　　　접속사(~ 때문에)
it does not distinguish nonfiction from other expressive
주어　　　　동사(distinguish A from B: A와 B를 구분하다)
endeavors].

▶ 뒤에 「주어+동사」 형태의 절이 이어지므로 이유를 나타내는 접속사 for
가 쓰인 것은 적절하다.

③ ... to making their work more realistic, [**creating** authentic
　　　　　　　　　　　　　　　　　　　　　分사구문　　　선행사
worlds {**in which** readers can immerse themselves}].
　↑　　목적격 관계대명사절　　immerse oneself in: ~에 몰두하다

▶ 선행사가 관계사절 내에서 immerse oneself in의 목적어 역할을 하므로
전치사 in이 목적격 관계대명사 앞에 온 in which가 쓰인 것은 적절하다.

④ ... through the use of finely honed, factual details [**that**
　　　　　　　　　　　　　　　　　　　　　선행사　　　　　↑
allow us to suspend our disbelief and experience the past
주격 관계대명사절　└ 목적격보어1　　(to)　　　목적격보어2
{**as if** it **were** the present}].
　　　　　주어 동사

78　Supreme 수능 어법 〈실전〉

▶ 문맥상 주절과 같은 시점에 대한 가정이므로 「as if+주어+과거동사」의 가정법 과거인 were가 쓰인 것은 적절하다.

⑤ In this way, **the line** [between fact and fiction] is
　　　　　　　　　주어 ←─── 전치사구 ───　　　　　　동사
constantly being blurred.
be+being p.p.: 진행 수동태

▶ 주어가 the line이므로 단수동사 is가 쓰인 것은 적절하다.

어휘 journalist 기자, 언론인 endeavor 노력, 시도 uncover 밝히다, 알아내다 mirror 반영하다, 잘 보여 주다 with a view to v-ing ~할 목적으로 authentic 실제의, 진정한 immerse 몰입시키다 finely 정교하게 hone 연마하다, 갈다 factual 사실적인 suspend 중지시키다 disbelief 불신 blur 흐릿해지다

2 ⑤

지문 해석

(A) '신체 긍정성'이란 모양, 치수, 겉모습에 관하여 사회가 이상적이라고 생각하는 것과 관계없이, 모든 사람이 그들의 신체에 대해 좋게 느낄 권리를 갖고 있다는 생각을 말한다. 사람들은 미디어 메시지가 그들의 자기 성찰에 어떻게 영향을 미치는지에 대해 비판적으로 생각하고 그들 자신의 신체와 더 건강하고 더 현실적인 관계를 발전시키도록 권장된다. (B) 안타깝게도, 그 좋은 의도에도 불구하고, 신체 긍정성은 역효과를 가져왔다. 그 생각은 지나치게 상업화되었고, 어떤 사람들은 항상 신체 긍정을 느끼지 못하는 것에 대해 실제로 죄책감을 느낀다. 이러한 이유로, 새로운 개념이 도입되었는데, 바로 신체 중립성이다. 그 생각은 사람들이 그들의 겉모습에 대해 덜 생각하고, 그들의 신체가 할 수 있는 모든 것에 집중해야 한다는 것이다. (C) 즉, 당신의 다리가 보이는 형태를 좋아한다고 스스로에게 말하기보다는, 다리가 당신이 매일 학교에 걸어갈 수 있게 해 준다는 사실에 감사해야 한다.

정답 해설

(A) ... all people have the right to feel good about their
　　　　　　　　　　　　　　　the right to-v: ~할 권리
bodies, **regardless of** [what society considers ideal in
　　　　　　~에도 불구하고　└─ 주어　　　동사　　목적격보어
terms of shape, ...].　　　　└ 관계대명사절(명사절)

▶ regardless of 뒤에 선행사에 해당하는 목적어가 없고, 관계사절 안에 동사 considers의 목적어가 필요하므로 선행사를 포함한 관계대명사 what이 적절하다.

(B) Unfortunately, [**despite** its good intentions], body
　　　　　　　　　　　　　　　　　　명사구
positivity has had adverse effects.

▶ 명사구 앞이므로 전치사 despite가 적절하다.

(C) ..., rather than telling **yourself** [**that** you love {**how** your
　　　　　　　　　　4형식 동사 간접목적어　직접목적어(명사절)
legs look}], **you** should appreciate the fact ....
간접의문문(의문사+주어+동사)

▶ 동명사 telling의 의미상 주어인 you와 목적어가 동일한 대상을 가리키므로 재귀대명사 yourself가 적절하다.

어휘 positivity 긍정, 확신, 적극성 regardless of ~와 상관없이 ideal 이상적인 critically 비판적으로 perspective 관점, 시각 realistic 현실적인 adverse effect 역효과, 부작용 overly 너무, 몹시 commercialize 상업화하다 introduce 도입하다 neutrality 중립

3 ④

지문 해석

고대 로마 역사에 대한 우리의 지식은 극히 좁은 인구 통계 즉, 부유하고 힘 있는 로마 남성들의 문학적 산물에 기초하고 있다. ① 이 남성들은 로마 제국 전체 인구의 0.5 퍼센트도 되지 않았지만, 로마 역사 저술의 절대적 독점을 이루어 냈다. ② 이는 우리가 고대 로마의 평범한 시민의 관점을 완전히 이해할 수 없게 막는 장애물이다. ③ 사상이나 역사적 사건을 전달하는 가장 효율적인 방법은 글쓰기를 통해서인데, 고대 로마에는 정규 교육의 의무적인 체계가 없었다. ④ 가장 부유한 집안의 남성들만이 교육을 받을 것으로 기대할 수 있었으므로, 평범한 로마인들은 읽고 쓸 수 있는 사람이 거의 없었다. ⑤ 그럴 수 있는 사람들에게 있어 그들의 글을 보존하는 것에 대한 두 번째 장애물은 단순히 아무도 그렇게 하려고 노력하지 않았다는 점이었다. 최상류층 사람들의 글은 중시되고, 복제되고, 때로는 보호받은 반면 일반 사람들의 글은 그런 대접을 받을 가능성이 훨씬 적었다.

정답 해설

④ Only male members of the wealthiest families could
　　　　　　　　　주어　　　　　　　　　　　　　동사
expect **receiving**(→ **to receive**) an education, ...
　　　　　목적어(to부정사구)

▶ expect는 to부정사를 목적어로 취하는 동사이므로 to receive로 고쳐야 한다.

오답 해설

① These men **comprised** less than half a percent [of the
　　주어　　　동사　　　　　　　　　　　↑── 전치사구
Roman empire's total population], ...

▶ comprise는 '~을 차지하다, ~으로 구성되다'의 의미의 타동사이므로 comprised로 쓰인 것은 적절하다.

② This is an obstacle [**that prevents** us from fully
　　　　　　선행사　↑　└ 주격 관계대명사절
understanding the point of view of everyday citizens of
prevent A from v-ing: A가 ~하는 것을 막다[방해하다]
ancient Rome].

▶ 선행사 an obstacle을 주어로 하는 주격 관계대명사절의 동사로 단수동사 prevents가 쓰인 것은 적절하다.

③ The most efficient way [of transmitting ideas or historical
　　　　　주어　　　　　　　　　전치사구
occurrences] is through writing, ...
　　　　　동사

▶ 주어가 단수이므로 단수동사 is가 쓰인 것은 적절하다.

　　　　　　　　(read and write)
⑤ For those [that could], a second obstacle [to preserving
　　　　　　└─┘ 주격 관계대명사절　주어　└─┘ 전치사구
their writing] was simply [that no one made an effort to do
　　　　　　　 동사　　　　 주격보어(명사절)
so].

▶ obstacle to는 '~에 대한 장애물'이라는 의미로 여기서 to는 전치사이
　므로 to 다음에 동명사 preserving이 쓰인 것은 적절하다.

어휘 literary 문학의　demographic 인구 통계　comprise ~으로
구성되다, ~을 포함하다　absolute 절대적인, 완전한　monopoly 독점
authorship 저술, 저자　obstacle 장애물　transmit 전송하다
occurrence 사건　mandatory 의무적인　preserve 보존하다　elite
최상류층 사람들　treatment 대우, 대접

4 ③

지문 해석

① Dunning-Kruger 효과는 특정 분야에 대한 기술이나 지식이 부족한
사람들이 자신들의 관련 능력을 과대평가하는 경향을 갖게 하는 인지적 편
견이다. ② 그것은 Justin Kruger와 David Dunning이라는 한 쌍의 연
구자들에 의해 처음 설명되었는데, 그들은 실험 대상자들로 하여금 특정 영
역에서의 그들의 능력을 측정하도록 설계된 테스트를 완료하도록 요구하는
실험을 수행했다. ③ 테스트를 완료한 후, 실험 대상자들은 자신들이 테스트
에서 얼마나 잘했는지를 예측해 보라는 지시를 받았다. 실험 대상자들은 대
체로 자신의 점수를 과대평가했고, 실제 점수가 가장 낮은 사람들이 특히 그
랬던 것으로 나타났다. ④ Dunning에 따르면, '어떤 일에 능숙해야 하는
지식과 지능은 누군가 그 일에 능숙하지 못하다는 것을 인식하는 데 필요한
자질과 동일한 경우가 많다'고 한다. ⑤ 즉, 특정 주제에 대한 지식이 부족한
사람들은 종종 자신의 지식이 한정되어 있다는 것을 깨달을 만큼 충분히 알
지 못한다.

정답 해설

③ [After they finished the test], the subjects were instructed
　〈시간〉의 부사절　　　　　　　 주어　　　　 동사
to predict [how well they have done(→ had done) on the
　　　　　　 간접의문문(의문사+주어+동사)
test].

▶ 지시를 받는 시점(과거)보다 테스트를 치렀던 시점이 더 이전이므로 대과
　거 had done으로 고쳐야 한다.

오답 해설

① The Dunning-Kruger effect is a cognitive bias [that
　　　 주어　　　　　　　　　　동사　　 주격 관계대명사절
causes people {who lack skills in or knowledge of a certain
　 동사　목적어└─┘ 주격 관계대명사절
field} to have the tendency ...].
　　 목적격보어

▶ 동사 causes는 목적격보어로 to부정사를 취하므로 to have가 쓰인 것
　은 적절하다.

② ... an experiment [in which subjects were asked to
　　　　　　　　　　 └─┘ 전치사+관계대명사(= where)
　　　　　　　　　　(which were)
complete tests {designed to measure their skills ...}].
　　　　　　　└─┘ 과거분사구

▶ 앞의 명사 tests는 '설계되는' 것으로 분사와 수동의 관계이므로 과거분
　사 designed가 쓰인 것은 적절하다.

④ ..., "the knowledge and intelligence [that are required to
　　　　　 주어　　　　　　　　　　 └─┘ 주격 관계대명사절
be good at a task] are often the same qualities ....
　　　　　　 동사

▶ 선행사가 the knowledge and intelligence로 복수이고, 주격 관계
　대명사절의 주어이므로 동사로 are가 쓰인 것은 적절하다.

⑤ ..., those [who lack knowledge about a certain topic]
　　　　　 주어└─┘ 주격 관계대명사절
often don't know enough to realize [that their knowledge is
　　　　 동사　　 ~할 만큼 충분히　 목적어(명사절)
limited].

▶ realize의 목적어가 없고 that 다음에 완전한 절이 이어지므로 명사절을
　이끄는 접속사 that이 쓰인 것은 적절하다.

어휘 cognitive 인지적인　bias 편견　tendency 경향　overestimate
과대평가하다　describe 묘사하다, 서술하다　conduct 수행하다, 실시
하다　domain 영역, 분야　in actuality 실제로, 현실로　intelligence
지능　quality 자질

어법 모의고사 11회

pp. 128-129

1 ② 2 ④ 3 ④ 4 ④

1 ②

지문 해석

(A) 오페라계에서 가장 복잡한 목소리 중 하나는 성대 주름 가장자리의 활용을 통해 가성 음역을 만들어 내는 남성 가수인 카운터테너의 목소리이다. 그 결과 여성의 목소리와 비슷하면서도 남성적인 목소리의 힘을 가진 가장 희귀한 목소리가 생겨난다. (B) 여성 소프라노들이 공연하는 아리아를 듣는데 귀가 익숙해진 오페라 관객들에게 그것은 동시에 즐겁게도, 불안하게도 여겨진다. (C) 역사적으로 카운터테너는 오페라적인 목소리로 여겨지지 않았는데 그 당시에 여성이 오페라에 출연하는 것은 적절하지 않다고 생각되었기 때문에 여성의 역할을 노래한 것이 바로 카스트라티였다. 오늘날 카운터테너는 성악가들에게 새로운 음악적 영역을 개방함으로써 사회적 음악적 변화의 진보적인 수단이 될 수 있다.

정답 해설

(A) One of the most complex voices [in the opera world] is
　　　　주어　　　　　　　↑___ 전치사구　　　동사
that of the countertenor, ...

▶ the voice를 의미하는 대명사가 필요하므로 that이 적절하다.

(B) ... delightful and disturbing to opera audiences, [whose
　　　　　　　　　　　　　　　　선행사　　소유격 관계대명사절
ears are accustomed to hearing arias {performed by
　~에 익숙하다　　　　　　　　　　　　과거분사구
female sopranos}].

▶ be accustomed to는 '~에 익숙하다'라는 의미로 여기서 to는 전치사이므로 to 다음에 동명사 hearing이 적절하다.

(C) ..., as it was not [at that time] deemed proper for
　　　　　가주어　　　〈시간〉의 부사구
women to appear in operas.
to부정사의　　　진주어
의미상 주어

▶ to부정사구가 문장의 진주어이므로 주어 자리에는 가주어 it이 오는 것이 적절하다.

어휘 countertenor 카운터테너(가성으로 소프라노의 음역을 구사하는 남성 성악가) register 음역 utilization 이용, 활용 vocal fold 성대 주름 manage to 간신히 ~하다, 성공하다 masculine 남성적인, 남자 같은 simultaneously 동시에 disturbing 불안감을 주는 be accustomed to ~에 익숙하다 aria 아리아 deem 여기다, 생각하다 progressive 진보적인 vehicle 수단 frontier 새 분야, 미개척의 영역

2 ④

지문 해석

비용 절감은 수익성을 향상시킬 수 있지만, 어느 정도까지다. ① 만약 제조업자가 비용을 너무 많이 절감해서 그렇게 하는 것이 제품의 질을 손상시키게 된다면 그 증가된 수익성은 단기적일 것이다. 더 나은 접근법은 생산성을 향상시키는 것이다. ② 만약 기업이 똑같은 수의 직원들로부터 더 많은 생산을 얻을 수 있다면 그들은 기본적으로 거저 얻게 되는 것이다. 그들은 판매할 상품을 더 많이 얻고, 그러면 각 상품의 가격은 떨어진다. ③ 생산성 향상에 필요한 기계 또는 직원 연수가 생산성 향상으로 얻는 이윤의 가치보다 비용이 적게 든다면, 이것은 어떤 기업이든 할 수 있는 쉬운 투자이다. ④ 생산성 향상은 그것을 만들어 내는 개별 기업에 중요한 만큼 경제에도 중요하다. ⑤ 일반적으로 생산성 향상은 모두를 위한 생활 수준을 올려 주고 건강한 경제의 좋은 지표가 된다.

정답 해설

④ Productivity improvements are as important to the
　　　　　　　　　　　　　　as+형용사(구)+as: ~만큼 ···한
economy as they do(→ are) to the individual business ....

▶ 앞에 나온 are (important)를 대신하는 동사이므로 are로 고쳐야 한다.

오답 해설

① If the manufacturer cuts costs so deeply that doing so
　　　　　　　　　　　　　　　so+부사+that+S+V:
　　　　　　　　　　　　　　　너무 ~해서 ···하다
harms the product's quality, ...

▶ so는 deeply를 수식하여 '너무 많이'라는 의미로 원인이 되고 '그래서 그렇게 하는 것이 손상시킨다'는 결과가 되므로 「so+부사+that절」 구문의 that이 쓰인 것은 적절하다.

② ..., they're basically tapping into free money.

▶ 동사를 수식해야 하므로 부사 basically가 쓰인 것은 적절하다.

③ As long as the machinery or employee training [needed
　접속어구(~하는 한)　　　　　주어　　　　↑___ 과거분사구
for productivity improvements] costs less than ....
　　　　　　　　　　　　　　　동사

▶ 앞의 명사는 '요구되는' 것으로 분사와 수동의 관계이므로 과거분사 needed가 쓰인 것은 적절하다.

⑤ Productivity improvements generally raise the standard
　　　　　　주어　　　　　　　　　동사1
of living for everyone and are a good indication of a healthy
　　　　　　　　　　　　　동사2
economy.

▶ 접속사 and로 두 개의 동사가 병렬 연결되어 있으므로 are가 쓰인 것은 적절하다.

어휘 cut cost 비용을 줄이다 profitability 수익성 up to a point 어느 정도(는) manufacturer 제조사, 생산 회사 short-lived 오래가지 못하는, 단명하는 productivity 생산성 tap into ~을 이용[활용]하다 indication 지표, 암시

3 ④

지문 해석

역사학자들은 다른 사고방식을 가지고 있다고 한다. (A) 즉, 현대의 변화에 직면했을 때, 그들은 본능적으로 이 발전이 과거의 발전과 어떻게 다른지 궁금해 하며 반응한다. (B) 이것은 역사학자들이 번창하던 시골 마을이 버려진 공장들로 가득 찬 침체된 지역으로 전락한 과정을 조사하도록 이끌 수도 있다. 또는 그것은 마을들이 구두로 소식들이 전해지던 곳에서 인터넷이 모든 사람들에게 최신 정보를 일제히 전달하는 곳으로 어떻게 변했는지를 조사하도록 영감을 줄 수도 있다. 역사학자들이 그들의 일을 하는 곳은 바로 그러한 구전 문화와 우리가 살고 있는 디지털 문화 사이의 연대기적 공간이다. (C) 이 주제에 대해 미국의 역사학자 Gordon Wood는 역사학자의 역할은 '시간적으로 B가 항상 우리에게 가까이 있는 상태에서, 과거의 사람들이 어떻게 A에서 B로 시간적으로 이동했는지를 설명하는 것'이라고 쓴 적이 있다.

정답 해설

(A) ..., they instinctively react by wondering [**how** this development differs from developments in the past].
(간접의문문(의문사+주어+동사 – 목적어))
주어 / 동사

▶ wondering의 목적어가 없고 의문사 뒤에 완전한 절이 이어지므로 문맥상 '어떻게'의 의미가 되는 의문부사 how가 적절하다.

(B) This might lead historians to look into the process
(lead A to-v: A가 ~하도록 이끌다) (선행사)
[**by which** a thriving rural town was reduced to a depressed
(= by the process)
area {**filled with** abandoned factories}].
(which was)

▶ '~로 가득 차다'라는 의미의 동사 fill의 수동태는 be filled with로 표현하므로 전치사 with가 적절하다.

(C) ... the role of historians "is to describe [**how** people in
주어 / 동사 / 보어 (간접의문문(의문사+주어+동사 – 목적어))
the past **moved** chronologically from A to B, ...]."

▶ how 이하는 동사 describe의 목적어 역할을 하는 간접의문문으로 동사가 필요하므로 moved가 적절하다.

어휘 confront (with) (~와) 대면시키다 contemporary 현대의, 동시대의 instinctively 본능적으로 thriving 번창하는 rural 시골의 depressed 침체된 abandoned 버려진 inspire 영감을 주다 investigate 조사하다 transform 변하다 orally 구두로 transmit 전달하다 all at once 일제히 chronological 연대기적인

4 ④

지문 해석

① 과학적 지식의 진정한 본질이 무엇인가에 관한 오래된 질문들 중 하나를

곰곰이 생각해 볼 때, 우리는 우선 과학이 몇몇 다른 것들과 마찬가지로, 사회적 활동이라는 사실을 인정해야 한다. ② 그것은 완전히 고립된 상태에서 일하는 뛰어난 개인들로만 구성된 것이 아니다. 대신에 그것은 지적 추구인 동시에 사회적 활동이며 직업이고, 사회적, 경제적 지위의 어떤 형태로 가는 길이다. ③ 새로운 지식이 만들어지는 것은 과학자들 사이의 상호 작용에서라는 것을 기억하는 것이 중요하다. ④ 더욱이, 연구를 수행하는 동기는 각각의 새로운 발견이 나머지 과학계 및 사회 전체와 공유되는 정도에 강력한 영향을 미친다. ⑤ 이는 우리가 과학 활동이 만들어 내는 것의 가치를 검토할 때마다 과학 활동의 모든 면을 고려해야 한다는 뜻이다.

정답 해설

④ ..., the motivations for conducting research have a
주어 / 동사
powerful influence on the extent [**which**(**→ to which**) each
선행사 / = to the extent
new discovery is shared with the rest ...].
주어 / 동사

▶ 선행사(the extent)가 관계사절 안에서 전치사와 함께 쓰여 to the extent의 의미가 되어야 하므로 to which로 고쳐야 한다.

오답 해설

① ..., we must first acknowledge the fact [**that** science is,
(동격) / 주어 / 동사
(along with several other things), a social enterprise].
전치사구(삽입) / 보어

▶ the fact의 내용을 설명하면서 완전한 절을 이끌어야 하므로 동격의 절을 이끄는 접속사 that이 쓰인 것은 적절하다.

② It is not comprised solely of brilliant individuals [**working**
(be comprised of: ~로 구성되다) (현재분사구)
in total isolation] ....

▶ 앞의 명사 brilliant individuals는 '일하는' 주체로 분사와 능동의 관계이므로 현재분사 working이 쓰인 것은 적절하다.

③ It is important [to remember {that **it** is in the interactions
가주어 / 진주어 / it is ~ that 강조 구문: 부사구 강조
between scientists **that** new knowledge is **generated**}].
주어 / 동사

▶ 문맥상 that절의 주어 new knowledge가 '만들어진다'는 행위의 대상으로 수동의 의미가 되어야 하므로 과거분사 generated가 쓰인 것은 적절하다.

⑤ This means [**that** we should consider all of the facets of
주어 / 동사 / 목적어(명사절)
the scientific enterprise {**whenever** we examine the value
복합관계부사절(~할 때마다)
of (what it produces)}].
of의 목적어(명사절)

▶ 전치사 of의 목적어가 없고, 관계사절 안에서 동사 produces의 목적어가 필요하므로 선행사를 포함한 관계대명사 what이 쓰인 것은 적절하다.

어휘 ponder 곰곰이 생각하다 regarding ~에 관해 acknowledge 인정하다 enterprise 사업, (사업·기업에의) 참가 be comprised of ~로 구성되다 in isolation 고립되어 pursuit 추구 pathway 길, 경로 interaction 상호 작용 generate 발생시키다, 만들어 내다 motivation 동기 conduct 수행하다 extent 정도 facet 측면

어법 모의고사 12회 pp. 130-131

1 ① 2 ④ 3 ⑤ 4 ②

1 ①

지문 해석

차는 물 바로 다음으로 세계에서 가장 흔하게 소비되는 음료들 중 하나이다. ① 당신이 그것에 알레르기가 없다면, 당신은 인생에서 어느 시점에는 틀림없이 차를 마셔본 적이 있을 것이다. 차를 마시는 데에는 많은 이유가 있다. ② 차의 한 가지 분명한 이점은 그것이 유익한 산화 방지제를 함유하고 있다는 것인데, 이것은 차가 사람들에게 가져다 주는 차분한 감정을 설명해 준다. 녹차는 불안감을 완화시키고 수면을 개선하며 스트레스를 줄인다고 알려진 아미노산인 L-테아닌을 함유하고 있다. ③ 사실, 예비 연구에 따르면 스트레스와 싸우는 것에 관한 한 L-테아닌은 대부분의 의약품들만큼 효과가 있다. ④ 더군다나 그것은 대부분의 상업적인 약품들이 유발하는 것과 같은 종류의 불쾌한 부작용을 유발하지 않는다. 그러나 완벽한 것은 없다. ⑤ 녹차는 높은 농도의 카페인을 함유하고 있는데, 이것은 어떤 사람들에게는 두통, 불면증, 소화 문제를 유발할 수 있다.

정답 해설

① [**Unless** you are allergic to it], you **cannot**(→ **must**) have
〈조건〉의 부사절(~가 아니라면)　주어　　동사
tried tea at some point in your life.

▶ 「cannot have+p.p.」는 '~일리가 없다'는 의미로 과거 사실에 대한 강한 부정적인 추측을 나타내는데 문맥상 '~했음이 틀림없다'의 의미의 과거 사실에 대한 추측을 하고 있기 때문에 「must have p.p.」로 고쳐야 한다.

오답 해설

② One clear benefit of tea is [**that** it contains beneficial
　　　주어　　　　　동사　주격보어(명사절)
antioxidants] ....

▶ 주격보어 역할을 하는 명사절이 와야 하므로 that이 쓰인 것은 적절하다.

③ ..., L-theanine is as **effective** as most pharmaceutical
　　　주어　　동사　as+원급+as: ~만큼 …한
drugs [when it comes to fighting stress].
　　　　　　~에 관한 한　　동명사

▶ 「as+형용사/부사의 원급+as」의 원급 비교 구문으로 be동사 다음에는 보어가 필요하므로 형용사 effective가 쓰인 것은 적절하다.

④ ..., it does not trigger the same sort of unpleasant side
　　　　주어　　동사　　　　　선행사
effects [**that** most commercial medicines **do**].
　　　　　목적격 관계대명사절　　　　　대동사(= trigger)

▶ 앞에 나온 동사 trigger를 대신하는 대동사이고 주어 most commercial medicines가 복수이므로 do가 쓰인 것은 적절하다.

⑤ Green tea does contain high levels of caffeine, [which
　　주어　　강조의 do　동사　　　　선행사　　　계속적 용법

could lead to headaches, insomnia, ...].
　lead to+명사: (~의) 원인이 되다

▶ 앞에 선행사가 있고 주어가 없는 불완전한 절이 이어지므로 주격 관계대
　명사 which가 쓰인 것은 적절하다.

어휘 allergic 알레르기가 있는, 알레르기성의　a myriad of 무수한
antioxidant 산화 방지제, 방부제　amino acid 아미노산　alleviate
완화하다　preliminary 예비의, 준비의　pharmaceutical 제약의, 약
학의　trigger 유발하다　side effect 부작용　commercial 상업적인
insomnia 불면증　digestive 소화의

2 ④

지문 해석

① "재능이 노력하지 못할 때 노력이 재능을 이긴다"는 말이 있다. ② 이 말
은 어느 정도는 사실이지만, 노력도 재능도 필요로 하지 않는 우리 일상생활
에서의 수많은 중요한 측면들이 있는 것 같다. 당신 몸짓의 작은 변화가 당
신 삶의 큰 개선으로 이어질 수 있다. ③ 당신의 태도를 오랫동안 자세히 보
고 나서 그것을 개선하기 위한 조치를 취함으로써 시작할 수 있다. 인간은
긍정에 끌리고, 긍정적인 태도는 당신 주위 사람들의 정신을 고양하는 능력
을 가지고 있다. ④ 당신이 만들 수 있는 또 다른 간단한 변화는 시간을 엄수
하는 것이다. ⑤ 만성적인 지각은 종종 당신이 만나는 사람들의 시간에 대한
무례함의 표시로 해석된다. 당신의 약속들에서 미리 정해진 일정을 충실히
지키는 것은 다른 사람들에게 좋은 인상을 주고 더 많은 기회의 문을 열어줄
것이다.

정답 해설

④ Another simple change [you can make] is committing
　　　　　　주어　　　　　 　(that)　　　 　목적격　　　　 동명사(주격보어)
　　　　　　　　　　　　　　　　　관계대명사절

you(→ yourself) to punctuality.
목적어

▶ 동명사 committing의 의미상의 주어와 목적어가 동일한 대상을 가리키
　므로 재귀대명사 yourself로 고쳐야 한다.

오답 해설

① **It** has been said **that** "hard work beats talent when talent
　가주어　　　　　　　　　　　　진주어(명사절)

fails to work hard."

▶ 주어 자리에 가주어 It이 쓰였고 that절 이하가 문장의 진주어가 되어야
　하므로 명사절을 이끄는 접속사 that은 적절하다.

② ..., there seem to be numerous important aspects of our
　　　　　　　　　　　　　　　　　선행사

daily life [**that require** neither hard work nor talent].
　주격 관계대명사절　　동사　　neither A nor B: A와 B 모두 아닌

▶ 주격 관계대명사절의 선행사가 복수이므로 require가 쓰인 것은 적절하다.

③ You can start **by** taking a long, hard look at your attitude,
　　전치사(~함으로써)┘　동명사1

and then **taking** steps to improve it.
　　　　　　동명사2

▶ 전치사 by의 목적어로 두 개의 동명사가 접속사 and로 연결된 병렬 구
　조이므로 taking이 쓰인 것은 적절하다.

⑤ [Adhering to the **prearranged** schedule of your
　주어(동명사구)

appointments] will make a good impression on others ....
　　　　　　　　　동사

▶ schedule은 '정해지는' 것이므로 수동의 의미를 나타내는 과거분사
　prearranged가 쓰인 것은 적절하다.

어휘 talent 재능, 소질　numerous 많은　improvement 향상, 개선
positivity 긍정, 확신　capacity 능력, 용량　commit ~을 맡기다
punctuality 시간 엄수　chronic 만성적인　tardiness 지각, 느림
disrespect 무례, 결례　adhere to ~을 고수하다, 충실히 지키다
prearrange 사전 조정하다　appointment 약속　impression 인상

3 ⑤

지문 해석

일반적으로 민간 항공기는 물리적 구조물은 아니지만 도로와 유사한 항로로
운항한다. ① 항로에는 고정된 폭과 규정된 고도가 있으며, 그것들이 반대
방향으로 움직이는 통행을 구분한다. ② 항공기 간에 상하 간격을 둠으로써
아래에서 다른 과정이 이루어지는 동안 일부 비행기가 공항 위를 통과할 수
있게 된다. ③ 항공 여행은 보통 장거리에 걸치며, 이륙과 착륙 시 짧은 시간
의 고강도 조종사 활동과, '장거리 비행'이라고 알려진 비행 부분인, 공중에
있는 동안의 긴 시간의 저강도 조종사 활동이 있다. ④ 비행에서 장거리 비
행 부분 동안 조종사들은 근처의 비행기를 탐색하는 것보다 항공기 상태를
평가하는 데 더 많은 시간을 보낸다. ⑤ 이는 항공기 간의 충돌은 대개 공항
주변 지역에서 발생하는 반면, 항공기 오작동으로 인한 추락은 장거리 비행
중에 발생하는 경향이 있기 때문이다.

정답 해설

⑤ ..., **while** crashes [due to aircraft malfunction] **tends**
　　　　접속사　　주어　　　　　전치사구　　　　　　　　동사

(→ **tend**) to occur during long-haul flight.

▶ while이 이끄는 부사절에서 복수명사 crashes가 주어이므로 tend로
　고쳐야 한다.

오답 해설

① Airways have fixed widths and defined altitudes, **which**
　　　　　　　　　　　　　　　　　선행사　　　　　　　 (= and they)

separate traffic [**moving** in opposite directions].
　　　　동사　　　　 　현재분사구

▶ 두 개의 절을 연결하면서 관계사절 내에서 주어 역할을 해야 하므로 계속
　적 용법의 주격 관계대명사 which가 쓰인 것은 적절하다.

② Vertical separation of aircraft allows some flights **to pass**
　　　주어　　　　　　　　　　　동사　　목적어　　목적격보어
over airports ....　　　　　　　　　　　　allow+목적어+to-v: ~가 …하게 하다

▶ allow는 to부정사를 목적격보어로 취하는 동사이므로 to pass가 쓰인 것은 적절하다.

③ ... long periods of lower pilot activity while in the air, the
　　　　　　　　　　　　　　　　　　　　　　　　(it is)
portion of the flight [**known** as the "long haul."]
　　　　　　　　　↑ 과거분사구

▶ the portion of the flight와 분사는 수동의 관계로 '~라고 알려진'의 의미를 나타내야 하므로 과거분사 known이 쓰인 것은 적절하다.

④ ..., pilots spend more time assessing aircraft status than
　　　　　　　　　　　　　　　　　　동명사1　　　　　　~보다
searching out nearby planes.
　동명사2

▶ '~하는 데 시간을 보내다'의 의미를 나타내는 「spend+시간+v-ing」 구문에서 동명사가 접속사 than으로 병렬 연결되어 있으므로 searching이 쓰인 것은 적절하다.

어휘 commercial 상업의, 상업적인 airways 항공로 structure 구조, 구조물 width 폭, 너비 separate 분리하다, 나누다 vertical 수직의 intense 극심한, 강렬한 portion 부분, 일부 assess 평가하다, 재다 collision 충돌 crash 추락, 충돌 (사고) malfunction 고장, 오작동

4 ②

지문 해석

모든 삶에는 모든 것이 무너지는 것처럼 보이는 날들이 포함될 것이다. 이럴 때에 최선의 방어는 확고한 관점을 유지하는 것이다. ① 내 친구 Kelly는 최근에 자신이 생각하기에 인생 최악의 날이었던 것을 묘사했다. 이날 그녀는 캠퍼스에 도착하면서 교통사고에 관여되었다. ② 상대 운전자와 보험 정보를 교환하던 중 파손된 차량에서 그녀가 몇 주 동안 작업한 단 하나뿐인 연구논문이 들어 있던 배낭이 도난당했다. ③ 그녀는 상황이 훨씬 더 악화될 수도 있었다는 사실에 초점을 맞춰서 자신을 추스를 수 있었다. ④ 그녀의 차는 수리될 수 있었고, 그녀는 원래 초안을 쓰는 데 걸렸던 시간보다 훨씬 더 짧은 시간 안에 논문을 다시 쓸 수 있었다. ⑤ 모든 일을 전체적인 관점으로 본 것은 그녀가 침착함과 냉철함을 유지하게 했고, 제정신을 지키고 앞으로 나아갈 수 있게 했다.

정답 해설

②, ..., her backpack, [**which** contained her sole copy of
　주어(선행사)　(that)　주격 관계대명사절(삽입절)
a research paper {she had been working on for weeks}],
　선행사　↑　　　　　　목적격 관계대명사절
being (→ **was**) stolen from her damaged vehicle.
　　동사

▶ 주절의 주어는 her backpack으로 주절의 동사가 필요하므로 was로 고쳐야 한다.

오답 해설

① My friend Kelly recently described [**what** she considered
　　　주어　　　　　　　　　　동사　　(= the thing which)
the worst day of her life].

▶ 문장에서 what이 이끄는 절이 동사 described의 목적어 역할을 하므로 선행사를 포함한 관계대명사 what이 쓰인 것은 적절하다.

③ She was able to keep herself together by focusing on
　　　　　　　　　　　　　　　　　　　　~함으로써
the fact [**that** things could have been **much** worse].
　└동격┘　주어　　　　동사　　　　↑ 보어

▶ much, even, still, far, a lot 등은 비교급을 강조하여 '훨씬'의 의미를 나타내므로 much가 쓰인 것은 적절하다.

④ ... she could rewrite her paper in considerably less time
　　　주어　　　동사
than it took **to write** the original draft.
　~보다

▶ '~하는 데 …의 시간이 걸리다'라는 의미의 「It takes+시간+to부정사」 구문이 되어야 하므로 to write가 쓰인 것은 적절하다.

⑤ Keeping things in perspective kept her calm and cool,
　　　　주어(동명사구)　　　　동사 목적어　목적격보어
[**saving** her sanity and allowing her to move forward].
　현재분사1　　　　　　현재분사2

▶ Keeping things in perspective를 의미상 주어로 하는 분사구문으로 주어와의 관계가 능동이므로 현재분사 saving이 쓰인 것은 적절하다.

어휘 fall apart 무너지다 defense 방어 perspective 관점 be involved in ~에 관여되다 insurance 보험 sole 하나뿐인, 유일한 keep oneself together 자신을 추스르다 considerably 상당히 keep things in perspective 전체적인 안목을 유지하다 sanity 분별, 온전한 정신

MEMO

MEMO

MEMO

정답 및 해설

수능 어법
실전